一瞬の光

白石一文

角川文庫 13046

JN265637

目次

第一部

1

竹井に連れられて店に入ってから、しばらくその女のことに気づかなかった。気づいてみれば、カウンターの向こうにいて、私や竹井のグラスを取り替えてくれていた女だった。何度めかに水割りを置く彼女の右手に目がいった。カフスのはまった袖口《そでぐち》から白い包帯が覗《のぞ》き、その包帯を見た瞬間記憶が甦《よみがえ》ってきて、昼間の顔といまの顔とがきれいに重なった。思わず声が出そうになった。女の方は、私がスツールに座ったときからそれと知ったにちがいなかった。だが、そんな素振りはまったく見せなかった。こうやって意識的に視線を注ぐようになっても、決して目を合わせずに何食わぬ表情を保っている。

観察すると、彼女は他の数人のバーテンダーと同じようにシェイカーを振っていた。カクテルをつくり、ライムを搾《しぼ》り、密封容器の蓋《ふた》を開けてオリーブを摘《つま》み出し、チーズを切っていた。台襟の白いシャツを着て、黒く短いベストできっちりと体を締めている。身のこなしも、手さばきも堂に入っていて、酒瓶をキャビネットから取り出しキャップを回すときの舞うような掌《てのひら》の動きなど、男たち以上の鮮やかさだった。

面接した折とはかけ離れたその印象に、私は内心おどろいていた。暗い照明の下で規則化された無言の動作を演じているにすぎないし、眺める側の自分がずいぶん酔っているということもある。しかし、それにしても彼女はつい十二時間ほど前、三対三で短いやり取りを交わしたときにはなかった精彩を放っていた。

隣の竹井は酔い潰《つぶ》れていた。カウンターに突っ伏して小さな唸《うな》り声を上げている。腕時計を見た。午前二時を回っていた。そろそろ引きあげた方がよさそうだ。

一軒目、二軒目あたりまでは竹井も気をつかってくれていた。今夜飲みに行こうと声をかけてきたのも彼の方だった。だが十二時を過ぎ、前の店、そして彼が馴染《なじ》みだというこの南青山のダイニングバーと流れるうちに、社の同僚と飲むときまって聞かされる厭味《いやみ》のたぐいを彼からも聞かされる羽目になった。竹井とは大学時代、ボート部の先輩後輩という格別の間柄だった。私が主将をつとめて全国制覇を果したときのエイトの一員で、いまの会社に誘ったのも私だ。以来ずっと目をかけてきた。人事部に移るとき一人だけ引いたのもこの竹井である。その竹井にして、やはり酔いが回ると何やかや皮肉を言いかけてくる。最初はさんざん内山の悪口を並べ立てていたくせに、しまいには、

「橋田さんは贅沢《ぜいたく》ですよ。いくら雲上人だからって、下々の気持ちをもっと理解せにゃいかんですよ。内山部長にしたら、四月に突然企画室から天下ってきた一回りも歳下の後輩が採用全部取り仕切るってのは、そりゃあ納得できん話です。彼の今度のやり口は卑怯《ひきょう》と言えば卑怯だけど、所詮《しょせん》、橋田さんにすれば内山なんて敵じゃないわけでしょう。その辺すこし分かってやって、あんまり険悪にならずに、適当にここは受け流しておくってのも大人の知恵なんじゃないですか」

などと訳知り顔になった。

そういう言い回しを耳にすると、最近の私はほとほとうんざりしてしまう。「雲上人」だの

「金時計」、「カミソリ」、「社長の懐刀」だのと揶揄《やゆ》されるようになって数年になる。殊《こと》に五年前に経営企画室に移り、昨年室長代理という異例中の異例とも言える抜擢《ばってき》を受けてからは、そうした声は社内中に鳴り響くようになってしまった。そしてこの四月、人事課長に就任し、周囲の目は一種凄味《すごみ》を帯びてきた感すらあった。

たしかに今回の内山人事部長の私への行為は嫌がらせ以外の何物でもなかった。大卒定期採用の方法を今年から大幅に変えるという方針は、三月の最高経営会議で決定された。経営企画室で、その採用制度改革のプランを一年がかりでまとめたのが私で、だからこそ今春の異動で人事部に移ったのだ。ところが内山は、最後の最後、実際に学卒者の採用事務を行なう段になって私をチームから外したのである。今から一週間前、七月に入ってすぐのことだ。

本来新卒採用は人事課長の専権事項であり、部長は社内人事の統括者だ。それを今年に限って内山は新卒採用まですべてを自分が指揮すると宣言し、私には短大卒専門職の採用だけを担当させることに決めてしまったのだった。

「きみは人事は初めてだし、まだ若いからね。とりあえず今年一年はぼくが模範演技をしてみせるから、よおく観察しておくといい。どうせ来年からは、きみがすべて決めることになっちゃうんだろうから」

前任の人事課長より私は八歳も若い。取締役人事部長に皮肉まじりにそう言われると何とも抵抗の仕様がなかった。しかも彼と私とは対立する派閥に属していて、内山の与《くみ》する宇佐見副社長派はいまや凋落《ちょうらく》の一途を辿《たど》っていた。内山自身、来年は子会社の専務か常務あたりで本社から出されることは必至と言われている。現社長の信任を得ている私は、彼からすれば憎悪の対象でしかなかった。早い話、左遷前にその意趣返しをするという魂胆で、内山は私を露骨に外してみせたのである。

私も、内山の仕打ちが悔しくないわけではなかった。通告された時は、四月以降、採用の準備を取り仕切ってきただけに腹が煮えるような思いを味わった。だが、いまはそれほどの怒りもない。竹井は「あんまり険悪にならずに」と、まるで私の方が尖《とが》っている風な言い方をしたが、そんなつもりは毛頭なかった。さらに言えば、私自身は「内山なんて敵じゃない」などと考えたこともないし、まして「雲上人」だと自分に自惚《うぬぼ》れるほどの馬鹿でもない。

むしろ近頃の私の気分は正直なところその反対だった。ここ数年、日の当たるポストを歩き、登用に次ぐ登用を受けるにしたがって、私の中では仕事というものへの違和が募ってきていた。かろうじて保たれてきた調和が少しずつ壊れていく感じがした。様々な要素で成り立っているはずの自分というものの中で、仕事という要素だけが高濃度の栄養補給を受け、一種いびつな瘤《こぶ》のように肥大している気がして仕方がないのだった。それは、その分、ほかの機能がやせ衰えていく恐ろしさを伴っていた。

人事課長というポストを提示された時、「さすがに、これは行き過ぎだ」と思った。事実、社長の扇谷《おうぎがやつ》には何度も固辞の意志を伝えた。だが、採用制度改革の起草者というしがらみもあって取り合っては貰《もら》えなかった。別に自ら望んだポストではない、そう思っている。だから、内山との一件にしても芯《しん》から怒りを覚えたりはしなかったのだ。

寝息を立てはじめた竹井を起こすのが億劫《おっくう》で、私はそれからしばらく黙々と水割りを啜《すす》った。ためしに彼女を呼んでカクテルでも作って貰おうか、とも思ったがやめた。ただ、退屈もあってずっと彼女のことを眺めていた。

まず目を引くのは深いローズカラーの口紅だった。照明の具合によっては紫がかっても見えるその色は、ぽってりと厚めの唇にうまくなじんでいた。面接の折の頼りなく子供っぽい印象があるせいか、それだけでもう別人のようでもある。髪はショートボブだが前髪を横に流し、両サイドは耳にかけてあるので、小さな顔ぜんぶがあらわになっていた。思いのほか額が広く、細くまっすぐな眉《まゆ》の下に、二重で丸みのある目がバランスよくおさまっている。瞼《まぶた》の上にはブルーのアイシャドーが薄く光っていた。鼻は小さいが高かった。男の子のような面差しでさして色気はないが、こうして眺めていると、自然に惹《ひ》きつけられるものがあった。ことに昼間とちがっているのは目だった。この目には何か強いものが感じられた。自信に満ちたというよりも、どこか思い詰めたような強さ、そういうひたむきな小さな光が瞳《ひとみ》の奥にたしかに宿っていた。

会社で向かい合った時は、濃紺のスーツに黒のローヒール、髪は下ろして両頬にかかり、十五分間の面接のあいだずっと緊張した硬い表情で、視線にも落ち着きがなかったから、この目の光に気づかなかったのだろうか。

しまったかな、と私は考えていた。そういう風に考える自分が意外だった。仕事に私情を持ち込まないというのは私の信条だ。それがどういうわけか、いま、この娘を落としたのは失敗だったかもしれないと感じている。なぜそう感じるのか私自身にも理由がよく分からなかった。

昨日一日だけで五十人の短大生と面接を行なった。目の前の彼女とは具体的にどんなやり取りをしたのかよく覚えていないが、印象が薄かったのは間違いない。右手の包帯が気になって質問すると、「今朝、犬に咬《か》まれてしまって」とばつの悪そうな笑みを浮かべ、スーツの袖で包帯をそっと隠した。記憶に残っているのはその程度で、あとは平凡な、どこにでもいる女の子という感じだった。筆記試験の成績はかなり上位だったが、面接官三人の評価はCランクで、迷いもなくふるい落とした。夕方には二次面接に残す五人を選んで、履歴書の連絡先に電話で伝えた。彼女も電話がなかったことは当然知っているだろう。

学生は三人で彼女は左端に座っていた。右端が派手な顔立ちのよく喋《しゃべ》る子で、部下の二人が質問をその子に集めていたのを憶《おぼ》えている。美人だったこともあって、部下たちは甘い評価を与えていたが、むろん私はその組は全員落とした。

はじめて採用に直接関わってみて、私は、いまの若い人間たちの無個性さに呆気《あっけ》に取られる思いだった。この一週間近くで面接をこなした二百人ほどの短大生に限っても、どれも皆おなじで、こちらを驚かせるような子には一人として出会わなかった。彼女たちからは、どんな質問をしても型通りの答え以外返ってこなかった。全身がかまぼこででも出来てるんじゃないかというほどに、誰もがつるつるののっぺらぼうに見えた。今週いっぱい、あと三日間もあんな単調な作業をつづけるのかと思うと、憂鬱《ゆううつ》になってくるくらいだ。

四大卒の面接を担当している竹井に聞くと、そっちでも事情は大して変わらないらしかった。

「とにかく覇気がないというのか、やる気がないというのか。会社の選び方にしてもポリシーなんてゼロで、うちに入って何やりたいかなんてろくに考えてもいないですよ、アイツらは。ためしに訊《き》いてみると、判でも捺《お》したように、衛星通信だのニューメディアだので、うちがもともと造船重機の会社だってこともよく知らんのですから」

さきほども竹井はぶつくさ言っていたものだ。

仕事のことを考えて少しぼうっとしていたのだろう。ふと見ると、彼女が目の前に立っていた。はじめて目が合った。「やあ、昼間はどうも」と声を出しかけて口を噤《つぐ》んだ。その表情に何の変化も生まれていなかったからだ。

「申し訳ありませんが、そろそろ閉店でございます。チェックの方をよろしくお願い致します」

彼女は伝票を挟んだ黒いプレートを差し出すと、小さく微笑んでみせた。その職業的な笑顔を見つめ、もしかしたら彼女の方こそ俺のことを覚えていないのではないか、と考えを改めた。こちら側は三人だったし、緊張で面接官の顔を一々観察する余裕などなかったろう。なんだそんなことか、と思った。わずか半日前に入社試験で自分を落とした当人と出くわし、それでも淡々と接客している彼女の態度にちょっとした魅力を感じたのだが、とんだ思い過ごしだったようだ。

財布からカードを出して渡すともう彼女には注意を向けず、隣で眠りこけている竹井を起こしにかかった。

2

竹井はしたたかに酔って足元もおぼつかない有り様だった。重い身体を引きずるように六本木通りまで連れて出た。通りかかったタクシーを止め、後部座席に竹井を押し込んで見送ったあと腕時計を見ると、とっくに午前三時を回っていた。それからしばらく通りに佇《たたず》んでいたが、月曜日の深夜だというのに案外に空車は見つからない。たまにやって来ても平気で渋谷《しぶや》方向へ走り去っていく。珍しいこともあるものだと首を傾げ、だいぶ待ったあげくにようやく思い当たった。そういえば先週末に大半の企業で夏のボーナスが支給され、昨日はその週明け最初の日だったのだ。

大学進学で上京してこの方、気儘《きまま》な一人暮らしをつづけている私には、ボーナスといったものへの思い入れがまったくない。下手をすると月々の給料日だって忘れていて、たまに通帳にまとめて記帳してみて残高の多さにびっくりしたりする。五年前から住んでいる池尻《いけじり》のマンションは父方の祖父の遺産で購入したものだし、入社以来、出張と残業の連続で、およそ個人的に金を使う機会などなかった。買い物もたまに背広やシャツを揃える程度で、休暇らしい休暇もここ数年取ったことがない。最近の大きな支出といえば二年前に車を買い換えたのと、昨年扇谷にすすめられホンマのクラブセットを買ったくらいのものである。

ボーナスか、と口に出して空を見上げた。

いつになく東京の夜空は澄みわたって星が瞬《またた》いている。この十五年、金のためというには余りに没頭して働いてきたような気がする。今度のボーナスが幾らだったのかも確認していなかった。毎回明細の入った袋が経理部から配られるのだが、開封したこともない。暮らしに不自由があるわけでないから、それはそれで構わないのだろうが、それにしても我ながらやや異常だという気はする。一体何のために自分は働いているのだろうか、と思う。私自身の生活を充足させるためでないのは確かだ。といって家族がいるのでもないから、誰か他の人たちのためでもない。

「橋田、この会社のことだけ考えるなよ。どんなに苦しい時でも、まず第一にこの国のことを考えてから判断し、行動しろ」

社長の扇谷はいつも口癖のように言った。

日本最大の財閥の中核企業として、明治開国の頃から常に国策に沿って事業を拡大してきた私の会社では、扇谷のような考え方は脈々とつづく伝統でもあった。たしかに連結ベースの年間売上高がＮＩＥｓ諸国のいずれの国の国家予算をも凌《しの》ぐ企業だ。そういった社是があながち大言壮語と言えない実質は持っていた。

私は扇谷がまだ末席の副社長だった時に、英語力を買われて欧米視察に随行し、そこで見込まれて入社三年目に彼の秘書役となった。以来、扇谷の立身と共に順調過ぎる行路を歩んできた。だから、何のために働いてきたかと問われれば、扇谷のためということになるのだろう。そして、扇谷のためということは行き着くところ、彼の口癖のように「御国のため」ということになるのだろうか。

国のためか、今度は呟《つぶや》いてみる。あの遠い星よりさらに遠い話のような気がする。

人事課長を辞退しようと掛け合いに出向いたときは扇谷に一喝された。

「仕事のことでわがままを言うことは絶対に許さん。お前はまず五万人の従業員のことを考えろ。その家族十五万人のことを考えろ。自分のことも、恋人のことも、親兄弟のことも、その二十万人のことを全部考えた後で考えればいいことだ。いまからお前がそんな弱音を吐いてどうする。私を失望させるようなことはもう二度と言うな」

その扇谷には七年前、一人息子を死なせた経験があった。自殺だったと言われている。今では誰もその事に触れる者はいないし、扇谷自身もそうした私事にまつわる話は露ほども洩《も》らしたことがない。だが、三月に扇谷に強く叱責《しっせき》された折、かねてからひっかかっていたその事件のことが私の胸中で膨れ上がっていったのは事実だった。

会社員である以上、いずれ扇谷のように頂点に昇りつめたいと望まないとしたら嘘になる。しかし、その代償に家族の死を覚悟しろと言われたら、自分は歩みを止め踵《きびす》を返すしかないのではないか。そう思い至ってみて、私は自らの足場が不意にぬかるんで、ひどく頼りないものに変わってしまったような気がしたものだ。

結局、十五分近く車の流れを眺めていたがタクシーはつかまらなかった。諦《あきら》めてしばらく歩くことにした。道を戻って表参道の交差点に出た方がいい。場合によっては、そのまま青山通りを下って池尻まで歩いても構わない。二時間もあれば部屋に辿《たど》り着くだろう。そのうち陽も昇り、きれいな初夏の夜明けの空を仰ぐこともできる。七月の風はゆるくほのあたたかで、酔った頬に心地良かった。

五分ほど路地づたいに歩いて、ちょうどさきほど出てきた店のあたりにさしかかった時だった。幽《かす》かな女の叫び声に足を止めた。その声は路地のつきあたりの暗がりの方から聞こえてきた。私は明かりの消えた店の前を過ぎ、声のする方へと小走りに近づいていった。ショーウィンドウ越しに白いマネキンが幾つか並んだ細いビルにぶつかり、道なりに左折すると、すぐに大きな駐車場があった。

その広々とした駐車場の奥、一台きり止まったランドクルーザーの陰に一組の男女が立っていて、何やら背の高い男が白い服を着た女と揉《も》み合っているようだった。

「やめてっ、いやっ」

よく見ると男が女の腕を取り、ドアが半開きになった車の方へ引きずって行こうとしていた。瞬間考えて、駐車場に入っていった。カップルのいざこざというには女の様子が切羽詰まって見えた。歩み寄っていくと、人の気配に気づいた二人が動きを止め、こちらを向いた。女の顔にはっとした。さきほど店にいた彼女だったからだ。男の方にも見覚えがあった。竹井と店に入ったとき、竹井と親しげに話し、席まで案内してくれた背広姿のマスターらしき中年の人物だ。

「どうしたんですか」

すぐそばまで近づき、声をかけた。男は女の腕から手を放すと、唇の端を少し切り上げてにやけた笑いをつくった。口髭《くちひげ》に四角ばった顔を街灯の光でたしかめ、やはり店の男だと思った。

「いや、別に何でもないですよ」

顔と体に似合わず甲高い声で男は言い、「なあ」と相づちを求める風に女の方へ鼻先を向けた。彼女は車のボンネットに上半身をあずけ、ノースリーブの白い服から伸びた細い腕を交差させて両肩を包むようにしていた。黙り込んで俯《うつむ》いている。そこで右手の白い包帯に気づいた。手首の付け根から意外に幅広く巻かれていた。男が摑《つか》んでいたのがその右手であったことが私の神経を小さく刺した。

女の全身を見つめ、その姿に何か異様な感じを受けた。女の肩は小刻みに震え、よく見ると体がゆらゆらと揺れていまにも倒れそうだ。竦《すく》みきってしまっている。さきほどのカウンターの中での颯爽《さつそう》とした印象はもうどこにも残っていなかった。

「なあ、そうだろう」

からかうような馴《な》れ馴《な》れしい口調で、男がもう一度女に声をかけた。

「何でもないって感じじゃないね」

私は男の舐《な》めた態度が気にいらなかった。

「その子、怯《おび》えきってるよ」

そう言うと、男は表情を強張《こわば》らせ、細い目に鋭さが出た。髭のせいで歳に見えたが案外若いんじゃないか、と思った。どうやらちょっと堅気から外れた手合いのようだ。「あんたさあ」とため息まじりに男が言った。

「あんましさあ、他人事に口出さないほうがいいと思うよ。とにかく何でもないんだから、とっとと消えちゃってよ」

やっぱりこいつは若いな、とまた思った。大きな体と髭に騙《だま》されていたらしい。三十そこそこってところだろう。つるりとした顔は生白く、上背があるためかのっけから呑《の》んだ構えでこちらの目を睨《ね》めつけてくる。面倒なのを相手にしてしまった、と少々気が滅入《めい》った。まあ首を突っ込んだのだから仕方がない。酔いが醒《さ》めていてよかった。

私は男の台詞《せりふ》は無視して、女の方へ近づくと左腕を取って車から引き離した。手を触れた途端彼女の体は一瞬びくっと痙攣《けいれん》したようになった。

「大丈夫ですか」

女はこくりと頷《うなず》いたが、顔は上げない。

「とにかく、今夜はもう遅いし帰った方がいいよ。あとは適当にやっておくから」

また女は頷いて、それでも立ちつくしている。仕方なく腕を回し背中を押すようにして駐車場の出口に彼女の体を向けてやった。

「おい、おい」

そこでようやく男が迫ってきた。

「ふざけた真似してんじゃねえよ」

「さあ、走って」

女を突き放すと、目の前に来た男に自分から組みついた。だらりと両腕をさげたままだったところを見ると、それほど喧嘩《けんか》馴れしているわけでもないらしい。とりあえず男の両方の手首を押さえ、体を密着させて動きを止めた。その強烈な握力に明らかに男はたじろいだようだった。ちょうどオールを握る形で両手首を順手で絞り上げ、胸の前にせり上げた。さらに四十五度ほど左右に捩《ね》じれば、まず体が浮き、そして次に肩甲骨が外れるだろう。あとはなりゆき次第で右膝《ひざ》を相手の腹に食わせればいい。

「いて、てててて……」

男が苦痛に表情を歪《ゆが》めている。こうやって見るとほんとうに背が高い。私の身長は百七十五センチだが、ゆうに十センチ以上は差がある。

「ちょっと俺もむしゃくしゃしてるんだ」

ゆっくりと私は喋った。

「幸いこんな時間だし、誰も見てるわけないしね。あんた傷《いた》めつけてスカッとしてもいいんだけどね」

男が異物でも見るように目を剝《む》く。そのさきほどとは打って変わった怯えた目玉の動きが妙におかしかった。

「なあ、どうしようか」

自分で言葉にしながら、何かきな臭い香りが全身からくゆり立ってくるのを意識した。本気でこいつを傷めつけてやろうか、という気がして内心自分におどろいていた。

「ちょっと……ちょっと待ってよ」

か細い声が男から絞り出てきた。そのくせ目には小狡《こずる》そうな色が滲《にじ》んでいる。膝を曲げ爪先《つまさき》立った両足が小刻みに震えていた。

「やっぱりさ……」

ますますきな臭さは濃くなって、つうっと頭に血がのぼっていく感覚を味わった。こっちだって喧嘩馴れしているわけではない、このあとどこで止めたらいいのか分からない、と思った。そう思った刹那《せつな》、自分でも信じられないことが起きた。弱々しい男の声が火を点《つ》けたのか、半歩引いて溜《た》めていた右足がスムーズに地面を離れ、気づいてみるとぐにゃっとした感触が膝頭にまとわりついていた。「うっ」という呻《うめ》き声と生ぐさい息が同時に横顔にふりかかってきた。私の両腕はいつのまにか男の手首から外され、首根をがっちり抱え込んでいた。

「やっぱりさ……」

もう一度口にしたが、あとの台詞はどうしても出てこなかった。体をかわすと男は足元に崩れ落ちていった。目の前で海老《えび》のように身をくねらせている大きな物体をしばらくぼんやり眺め下ろしていた。

男の痛みはすぐに薄れたようだった。傍《そば》に私がいることで、どうしていいか分からないといった様子になった。腹を抱え寝ころがったまま、ちらりちらり薄目でこちらを窺《うかが》っている。私はこのへんがキリだと判断して男から一歩後ずさった。

男に背を向けると駐車場の出口に向かった。後ろから不意打ちされることも案じて背中に気を集めていたし、やはり興奮していたのだろう、外に出るまでそこに女がいることにまったく気づかなかった。

女は出口に一本きり植わった青桐のたもとに、また肩を抱くようにしてじっと佇んでいた。

3

昨夜ほとんど眠っていなかったこともあって、瑠衣《るい》と話しながら、どうにも気分が乗ってこなかった。銀座の行きつけの店で懐石のコースをつつきながら、瑠衣の方はしごく溌剌《はつらつ》とした面持ちで愉《たの》しそうにしている。

「やっぱり日本人には和食ですよねえ」

半月近くニューヨークに行って、先週末に帰国したばかりだから、しきりにそう繰り返すのも分かるが、およそ日本人離れした容姿の瑠衣から「和食ですよねえ」などという台詞が出ると、どうしても違和感が先に立つ。昨年のクリスマスに引き合わされ、以来こうやって週に一度は食事をしたり、映画だドライブだと会っているのだから、数えてみればもう半年以上の頻繁な交際になるが、まだ自分は彼女に慣れていないのだ、と感ずる。
出された料理をつぎつぎに平らげていく口許《くちもと》を眺め、あらためて十歳という年齢差にも思いが寄った。

十年前、自分が二十八の頃といえば、扇谷の秘書になって四年目、ようやく扇谷も筆頭副社長の座について社長の椅子を狙おうか、という慌ただしい時期だった。日々無理難題を吹っかけてくるボスに振り回されながら、それでも何とかその背中についていこうと遮二無二《しゃにむに》働いた時代だ。私も若かったが扇谷も当時は五十六歳、彼もまだ若かった。

さきほどから瑠衣は旺盛《おうせい》な食欲を見せながら、ニューヨークの土産話をしている。ときどき差し挟まれる英語の発音は美しく、学生時代に夏休みを利用してバージニア州にショート・ステイをした以外はずっと日本で英語を学んできた自分とは磨き方が違う、と感心したりしていた。瑠衣は女性にはめずらしく一橋の経済学部を卒業し、コロンビア大学のビジネススクールで経営学のマスターを取得した。留学を終えて帰国するといまの外資系コンサルティング会社に就職し、ちょうど入社五年目を迎えたところだ。

「こんどニューヨークに行ってみて、二つびっくりしたことがあったんです」

不良債権の処理に失敗し海外投資部門の大幅縮小を余儀なくされた大手信用銀行と、オーストラリアに本拠を置く巨大メディアグループに系列放送局の株式を取得され、ようやく最近になって株買い戻しに成功した全国紙が、目下の瑠衣のクライアントだ。そのコンサルティングで上司と共にニューヨークに出かけていたことは知っていたが、現地でのやり取りの中身をこと細かに話していた彼女が不意に別の話題を振ってきたので、私は思わず箸《はし》を止めて顔を上げた。

「びっくりしたって、何が」

瑠衣は言いさした言葉をつぎ足そうとせずに、じっと私の顔を見つめている。

「どうしたの、今度は急に黙っちゃって」

瑠衣の顔を正面にして、やっぱり外人みたいだ、とつくづく思う。さらさらと赤みがかった美しい髪、まっすぐに高い鼻、真っ白な肌、百六十八センチという上背、そして均整のとれたボリュームのある身体。それでいて大きな瞳はわずかに黒目が上によってぼうっとかすんでいるから、その表情はいつもつかみどころのない曖昧《あいまい》さをたたえている。はじめて彼女に会ったとき、名前からして別の血が流れているのかとほんとうに思った。そう言うと、彼女は「みんな必ず言うことだけど、会った瞬間に平気で口にしたのは橋田さんが最初かもしれませんね」と笑った。

「ようやく元気そうな顔になりましたね、橋田さん」

瑠衣の瞳が輝いていた。

「え？」

私が怪訝《けげん》な顔をつくってみせると、

「なんだか、今夜の橋田さん、元気じゃないなあって思ってたんです。私の話も上の空みたいだし、なんか、心ここにあらずって感じだったから」

図星をつかれて返す言葉がない。三日前に長期の出張から戻ったばかりだというのに意気軒《けん》昂《こう》な若い瑠衣を見て、なおさら気が萎《しぼ》み、早く切り上げて帰りたいと考えていたのを見透かされたようだ。

「そうかな、そうでもないんだけどね」

「ちょうど採用の時期だし、人事だから忙しいんですよね。わがまま言って付き合ってもらってごめんなさい」

「いや、仕事は大したことはないんだ。それほど忙しいわけじゃない」

「だけど、面接や何かでたいへんなんでしょう」

「まあ、そうだけど」

　どうせ自分は内山部長に外されてしまっているから、と口にしそうになって言葉を抑えた。扇谷の義理の姪《めい》に社内の愚痴を洩《も》らすわけにもいくまい。

「ちょっと疲れているのは事実だけど、まあ歳なんだね、ぼくも」

　瑠衣が小さく笑った。

「何がおかしいの」

　私も笑いながら言う。

「だって、橋田さん、自分のこと歳だ歳だってばかり言うでしょう。まるで口癖みたいに。もうじきやっと三十八でしょう。ぜんぜん歳じゃないですよ。なんかすごく変。見た目も若いし、そんなに歳だ歳だって言ってちゃ駄目です。ほんとうに老け込んじゃいますよ、あんまり言ってると」

　そういえば、瑠衣と付き合うようになって、よく自分の歳のことを言うようになった気がする。いままでは人前で「疲れた」などという言葉も吐いたことはなかったが、この瑠衣には会うたびにこぼしているような気もした。

「このところ二十歳そこそこの若い女の子何百人を相手に面接しているからかな。なにしろぼくが大学生の頃に生まれた子たちだからね、そりゃあ、自分の年齢ってものを痛感してしまうよ」

「そんなことを言うなら、私だって橋田さんが小学校四年のときようやく生まれたんですよ。橋田さんが二十歳のとき、私、まだ小学生だったんですから」

瑠衣がおもしろそうな顔をしている。

「よせよ。そんな話聞くとますます気が滅入ってくるよ」

そう言いながら、内心で、昨夜ひょんなことから出会った彼女のことを思い出していた。あれから妙な成り行きになって結局一晩、私のマンションに泊めなければならなくなったのだが、彼女は今頃どうしているだろう。ずいぶん怯えていたが、今日もあると言っていた面接を無事にこなし、ちゃんと自分の部屋に戻っただろうか。

彼女の名前は中平《なかひら》香折《かおり》といった。十九歳だから、目の前の藤山瑠衣よりもさらに十近く香折は若いわけだ。香折のことを考えてまたぼんやりしていたのだろう、

「橋田さん」

名前を呼ばれて、慌てて再び顔を上げた。

「どうしたんですか、ぼうっとしちゃって。何か厭《いや》なことでもあったんですか」

「いや、そんなことないよ」

瑠衣は多少心配顔になっていた。

「じゃあ、気がかりなことがあるとか」

「それもそうでもないけどね」

「だったらそんな辛気くさい顔してないで、もっと飲みましょうよ」

ほら、といって瑠衣が私の空いたグラスにビールを注ぐ。

「パーッといきましょうよ、パーッと」

私はグラスを一息であけてみせた。

「そうそう、その調子ですよ、橋田さん」

私もかなり酒には自信があるが、何度か一緒に飲んでみて瑠衣の顔色ひとつ変わらぬ酒量には舌を巻くことも再々だった。いまの世の中男も女もないもんだ、と時折そんな瑠衣を見て思うことがある。

「だけど、このお店、とっても雰囲気があっていいですね」

瑠衣が部屋をぐるり見回して言った。

「これもバブルの遺産ってところかな」

「どういうことですか」

「もともとこの店は大日本製紙がオーナーでね、数年前に金にあかせて開いたんだよ。経営の多角化とやらで紙屋が料理屋まで作ったんだから、いまになってみればお笑い草みたいな話だけど。だからこの店は全部紙で出来てる。まあ柱や梁《はり》なんかは別にしてさ」

そう説明してテーブルを人差し指と中指でとんとんと叩《たた》いてみせた。

「このテーブルも紙なんだ。壁もそうだよ。楮《こうぞ》を漆喰《しっくい》で塗り固めてあるしね。ほら、この明かりだって笠《かさ》はみんな和紙だろう」

「へぇー、そうなんだあ」

「店の名前だって、これで『いとし』と読むんだけど、分かるだろう」

私は「糸氏」と書かれたマッチ箱を瑠衣の前に差し出した。

「ほんとだ。これ紙っていう字を分けてある」

「だろう」

この店に最初に連れてきてくれたのも扇谷だった。大日本製紙の現会長は扇谷とは陸軍幼年学校時代の同期で親友の間柄だ。その会長が開店当初に一席設けてくれ、秘書だった私は相伴にあずかったのだった。以降、女将《おかみ》も心得ていて、こうやってプライベートで使っても格安で仕上げてくれる。普通だったらまだ私程度では、そうそう通える店ではなかった。結局のところ、就職してこの方、私の見聞は何から何まで扇谷の教導の賜物《たまもの》で、知り合いも、身を置く場所もすべてが扇谷から下げ渡されたものだ。その分、年齢に不相応な遊びも知り、ほんとうならまともに話などできないこの社会のトップレベルの人間たちの知遇も得ることができた。だが、考えてみれば、それは扇谷という傑出した人物の掌の上でくるくる回りつづけている、それだけのことなのかもしれない。そして、そのあげくに、とうとう自分はこうして扇谷の親類の女性を相手にし、プライバシーの奥底まで浚《さら》って彼に捧《ささ》げようとしているのだという気もする。

「それより、二つびっくりしたことって何さ」

気分を立て直さなくては、とマッチ箱の文字に見入っている瑠衣にやや口調を砕いて訊《き》いた。

「そうそう」

瑠衣が身を乗り出すように話し始める。

「ひとつは銀行で、もうひとつはIBMなんです」

「銀行とIBMがどうかしたの」

「橋田さん知ってました、いまアメリカの銀行って朝の七時半から店を開けてるんですよ。私、向こうに出かけてすぐにホテルの周りを散歩してみて気づいたんです。それで友達に聞いたら、今年あたりからほとんど全部の銀行がそうなんですって。そのうち、コンビニみたいに全米のすべての銀行が二十四時間営業になるって彼言ってたけど、それだけ銀行間の競争が熾烈《しれつ》になってるんです」

「ふーん」

「でももっと驚いたのは、ニューヨークにIBMが建てている新しい本社ビルを見学したことですね」

「IBMの本社ビルがどうだったの」

「オフィスの端末がワイヤレスだったんです」

「へぇ」

銀行の方はともかく、私にもそっちの話は意外だった。

「それ、どういうこと」

「だから、社内LANが全部無線式の端末になっていて、床も二層になんかなってないんですよ」

「じゃあ、各自のパソコンが無線でネットワークされてるわけ」

「そうなんです。もう私びっくりしちゃって。こっちでは、新しくどんどん建てているインテリジェントビルも基本は有線でしょう。だけど、IBMの連中に聞いたら、そんな方式はもう完全に旧式で、これからは全部ワイヤレスで端末はつなぐようになるって」

「もうそこまでいってるんだ」

私の会社でも、本社ビルが完全にネットワーク化されたのはつい最近のことだった。全社員のデスクに端末を配置し、それを回線でつなぐために膨大な改装費を使った。経営企画室時代、その予算措置とシステム化の基本設計にずいぶんと骨を折った記憶がある。

「じゃあ、将来的には光ファイバーなんかすっ飛ばして、衛星通信でやろうって話なわけ」

「その通りです。向こうの連中はケーブルの時代は終わったって断言してました。これからは衛星一本で、ということはアメリカがすべての情報化の覇権を握るってことでしょう」

「衛星通信の汎用化《はんよう》がさらに進めば当然そうなるね」

「でしょう。今頃NTTなんて海底ケーブルの多容量化がどうのとか言ってるんだから、こっちは十年も二十年も遅れた発想でやっているってことなんです」

そこで私はひとつ大きな吐息をついた。

「去年、モトローラとDDIが共同でエリア無限定の携帯電話を開発したの知ってる」

「そうなんですか」

瑠衣は知らなかったようだ。

「ああ。まだ一台二百万もするんだけど、世界中どこからでも衛星波を使って電話できる。むろんアメリカの打ち上げたサテライト経由だけどね。あれを見たとき、ぼくはうちの衛星開発部門にもっと金をつけるべきだって、社長宛にレポートを書いたんだ。軍事用はアメリカのOEMをずっとやってるから、うちの技術力は結構いい線いってるんだけど、民生用の技術はそうでもないんだよ。だけど、携帯ひとつとってもこれからは衛星だとぼくは思うんだ。実際、軍事の方はいまじゃ完全にそうなってるし」

それから私は現在の米軍のミサイル防衛システムについて瑠衣に話をした。話しているうちにしぜんに力がこもってくるのが自分でも分かった。さきほどまでの低調な気分が次第に晴れて生気が甦ってくるようだ。瑠衣は頷きながら熱心に耳を傾けている。

「だから、いま政府が手がけている日米防衛協力の指針の見直しだって、純技術的に言えばまったくナンセンスなんだ。極東地域の範囲に台湾海峡が含まれるか否かなんて、馬鹿げた議論でさ。ペンタゴンがうちと共同で開発している衛星探知システムが実用化されれば、世界中どの地域からミサイルが発射されても、コンピュータがもっとも近接した艦船や日米のミサイル基地から迎撃ミサイルを自動的に撃ち出すことになる。うちも一部技術供与してるけど、湾岸戦争以降、アメリカがシャトルを使って軍事用に上げてる衛星なんて、百パーセントそういう防衛戦略に基づいて開発されたものだしね」

「じゃあ、側面支援だとか、後部兵站《へいたん》義務だとかで世論はいろいろ言ってるけど、実際に戦争になれば日本は自動的にその戦争に組み込まれてしまうってことなんですか」

瑠衣が不安そうな表情で聞いてくる。

「当然そうなるね。だから、それだったら日本もたとえ補完的機能に過ぎないにしろ、自前の衛星網を作っておいた方がいいんだよ。それによって、国家の自立がある程度は確保できる。

どうせアメリカと一緒に戦争やらなきゃいけないにしたってさ。EUが衛星開発に血道を上げ始めているのもそのためだからね。冷戦期のフランスやイギリスの核戦力と同じだよ。それに軍事衛星技術は民生用にも充分ダウンサイジングできるしね。インターネットの心臓部をすべてアメリカに握られたら、いざというときにグウの音も出ないことになってしまうだろ。国際電話一本、自前でかけられないことになる。全部アメリカさんに筒抜けって話だ」

瑠衣と別れ、帰りのタクシーの中で、少し喋りすぎたと後悔していた。瑠衣はあっさり聞き流しただろうが、シャトルの上げる衛星への技術供与は国家機密というべき情報である。むろん十年近く前に締結された日米の相互技術援助協定に準じて、私の会社とペンタゴンとのあいだで共同開発されているものだが、日米安保条約の機軸である日本の専守防衛思想と憲法九条および集団的自衛権の不行使の原則からすれば、具体的技術供与の中身はそれを逸脱した領域に完全に踏み込んでいた。会社の提供している技術は、ロシアのキラー衛星を宇宙空間で撃破するための小型ミサイルの誘導システムに絡むもので、明らかに攻撃用兵器の分野に属する技術なのだ。いくら扇谷の義理の姪相手とはいえ、シャトルの軍事衛星に関しては口にしていい話ではなかった。

近頃の俺はちょっとどうかしているな、と感じる。多忙をきわめた経営企画室から比較的時間に余裕のある人事に移って、却《かえ》って生活のリズムが崩れてしまった。それが現在の心理的動揺の原因になっているようだ。

企画室時代は、ほんとうに仕事以外に使える時間は皆無だった。扇谷の秘書だった頃も似たようなものだったから、考えてみればこの十数年、私生活などなかったに等しい。ことに最近数年は、与えられる仕事も年齢を越えた特別なものだったし、社長側近として経営の根幹にかかわる業務を行ってきていた。こなしてきた仕事の一つ一つは全身全霊を尽くしても手に余るものばかりで、我ながら振り返ってみて、ミスもなくやりおおせてきたことが奇跡のようにすら思える。

しかし、その分充実感もあった。扇谷の十年間に及ぶ治世を支えてきたのは、実際のところ数名の側近たちであり、末席とはいえ自分もその一人であると自負してきた。百人近い同期の中で私は確かに図抜けたコースを辿ってきたが、相応のことはしてきたと思ってもいる。それが人事という形で報われ、史上最年少の、しかも人事課長というポストで行賞されもしたのだが、不意に自由になる時間というものを手に入れてみて、妙に精神の均衡を失ってしまったような気がする。というよりもいままでの仕事一辺倒の歪《ひず》みが一時に現れ、どうにもその歪みの大きさに途方に暮れている気配が自身にも感じられて仕方がないのだった。

昨夜の一件にしてもそうだ、と車窓を流れてゆく外の景色を見送りながらふと思う。深夜の妙な男女のいさかいに口を出し、口だけでなく手まで出してしまった。あげく片割れの女を一晩とはいえ部屋に泊め、一睡もできず、今朝も眠っている女をそのままに書き置きだけ残して出社した。どう考えても普段の自分なら思いもかけぬことだが、それに加えて、その女のことが頭から離れなかった。

さきほど瑠衣が「心ここにあらず」と言っていたのは案外当たっている。こうして振り返ってみれば、私はあの中平香折という女のことばかり考えて、日がな一日過ごしてしまったのだから。

4

マンションの前でタクシーを降り、半開きになった硝子《ガラス》の扉を通って中に入った。狭い玄関ホールの右手にある郵便受けを開けると、夕刊の下に鍵が見つかった。走り書きくらい添えてあるかと探したが何もない。鍵をポケットに入れて、エレベーターで自室のある五階に昇った。

部屋のドアを開け、玄関から廊下と明かりをつけ、ネクタイを緩めながらリビングに入った。そのままテレビの前のソファに座り込んだ。腕時計の針は午後九時半を示している。それほど飲んだわけでもないのに、重い疲れが全身に澱《よど》んでいた。瑠衣から別れ際に渡された出張土産のエトロのネクタイを目の前のガラステーブルに放って一度深く息をついた。しばらく薄暗い中でじっとしていた。

立ち上がって上着を脱ぐと、北側の壁にあるスイッチを押して頭上の電灯をつけた。キッチンの冷蔵庫からビールを一缶取ってきてふたたび座りなおす。テーブルの上には今朝、眠っている彼女の枕元に置いていった書き置きと目覚まし時計が載っていた。ビールをひと口すって時計の下に敷いてあった書き置きを抜いて読んだ。

おはよう。本日面接のはず。午後と聞いていたので昼前に電話を入れます。頑張ってください。鍵は出るとき、一階の郵便受けに戻しておくこと。どういう経緯か知りませんが、あの男とはきちんと話し合うように。心配なら友達のところにでもしばらく泊めてもらうとよいでしょう。本当に困ったら相談くらいは乗りますが、自分の始末は自分でつけるのが大人の世界のルールです。君もこれから社会に出るのだから、そこはしっかりわきまえた方がいいでしょう。老婆心ながら、先輩として御忠告まで。では、さようなら。

橋田浩介

あらためて読み返して厭な気分になった。昼間もこの文面を思い出して反省するところがあったが、こうして整った筆跡で書かれた空疎な文字の羅列を眺めると、我ながら相変わらずだなと思う。「自分の始末は自分でつけるのが大人の世界のルールです」とはよくも言ったもんだ。十九の娘に大人の世界のルールなどと言っても仕様がない。そもそもその「大人の世界のルール」なるものが何なのか、私だって分かっているわけではない。歳をとるごとに様々なことに無頓着《むとんちゃく》になっていく自分を感じた。簡単に物事を断定し、相手の意図や気持ちを見切ってさっさと太い線を引いてしまう。若い頃は、たとえ仕事上の付き合いであろうと、人間同士のつながりには利害を越えた侵しがたい節度や尊重すべき何かがある、という畏怖《いふ》があった。それが次第に人間を集団の一単位として眺められるようになって、他人の多くは所詮《しょせん》それぞれ大なり小なりの役割をもった無機物にすぎないと心得ることを知った。人をそうやって捉《とら》える術《すべ》を身につけると、逆に人と深く交わるきっかけを見失うことが多くなった。肉親を除けば、この世界の誰もが最初は赤の他人でしかない。それがちょっとした出来事や理由のない些細《ささい》な感情の堆積《たいせき》によって、段々に他人とは言い切れなくなっていく。風船が空気でふくらむように、帆が風をはらんで船を進めるように、人生を豊かにするのはそのような実体のない偶然や心の揺らぎなのだ、と頭ではまだ分かっているつもりだが、計算と計画に従い硬い石を重ね上げるようにして一歩一歩階段をのぼっていく生活を続けるうちに、その着実な道程に身を縛られて、気持ちを浮き上がらせたり、新しく不可知なものに手をのばしたりすることに熱心ではなくなってしまった気がする。

「高速道路を百五十キロのスピードで飛ばしていたら、見えない風景というのもありますよ」

昨夜竹井にくだらない説教を食らったとき、彼がそんなことを言っていたのを思い出した。

ビールを空けたところで、ソファの脚元に置いてあった鞄《かばん》を取り上げた。中から書類を一枚出して手許でひろげる。昼間会社でもざっと目を通したが、面接がぎっしり入っていてつぶさには見ていなかった。中平香折の履歴書だった。今朝、出社するとすぐに分厚いファイルから抜き出し、こうして持ち帰ってきたのだ。

まず隅に貼られた3×4センチの小さな写真を眺める。香折は顎を引いて唇を真一文字に結び、上目づかいにこちらを見ている。その分、切れ長の瞳が見開いて、なんだか母親が子供に「メッ」と怒っているときのような表情だ。実物に比べて幼く見えるのは、髪がいまより短いせいだろうか。

中平香折——昭和五十二年十月五日生まれ。満十九歳。出身・本籍は横浜市磯子《いそご》区で、両親の住所も横浜になっている。地元の県立高校を卒業し、平成八年青山学院短期大学教養学科入学、来年卒業見込み。現住所は世田谷《せたがや》区駒沢《こまざわ》四—八—十一ホワイトコート103号室。趣味「音楽鑑賞、テニス、スキー」。長所「明朗活発、何にでも好奇心を持てること……」。短所

「……ときどき考え込んでしまうこと」。そして志望動機欄には「日本を代表する企業である御社は、つねに新しい事業にチャレンジをつづけ、進取の気性に富む会社だと思う。伝統と革新を調和させた御社の社風の中で、自分の能力を存分に活かしてみたいと思う」とあった。文字は年齢にしては端正で大人びているが、当然のことながら変哲もない内容だ。

父親は大手証券会社勤務で、母親は塾経営となっている。兄弟姉妹はいないようだ。ひとりっ子として育ったのだろう。そこだけは自分と一緒だと思った。昭和五十二年生まれという事実にあらためて年齢の乖離《かいり》を痛感する。五十二年といえば私はすでに大学生だった。年齢的には現在五十歳とある父親の方がよほど近い。母親はまだ四十六歳で私とは八つ違いにすぎなかった。十九歳なら、俺は親の世代といってもいいような話だな、とため息が出た。

子細に文字を追っていくと、長所欄と短所欄に興味を引く記述があった。昼間も簡単には眺めたのだが、集中して読むと、おやと思わせるものがある。長所のところには「誰よりも人の痛みが分かってあげられること」と書いている。短所として「とても淋《さび》しがり屋です」とあった。採用という点では、そうした受験者の自己分析などはほとんど考慮の外だが、こうやってわずかとはいえ個人的なつながりが生まれると、関心は学歴だとか志望動機といったことからそっちの方に傾いていく気がした。

とても淋しがり屋でときどき考え込んでしまいますが、誰よりも人の痛みが分かってあげられます――長所欄と短所欄の記述をひとまとめにしてみて、私は、昨夜の中平香折の尋常とは思えない怯え方を反芻《はんすう》した。

駐車場の出口で呼び止められ、「もう大丈夫ですよ」と言いながら近づいても、まだ彼女は

震えていた。肩を軽く叩いて、

「ぼくのこと覚えていますか」

と俯《うつむ》いたその顔を覗き込んだ。そこで初めて彼女は顔をまともに上げてわずかに首を下に動かしてみせた。

「昨日は悪かったですね、落としてしまって。それにあのマスターまでぶん殴っちゃって、きっと大事なバイト先までフイにさせてしまった。ほんとにごめんなさい」

私が一度頭を下げてみせると、

「そんなとんでもないです。危ないところを助けていただいて」

彼女は真剣な表情になって首を振った。

「だけどこんなことになって、もうあの店にも行きづらいでしょう。ああいうタイプの男は案外陰険で根に持つから」

「いいんです。もう辞めますから。どうせバイトだし、この半年厭なことばかりだったんです。昨日の面接は残念でしたけど、今日も午後から別の会社の面接が入ってますし、もっときちんとしたところに早く就職したいと思ってるんです。本当はお酒飲ませるようなところでバイトなんかしたくなかったんです。ただ、バイト料がいいから我慢してやってたんです。でもほんとうに助けていただいてありがとうございました。何とお礼を言っていいか分かりません」

「彼、まだ駐車場で痛がってるみたいですよ。何だったら介抱しに行ってあげたらどうですか。いまならまだ間に合うかもしれない」

そこで、また彼女は怯えたような顔になってしまった。その時だった。駐車場で車のエンジンがかかる音がした。すると彼女は耳を押さえ「こわい」と小さく叫んで、その場にしゃがみ込んでしまったのだ。丸まった小さな背中を見下ろしてすこし呆然《ぼうぜん》とした。慌てて引っぱり起こし、「とにかく通りまで出て車を拾って帰りましょう」と一緒に歩き始めたのだが、彼女は一人では歩けないらしく、私の体に身を寄せてしがみついてくる。結局抱きかかえるような恰《かっ》好《こう》になって、側の路地を折れ、五十メートルほど先の青山通りまで連れていった。エンジン・ノイズが聞こえなくなり、オレンジ色に輝く青山通りに立って、彼女の緊張もゆるんだようだった。それでも私の腕をずっと摑んでいた。

なかなか空車は見つからなかった。彼女は相変わらず黙り込んでいたが、通りを行き交う車の群れをぼんやりと眺めている。さきほどまでの寄る辺ない表情は消え、特徴のある瞳に光が戻ってはいたが、顔は蒼《あお》ざめていた。

「店にいるときは、ぼくのことなんて覚えてないのかと思いましたよ。顔色ひとつ変えないで水割りをこしらえてたし」

「私の方こそ覚えてくださっているなんて思いもしませんでした」

ようやく彼女の頰に赤みがさしてきた。摑んでいた手も離した。私は背広の内ポケットから名刺入れを取り出し、一枚抜いて差し出した。

「橋田浩介といいます。昨日はすみませんでした」

香折は両手で受け取ると、

「私、なかひらかおりといいます。まさか名前までは覚えてらっしゃらないでしょう」

ちょっと思案し、なかひらかおりと口の中で呟いて、たしかそういう名前だったと思った。

履歴書の「中平香折」という文字が脳裏に甦ってきた。

「人事課長さんだったんですね」

名刺を見ていた香折が言った。

「ええ」

「とてもお若そうに見えます」

「いやそうでもないです。もうすぐ三十八ですから」

「でもやっぱりお若いです。きっと橋田さんってすごいエリートなんですね」

「どうもすみません」

私がまた謝ると、初めて香折の顔に笑みが浮かんだ。

「どうか気にしないでください。私みたいなのがあんな立派な会社に入れるわけなかったんですから。私のことを覚えてくださってただけで感激ですから」

聞くと香折のアパートは駒沢で、池尻の私とは同じ方角だった。ようやく止まったタクシーに二人乗り込み、遠回りになるが香折をアパートまで送って自分のマンションに戻ることにした。車を拾ったときには、通りに面した銀行のデジタル時計はすでに四時五分を表示していた。

あのまま香折を送って別れていれば、ここまで彼女のことに気を取られることもなかっただろう、と履歴書を鞄にしまいながら考えた。面接で会った相手と同じ日にばったり出会うのも珍しいし、その人のことでくだらない喧嘩沙汰《けんかざた》に巻き込まれるというのも偶然とはいえ滅多にあるまい。だが、それだけだったなら、不思議なこともあると記憶に残して片づけることもできないではない。

　時計を見ると十時になろうとしていた。軽い眠気が差し込んできている。そういえば瑠衣に電話するのを忘れていた。いつも別れたあと、無事に戻ったかどうか確認の電話をするのが習慣になっていた。知り合ってもう半年以上になるが、私は瑠衣を抱いたことはない。抱こうと思えばいつでも抱けるのかもしれない。が、そうする気になかなかなれなかった。瑠衣の方は二十八と三十八の男女にしては余りにままごとめいた付き合いに別段の不都合を感じてはいないようだ。

　瑠衣は扇谷夫人の実家である藤山家の娘で、彼女の父、つまり扇谷夫人の兄は現在藤山家が経営する大手石油会社「新日本石油」の社長を務めている。経済同友会の副代表幹事でもある著名人だった。さらに藤山家は皇室とも遠くつながる名門中の名門であった。そんな名家の親類筋の娘を紹介してくれるだけで、扇谷の私に対する信頼の厚さは十分に察することができた。だが、それだけに迂闊《うかつ》に手を出すわけにもいかないと自制している。扇谷から直々に紹介された以上、彼女との交際は半ば業務命令に等しいものだった。関係が一線を越えれば、当然結婚という話になる。その辺は瑠衣も意識しているようで、だからこそああやってじっくり構えていられるのだろう。

　任期五期も終わりに近づき、すでに独裁と一部では囁《ささや》かれはじめている扇谷体制だが、彼の権勢は衰えるどころかますます力を持ち始めていた。たとえ近々会長に退いたとしても、経営の実権は当分扇谷の手中にあるだろう。だとすれば彼の姪との結婚はまたとない授かりものだ。扇谷ファミリーの一員となることによって、私の立場は更に倍にも三倍にも高まる。会社での将来はほぼ約束されたも同然だった。

ひとつ欠伸《あくび》をして立ち上がった。シャワーでも浴びて眠ろう。中平香折は出ていってしまった。もう二度と会うこともないだろう。瑠衣に電話するのも今夜はやめておこう。

5

シャワーを浴びたあとバスローブ姿でソファに横になって、スポーツニュースを眺めていた。その間にうとうとしていたのだろう、玄関のチャイムの音が掠《かす》れた意識の中で響いてきて、ふと我に返った。そのまま玄関に行き、ドアの覗き窓から外を窺《うかが》った。小さなスコープの中に俯いた中平香折の姿があった。私はゆっくりと錠を上げて扉を開けた。

香折は両手に白いビニール袋を提げて立っていた。

「どうしたんだ、こんな時間に」

香折は途端に笑みを浮かべ、

「こんばんは」

と言ってお辞儀をする。掻《か》き上げた前髪が濡れていた。

「雨が降ってるのか」

「ついさっきから」

「そうか、気づかなかった」

「ごめんなさい、こんな遅くに」

「いや……」

　そう呟いて、ようやく意識がはっきりしてくるのを感じた。バスローブの下には何も着ていないことに気づく。

「ちょっと待ってて。着替えて来るから」

「あっ、いいんです。すぐに帰りますから」

　昨夜に比べると香折の様子は一変していた。あれほど怯えていた姿は、その片鱗《へんりん》さえも窺えない。いまの彼女はごく普通のどこにでもいそうな女の子だ。

「とにかく、着替えて来るから」

「ほんとにいいんです。すみません、急にお邪魔してしまって」

　香折は、困ったような顔になっている。

「昨晩はありがとうございました。橋田さんの置き手紙を読んで、すごく反省しました。なんて図々しいことをしたんだろうって。昨日の私、ちょっとどうかしてたんだと思います。こんな時間になってどうしようかと迷ったんですけど、せめて今日中にお詫《わ》びだけでもと思って。ほんとうに申し訳《せ》ありませんでした」

　香折はまるで急かされるように一息に喋り、

「あの、これ、泊めていただいたお礼です。お金あんまりなかったから、大したものじゃないですけど……」

　持っていた片方の白い袋を差し出してきた。私はその重そうな大きな袋を両手で受けた。麦茶のペットボトルや缶ビールがぎっしり詰まっている。

「ほんとに厚かましいことをしてしまって、お詫びのしようもないんですけど、もう二度とこんなことありませんから、どうか許してください。ほんとうにごめんなさい。このとおりです」

香折は深々と頭を下げ、

「ほんとうにごめんなさい」

甲高い大きな声で繰り返した。

よく見ると服も足元もびっしょりと濡れそぼっている。招き入れたときはすんなり自然に映った香折の態度が、彼女の言葉や口調を耳に入れているうちに、再び奇異に思え始めてくる。声は昨夜とは打って変わって明るいし、表情も生き生きとしていた。だが、この謝り方、恐縮ぶりにはどこか執拗《しつよう》なものを感じた。そう気づいてみると、なぜこんな夜更けに傘も持たずにわざわざ訪ねてきたのか、なぜこれほどの濡れねずみなのに一向に頓着した気配がないのか、なぜ服装も昨日のノースリーブのワンピース姿のままなのか、と幾つも疑問が湧いてきた。そもそも今日もあると言っていた面接はどうなったのだろうか。

私が黙って見つめていると、香折はさらに慌てた素振りになった。

「やっぱり、橋田さん、怒ってらっしゃるんですよね。もっとちゃんとお詫びしなくちゃいけないのに、こんなつまらないものなんか持ってきて、私、失礼ですよね。そうですよね。どうかしてますよね」

式台の私を見上げた目を細めて、今度は途方に暮れたような顔になっている。そのめまぐるしい表情の変化を見ているうちに、一人で空回りしている香折のことがだんだん可笑《おか》しくなってきた。

　私の苦笑いを見てとると、香折はまた変わった。不意に目つきがきつくなって、あの履歴書の写真のような顔になった。

「ごめんなさい」

　その顔のまま、また詫びを言う。

「別に怒ってるわけじゃないけどね。そんなずぶ濡れでこんな時間に訪ねてきたら、誰だってびっくりするだろう」

　私はようやく口を開いた。

　初めて気づいたように香折は自分の全身を見回し、衣服を撫《な》で、濡れた髪に手をやった。きまり悪そうにしている。

「ごめんなさい。急に降ってきて、傘持ってなかったから」

　髪を触っている右手に巻かれた包帯は、湿って微かに赤く血が滲んでいた。

「このままだと風邪を引いてしまう。とにかく上がりなさい」

　シャワーでも使わせて、包帯も取り替えてやった方がいい。

「いえ、結構です。もうこれ以上、橋田さんにご迷惑かけるわけにはいきませんから」

　いやにはっきりした口調だった。

「じゃあ、失礼します」

　そして、香折はさっさと背を向けてドアのノブを握った。この子の場合、ひとつひとつの所作がちぐはぐすぎやしないか、と思いながら私は引き止めた。

「ちょっと待ちなさい。だったら傘くらい貸してあげるから」

香折は振り返った。

「すみません」

叱られたような顔をしている。不意に、拳固《げんこ》をつくった左手で自分の頭をこつんと叩いてみせた。

「私って、ほんと馬鹿なんだから」

しかし、その照れたような笑みと仕種《しぐさ》がなんともいえず愛らしかった。

私は廊下の納戸から一本傘を取って玄関に戻ってきた。あらためて香折の全身を眺める。濡れた服が張りついて、痩《や》せぎすの体が痛々しいほどだ。手も足も折れそうに細かった。ワンピースの襟ぐりから覗く胸元は鎖骨がくっきり浮かび上がっている。ただ、その下の胸は骨ばった体の割には豊かだった。十九歳の肌は、やはりつやつやと瑞々《みずみず》しい。

「これ男物だけど、返さなくていいから」

香折はもう一つの白いビニール袋を左腕に吊《つ》るして傘を受け取った。黒い傘を両腕に抱きしめるようにしてぺこりと頭を下げる。

「ありがとうございました。このご恩は決して忘れません」

「まあ、そう大袈裟《おおげさ》に言わなくていいから」

私はまた苦笑してしまう。

「じゃあ、お休みなさい。さようなら」

「お休み」

そして彼女がドアを開けた途端だった。轟然《ごうぜん》とした音が立ち起こった。ドアの向こうから激しい雨音と、冷んやりとした空気が一気に流れ込んできた。

まるで、このマンション全体を揺するような強烈な雨だ。轟《とどろ》く雨の音に、香折もさすがに玄関先に立ちすくんでしまっていた。

「こりゃ、いま帰るのは無理だな。雨足もじきに弱まるし、それまで部屋で待ってた方がいい」

香折は俯いてしばらく考えるようにしていた。が、顔を上げ、

「申し訳ありません」

また頭を下げた。

香折は居間に入ってもドアの側に立ったまま動こうとしなかった。促してソファに掛けさせ、隣の寝室から新しいバスタオルとトレーナーの上下を持ってきて膝の上に置いた。

「とにかく、シャワーを浴びてくるといい。服は乾燥機で乾かしてあげるから」

「すみません」

一礼して香折は立ち上がった。浴室まで案内し居間に戻った。着替えを済ませ、キッチンに立って豆を挽《ひ》き、やかんを火にかけてコーヒーを淹《い》れる準備をした。湯が沸くあいだ、ソファに座って一本煙草を吸った。一体彼女はどういうつもりなのだろう。こんな遅くになってなぜ戻って来たのだろう。さきほどと同じ疑問が浮かぶ。背中の出窓のカーテンを引き、外の様子を眺めた。ひどい雨だ。時計の針は十時半をさしていた。終電の時間までに雨足がおさまってくれればいいが。

十分ほどして、彼女はトレーナー姿で部屋に入ってきた。その恰好を見て私はつい吹き出してしまった。袖《そで》も裾《すそ》もだぶだぶで、思っていたより彼女がずっと小柄なことに気づいた。

「そんなに笑わないでください」

香折は顔を赤くして頬をふくらませている。体があたたまったせいか、物腰に柔らかみが加わっていた。

「濡れた服はバスルーム?」

「はい」

「じゃあ、ちょっと乾燥機にかけてくるよ」

そう言って香折の脇をすり抜け浴室に向かった。乾燥機を動かした後、昨夜香折を寝《やす》ませた書斎に入って救急箱を取り、居間に戻った。香折はソファに座って髪をタオルで拭いていた。やかんの湯をもう一度沸騰させ、コーヒーを淹れると、彼女の前のテーブルにカップを置いた。

「あったまるから」

香折はカップを両手で包んでそっと口許に運んだ。そんな様子を上から眺めながら、そのあどけない表情に目を奪われてしまう。

「とてもおいしいです」

香折は私の方を見上げて言った。私は彼女の右隣に座って救急箱を二人の間に置くと、

「右手出して」

と促した。黙って香折は腕を突き出す。トレーナーの袖を肘《ひじ》のあたりまで捲《ま》くった。濡れた白い包帯が赤く染まっている。救急箱を開け包帯と消毒薬を取り出すと、結び目を解いて腕の

包帯を巻き取っていった。香折はじっと私の手の動きを眺めていた。

手首の付け根から十センチほどのあいだに予想より深い傷があった。

「犬に咬《か》まれたって言ってたよね」

手首の裏まで円形に歯形が残り、何カ所も皮膚が破れ出血の痕《あと》がある。その一部はすでに化《か》膿《のう》して膨れあがっていた。周辺の皮膚も内出血で紫色に腫《は》れている。

「こりゃひどいな」

消毒薬を吹きつけると香折が顔をしかめた。

「痛いのか」

香折が頷く。

「いつ咬まれたの」

「昨日の朝です」

「ちゃんと病院に行った」

「はい」

「今日は」

「今日は行ってません」

「化膿止めは飲んでる」

「はい」

「どこの犬に咬まれたの」

「隣の家の犬です」

「駒沢のアパートの」

「いえ、実家に帰ってましたから」

「どんな犬」

「小さな雑種で、日頃は私にも懐《なつ》いてたんですけど」

抗生物質の軟膏《なんこう》をガーゼに塗り、それを当てて新しい包帯を丁寧に巻いていった。手当てが終わると、トレーナーの袖を元通りにして私は香折の顔を見た。

「ありがとうございます」

香折は小さく言って目を逸《そ》らせてしまう。

「ちょっと変だね」

傷口をひと目見たときから感じていた疑問を口にした。香折は怪訝《けげん》な顔で視線を持ち上げた。

「ぼくも高校までずっと犬を飼ってたんだけどね」

香折の瞳が怯えたように揺れた。私はそっと彼女の右手に手を添えて言った。

「これ、犬の歯形なんかじゃないよ」

香折は立ち上がった。私の言葉を無視してキッチンの方へ歩き、ダイニングテーブルの上に置いてあった白いビニール袋を持って冷蔵庫の前まで行くと、扉を開け、袋の中のものをボトルラックに詰めはじめた。

「あの男の件はどうなったの。また押しかけて来たりするんじゃないの」

私は冷蔵庫の前にしゃがんでいる香折に声をかける。

あの男というのは、私が腹を蹴り上げた香折のバイト先のマスターのことだ。

昨夜、駒沢まで送っていき、車をUターンさせて道を引き返そうとしていると、路地の奥に消えたはずの香折が駆け戻ってきた。慌てて運転手がクラクションを鳴らし、急ブレーキを踏んだ。彼女はバンパーにぶつかるようにして車の前を横切り、後部座席の窓まで来て開けてくれという仕種をした。何やら血相が変わっていた。ドアを開けると飛び込むように私にしがみついてきた。「早く車出してください」と叫び、がたがたと体を震わせている。しばらく走り、視界から駒沢公園の森が消えてはじめて顔を上げた。何があったのかと訊くと、「あいつのランクルが私のアパートの前に止まってた」香折はやっとの思いという感じでそれだけ言って、再び私の胸に顔を埋めてしまったのだった。

「もう全然平気です。バイトも辞めちゃったし、関係ないですから」

ペットボトルや缶ビールをしまい終わって、香折は向かいのソファに戻ってきた。

「だけど、昨日の様子じゃ、案外込み入った話になってるんじゃないの」

「そんなことないです。心配なさらないでください」

表情は淡々としているが、どこかぎこちなく、突き放すような物言いだった。

「いや、別に心配なんかしてないけどね」

しばらく二人とも黙って外の雨の音を聞いていた。

「橋田さんも結構わびしい生活してらっしゃるんですね」

不意に香折が言って、くすっと笑う。

「えっ、どういうこと」

「だって、冷蔵庫、なあんにも入ってなかったから」

「それって、わびしいかな」

「わびしいですよ。橋田さん、彼女とかいらっしゃらないんですか」

「そうね、いまはそういうのはいらっしゃらないかな」

答えると、香折は声を立てて笑った。笑うと目がいくぶん細くなって、人の好《よ》さそうな顔になる。

「そんなにおかしいかな」

「おかしいです」

「そうかなあ」

「そうです」

笑いつづける香折を見ながら、私もつられて笑っていた。

腕の傷のことや、昨日の男のことをうまくはぐらかしたと思っているのか、香折はずいぶん打ち解けた雰囲気になっている。

私は質問の方向を修正する。

「ところで面接はどうしたの。行かなかったの」

「行ってきました。十時過ぎにはちゃんと起きたし」

どことなく自慢げな口ぶりである。

「だけど、服はどうしたの。まさかさっきの恰好のまま出かけたわけじゃないだろう」

「一度アパートに戻って、着替えしてから行きました」

「そう」

香折は組んでいた手をほどきコーヒーカップを持ち上げ一口すする。短く答えるだけで自分からすすんで話す気はないようだ。

「面接はうまくいった」

「駄目だったみたいです」

「電話なかったの」

「さっきここに来る前に留守録聞いたら、何も入っていませんでした」

「そう」

「はい」

「なんて会社」

「味の素だったんですけど」

「そうか」

ずっと聴こえていた乾燥機の音が止んだ。立ち上がって浴室に行き、白いワンピースを取ってくる。服を香折に渡すとベランダのカーテンを引いて窓を開けた。雨はさきほどよりかなり小降りになっていた。私の隣に香折も立った。ベランダの向こうの景色をじっと見つめている。横顔を窺うと、その瞳は光をたたえ静かに澄みきっていた。きれいな瞳だ、と思った。

「もう大丈夫そうだね」

私は壁の掛け時計を一瞥《いちべつ》して言った。十一時を過ぎたところだった。

「そうですね」

「着替えは隣のぼくの寝室を使うといい」

「はい」

きちんと畳んだトレーナーの上下を持って香折は寝室から出てきた。

「いろいろお世話になりました」

「どういたしまして。就職試験頑張ってください。明日もあるんでしょう」

「明日はないんですけど、明後日ひとつあります」

「そう。どこ」

「サントリーです」

玄関まで送って、もう一度傘を渡す。

「これ、ほんとに返す必要ないからね」

「はい」

いまから駅まで歩けば、終電には充分間に合うだろう。とはいえ、この雨だし、車で送ってやろうか、とふと考えた。だが、そうなると駅までというわけにもいかなくなる。昨夜のことを思い出し、この子にこれ以上立ち入るのはやめておこうと思う。彼女にしても却って迷惑だろう。

「橋田さん、ほんとうにありがとうございました」

「帰り道、気をつけて」

「はい」

「いい会社に入れるといいね」

「頑張ります」

「ああ」

そこで、香折はすこし息を詰めるような気配になった。

「また……」

口ごもっている。私が促すように目線を送ると、

「また、いつか、どこかでお目にかかるようなこと、あるかもしれませんね」

「そうかな」

香折は小首を傾げる。

「そんなことないですよね。ごめんなさい、なんかつまんないこと言っちゃった」

「いや……」

私はさきほど読み返した自分の手紙のことを思い出した。そしてあれを読んで胸に浮かんだ幾つかのことや、今日一日、ずっと彼女のことを考えていたことを思い出した。

「そんなこともあるかもしれない。そのときは、必ず声をかけるよ」

香折の頬に赤みがさした。人の好さそうな笑顔が戻ってきた。

「じゃあ失礼します」

「さようなら」

「さようなら、お休みなさい」

扉を開き出ていこうとする香折の背中にもう一度声をかけた。「香折さん」と名を呼んで、初めて名前を口にしたのだと思った。振り向いたその顔を見た瞬間、心のどこかが弾《はじ》けるような気がした。さきほど見た手首の傷がありありと脳裏に甦った。ほんとうにこのまま帰してし

まっていいのか、という自分の声が頭の中に薄くだが響いた。

「その手の傷だけど……」

しかし私はそこで膨らもうとする言葉を絞り込んだ。

「かなり化膿しているし、明日ちゃんとした病院で手当てをしてもらった方がいいよ」

言ったのはそれだけだった。

香折は小さく頰笑んで、無言のまま扉の向こうに消えていった。

6

香折が出ていった後、ソファに座り、少しの時間ぼんやりとしていた。安堵《あんど》感があったが、そのうちにざわざわと胸が騒ぎ始めた。

まず、香折の右腕の傷のことを考えた。あれは犬の咬み傷などではない。歯形といい大きさといい、人間に嚙まれたものだ。傷の有り様からいってかなり酷《ひど》く嚙みつかれたものだと思われる。病院で治療し、化膿止めも飲んでいると言っていたが、それも嘘だ。手当ての仕方は素人のものだった。いまどき包帯の先端を裂いて結ぶような外科医がいるはずがない。怪我の状態からして嚙まれたのが昨日の朝というのは本当だろう。駒沢のアパートではなく、実家で咬まれたと言っていた。相手が人間だとしたら、それは幾らか怪しい。履歴書では横浜が実家になっていて、そこには両親しかいないはずだ。まさか彼女の両親が娘に嚙みつくとは思えない。ということは、嚙まれた場所は駒沢のアパートなのかもしれない。そこで派手な喧嘩をやって誰かに嚙みつかれたのか。しかし揉み合いになったとして、はたして男が女に嚙みついたりするだろうか。女同士のいさかいならあり得るにしても。ともかく嚙みついた人間は相当に狂気じみている。あそこまで深く人の腕を嚙むのは尋常ではない。

次に昨夜の、例のマスターと彼女との一悶着《ひともんちゃく》を振り返ってみる。まず異様だったのは彼女の怯え方だった。暗がりで突然見知らぬ男に襲われたというのなら別だが、仮にもバイト先のマスターが相手なのだ。男の馴れ馴れしい口のききようを思い出しても、また彼女のアパートに先回りして待ち受けていたことからしても、あれは、単にあの場所あの時間に初めて持ち上がった話でないことは容易に想像できた。香折の「どうせバイトだし、この半年厭なことばかりだったんです」という台詞も両者の深い関係を匂わせている。

男の車のエンジン音を耳にした瞬間に路傍に竦《すく》みこみ、背中を震わせていたこと、その車がアパートの前に止まっていただけで、あれほど血相変えて駆け戻ってきたこと、そういった事実をつなぎ合わせると、二人の間にはただならぬ事態が生まれていたのではないか。だからこそ香折はあの男に著しい恐怖心を抱いていた。

そうだとすると、彼女の手首の傷も男に絡むものだとも考えられる。男が直接の加害者かもしれないし、そこに別の女が介在していたのかもしれないが。

では、今日の香折の行動はどうだったろうか。書き置きに書いた通り、私は十一時には電話をこの部屋に入れた。応答はなく、それからも面接の合間を縫って三十分おきに三回掛けてみたがつながらなかった。本人の言うように香折は十時過ぎには起きて部屋を出たにちがいない。午後から味の素の面接だった。一度アパートで着替えて受験に赴《おもむ》いたのが本当なら、彼女は再びアパートに戻り、もう一度着替えして出てきたことになる。面接の結果は夕方には合格者の連絡先に電話で知らせる。「さっき留守録で聞いたら何も入っていなかった」と香折は言っていた。夕方前には部屋を出たのだろう。ただし、昨日と同じ服装だったことが解《げ》せない。果たして彼女はちゃんと部屋に戻り、面接を受けに行ったのか。

もう一つひっかかることがある。昨夜、彼女は「本当はお酒飲ませるようなところでバイトなんかしたくなかったんです。ただ、バイト料がいいから我慢してやってたんです」と話していた。だが、履歴書によると彼女の父親は業界最大手の証券会社に勤務しており、年齢も五十歳だ。母親も塾経営となっていた。娘一人くらい短大にやるのに不自由する経済環境とは思えない。まして彼女は一人娘なのだ。なのに、なぜ彼女は「バイト料がいいから我慢してやっていた」などと言ったのか。そもそもいくら動転していたにしろ、見ず知らずの男の部屋に平気で泊まった彼女の気持ちが分からない。たとえあの男が押しかけていたとしても、距離はあるが実家に帰ればよかったはずだ。お堅い会社の人事課長とはいえ、駒沢のアパートへ送っていくタクシーの中で自分が独り身だとは知らせていたのだから、せいぜい横浜までのタクシー代を無心するのが普通の感覚だろう。そこまで考えを進めると、案外に自堕落で奔放な一人の若い女の肖像が胸中に浮かび上がってくる。

が、そう単純に割り切ってしまうにはどこか印象が異なるような気もした。さきほどのむやみやたらな謝り方や不意に見せた鋭い警戒心を思い出すと尚更《なおさら》だが、奇妙な不思議さがあの中平香折という娘にはある。そうでなければこれほど自分が彼女に関心を抱くはずがないとも思う。現にいままた、彼女のことが気になって仕方がない。

ただの行きがかりとはいえ、女性をこのマンションに泊めたのは初めてのことだった。正直なところ、ここ数年、私はたまに自分の女っ気のなさに我ながら茫然《ぼうぜん》とすることがあった。仕事の忙しさが並みのものでなかったのは確かである。実際、経営企画室の時代は深夜まで残業し、毎晩二時、三時の帰宅だった。それでも朝七時には扇谷の自宅に出向いて、会社までの車中で毎日ミーティングを行った。夜は夜で扇谷のお供で宴席に顔を出すことも度々だったし、新聞記者連中や官庁に進んだ大学時代の友人たちと勉強会と称して飲み回るのも頻繁だった。そんな社業を借りた遊びの中で、その筋の女性と体の関係を結んだことも幾度かはあった。

「遊びは遊びで割り切って、息抜きと思って励めばいい。それが人間の幅を広げることにもなる。ただし、のめり込んで仕事を忘れる馬鹿にはなるな。仕事に夢中になれる男は、女にもすぐ夢中になって存外大怪我をする。そうならないために、俺はお前にまともな遊び方を覚えさせておくんだ」

扇谷はそう言って盛んに赤坂や向島《むこうじま》あたりに誘ってくれたものだ。私の会社でも幹部候補生と認定された人間は、代々そういう訓練を受けてきた。役所に入った同期も似たようなもので、彼らの場合は早々に名家の娘を娶《めと》って、舅《しゅうと》から直々に手ほどきを受けているようだった。だが、私の場合、そんな遊びに必ずしも没頭できたわけではなかった。

もう六年も前になる。私は婚約までしていた或る女性に突然に去られるという手痛い経験をしていた。そして、その女性との別離は彼女との絆《きずな》を深く信じていただけに、私に根本的な女性不信をもたらしたのだった。だから、扇谷に教えられる遊びなるものも、半ば無理やり同調した部分があって、心の奥底では男と女の関係をある種のゲームとして処理するやり方には、最後のところでどうしても乗り切れないものがあった。

扇谷は、そんな私の歪な潔癖《いびつ》さを見抜いているのだろう。藤山瑠衣をあてがってきたのはその証左にちがいないと思っている。

テーブルの上の時計を見た。香折が出ていってまだ十分しか経っていない。やけに時間の流れが遅いような気がした。香折はいまどのあたりを歩いているだろうか。ここからだと最寄りの池尻大橋の駅まで十五分程度はかかる。女の足で、ましてこの雨だともう少し必要だろう。ちょうど世田谷公園の入口を抜けたくらいか。

背中で突然激しい物音が立った。思わず私は立ち上がった。カーテンを引き、出窓を開ける。止みかけていた雨がふたたび勢いを増して降りはじめていた。不意に空が明るく瞬いた。と、大きな雷鳴が轟いた。一気に雨足が強くなった。

身を乗り出して街灯のともった路肩に打ちつける雨を見つめ、空を仰ぎ、なんてことだと舌打ちした。これではまたずぶ濡れになる。どこかの軒先で雨宿りでもしなければ、と思う。篠《しの》突《つ》く雨に打たれる白い服の香折の姿が脳裏に浮かんでくる。時計に目がいった。ろくに針は進んでいない。視線を戻そうとして、ふと向かいのソファの脚元に置かれた白いビニール袋に気づいた。手に取って中を覗いてみる。香折の忘れ物だ。

中身を取り出してテーブルに置き、ため息が出た。赤い容器に透明なプラスチックの蓋がのった弁当だった。近くのコンビニででも買ったのだろう。惣菜《そうざい》の毒々しい色、汗をかいた白飯、輪ゴムに挟まった割り箸、その安っぽい幕の内弁当を眺め、私は今夜瑠衣と共に食べた懐石のフルコースを思い出す。

あいつ、飯も食っていなかったのか、と思った。

面接が終わったあと、こんな時間まで食事もせずに彼女は一体何をしていたのだろう。降り込む雨に窓を閉じ、キッチンに行って冷蔵庫を開けた。ボトルラックにロング缶がびっしり並び、しかもその一本一本が全部銘柄が違うのだった。この量だとさぞや重い荷物になったろう。あんな怪我をした腕でよく持ってこれたものだ。

しょうがないな、と独りごち、煙草とライター、それに車のキイを取って明かりを消すと部屋を出た。この雨だ、通りで拾って食事でもさせ、駒沢のアパートまで送るぐらいのことはしてやってもいいだろう。時刻は十一時二十分になろうとしていた。

7

降りは相当で、マンション横の駐車場まで傘をさして歩くあいだにも足元がびしょびしょになるほどだった。周囲は幾つものマンションや家屋が立ち並ぶ静かな住宅街だが、雨幕に煙って夜の景色はすっかり輪郭を失っていた。

車を通りに出すと、世田谷公園沿いの街灯の連なった広い道をゆっくりと走った。道は直線で八百メートルほどつづいて玉川通りにぶつかる。そこを右折してしばらく行けば池尻大橋の駅だが、普段の私は公園内の間道を使って時間を短縮していた。だが、香折はこのまっすぐの道を歩いていったはずだ。多分、いまは途中のビルかマンションの軒を借りて雨をしのいでいるだろう。

とても歩けるような雨勢ではない。ワイパーを最速にしてもフロントガラスは雨滴で溢《あふ》れてくる。通りの両側に目を配りながら運転しているが、行き交う車も人もまったくなかった。この道の片側のどこかに彼女は見つかるはずだ。が、とうとう玉川通りに行き当たっても、その姿はなかった。

Uターンしてもう一度来た道を引き返す。大きな建物があると車を止めて視線を送る。さらに反転して玉川通りまで出て右に折れた。この激しい雨の中を彼女は構わず駅まで歩いたのだろうか。

新玉川線の出入口の反対側に車を置いて、横断歩道を渡り、出入口の傍らに立った。雨はかなり弱まってきていたが、玉川通りを駅に向かって歩いてくる人影はまばらだった。それでもしばらく目を凝らして前方を眺め、傘をさして近づく人々の姿を確かめていた。香折はすでに駅に入ったのかもしれないし、通りかかったタクシーでも拾ったのかもしれない。

そもそも「さようなら」とは言ったが、この後どこに行くのか聞いたわけではない。彼女が今夜駒沢のアパートに戻るとは限らないのだ。

そう考えてようやく自分のやっていることの酔狂さに気づいた。こんな夜中に別に関係もない女のことで右往左往し、雨に降られている。一体全体、私は何をやっているのか。

腕時計を見るともう十二時近かった。七月とはいえ突然の雨で夜気は冷たく湿り、半袖の腕に鳥肌が立っている。昨夜の疲れもあって背筋に悪寒のようなものが張りついてきていた。風邪でも引いては馬鹿らしい。そう思って踵《きびす》を返し車の方に引き返そうとしたときだった。五十メートルほど先を黒い傘をさしてこちらにやってくる白い服が目に飛び込んできた。慌てて傘を畳んで反対車線に置いた車に戻り、Uターンして駅の出入口の脇にふたたび車を駐《と》めた。香折はすでにすぐそばまで来ていた。両手で傘の柄を握り、目の前を通り過ぎていく。ガラス越しにもその顔が青白く血の気を失っているのが分かった。髪も服も雨に濡れているようだ。足元を見つめ唇を嚙み締めていた。ノースリーブの服から剝《む》き出しの両腕はか細く、それがいかにもわびしげな雰囲気を漂わせている。むろん、車中の私を認めた様子はなかった。首を回して見送ると、彼女はそのまま駅の階段を降りて視界から消えていった。

シャツのポケットから煙草とライターを取り出し、一本抜いて火をつけた。煙を深く胸に吸い込みフロントガラスに吹きかけ、帰ったんだなと独りごちてみた。声をかけてもよかったが、まあ構わない。この時間だ、終電ぎりぎりのところだろう。

煙草を灰皿に揉み消し、しばらくたってエンジンをかけた。いつの間にかあれほどの雨が嘘のように止んでいた。

人と人との結びつきは所詮偶然の世界に属しているのだ、と思った。自分には、我が道を切り拓《ひら》き、国家や社会を建設していく、という必然の世界が与えられている。ここ最近の漠とした迷いも手伝って、どうやら俺は奇妙な混乱をきたしていたらしい。昨夜たまたま出会った女に、大袈裟にいえば何かしら運命的なものを求めていたような気がする。甘ったるい感傷めいた愚かな妄想に歳がいもなく操られるところだった。腹にひとつ気合いを入れ、ゆっくりとアクセルを踏み込み車を発進させた。バックミラーを覗くと、駅の出入口が少しずつ遠ざかっていく。

しかし二十メートルも行かぬうちに、私はブレーキを踏んでいた。

ミラーから目を離し、振り返った。ついさっき階段を降りていったはずの香折が姿を現していた。左手に閉じた傘を提げ、右肩に大きなオレンジ色のバッグを吊るしている。迷うでもなくこっちへと歩いてくる。私は低速で車を進めながら、絶えずミラーで彼女の姿を捉えていた。香折は時折包帯を巻いた右手で髪を掻《か》き上げながら、下を向いて足を運んでいる。掻き上げるたびに、濡れた髪がいまは明るさを取り戻した街灯の光に緑色に輝いていた。

彼女の行動がまったくもって分からなくなった。電車ならまだある。なぜまた駅から出てきたのか。大体あの大きなバッグはどうしたのだろう。部屋に来たときはビニール袋二つ以外は何も持ってはいなかったのに。いまや香折は車と肩を並べて歩道を進んでいた。このまままっすぐ玉川通りを下りつづけ、駒沢まで歩いていくつもりなのか。あんなに濡れていては、きっとそのあいだに風邪を引いてしまう。そこでやっと気づいた。彼女は駅のロッカーにあのバッグを預けていたのだ。駅に入ったのはそれを回収するためだったのだろう。では、彼女はこれからどこに向かおうとしているのか。

私はしばらく彼女を尾行してみようと思った。

一度停車し、香折を先に行かせた。二十メートルほどの間隔をおいてゆるゆると背中を追っていく。幸い道を流れる車は数少なく、路肩を低速で走っても通行の妨害になることはない。百メートルほどそうやって進んだところで、香折はふとコンビニエンスストアの前で立ち止まり、店の中に入っていった。二分もすると店から出てきた。傘と一緒に小さな白い袋を提げていた。

相変わらず香折は私のことにはまったく勘づいていないようだ。雨も完全に止み、何度か空を仰いだりして、足取りもさきほどよりは軽い。空といっても車が行き交う高速道路が天上を圧し、濁った東京の曇り空に星ひとつ見えはしないだろうが。

世田谷公園に通ずる三宿《みしゅく》の交差点まで来て、ふたたび香折は立ち止まった。左に折れれば公園で、その先は私のマンションだった。しばらく思案気に佇み、道を左に取った。彼女はもう一度私の部屋に行こうとしているのではないか。そんな気がして、やや啞然とした。仮にそうなら、彼女には今夜帰るところがないということだ。

まっすぐに私のマンションへと続く道を香折はゆっくりと歩いていく。

だが、香折は世田谷公園の入口に達すると、また足を止めた。私も手前十メートルほどでブレーキをかける。香折はその入口に吸い込まれるようにして公園の中へと消えていった。

時計を見た。十二時半を過ぎている。こんな時間に公園の中に入って、一体どうするつもりなのか。もう園内には人っ子一人いはしないだろう。

ドアを開け車から降りた。

少しの時間、出入口のところで間合いをとり、慎重に園内に歩を進めた。繁った木々の間を縫うようにぬかるんだ土の上を歩く。靴に泥がこびりついてきた。香折の白い服を探してあちこち歩き回った。中心の広場からずいぶん離れた、公園右手の片隅でようやく彼女を見つけた。そのすぐ後ろは住宅やアパートの並ぶ細い通りで、家々の窓から明かりは消え、ゆるい街灯の光がかすかに香折の姿を照らしている。雨上がりの夜の公園は静けさを越えて不気味な寂寥感《せきりょうかん》を湛《たた》えていた。ちょっとしたことであんなにも怯えてしまう香折が、この静寂によく耐えられるものだ。私は二十メートルほど距離をおいた疎《まば》らな林の中から彼女の様子を観察した。

香折はブランコに腰掛けていた。ゆらゆらとブランコが揺れていた。片側の鎖に巻きつけた細枝のような腕が、着ている服以上に青白かった。

私が潜んでいる大きな椎《しい》の木のたもとからだと、街灯の光でかろうじて表情までつかみとれる。椎の枝葉から雨の雫《しずく》がこぼれ、私の体を濡らした。空気は澄んでいるが冷ややかな棘《とげ》を含んだ風がシャツ越しに肌に刺しこんでくる。香折はきっとかじかんでいるだろう。彼女は俯いてさきほどから缶ビールを啜《すす》っていた。つまさきでゆるんだ土を蹴って上体を揺すりながら、彼女は俯いて小さく何回にも分けてビールを口許に運んでいる。途中のコンビニで買ったのはあれだったのだ。肩にかけていた大きなバッグは隣のブランコ板の上に載っていた。そのまま、香折は立ち上がらなかった。

合間に彼女は何か口ずさんでいた。最初はよく聞き取れなかったが、次第に周囲の静けさは増し、遠い歌声がやがて私の耳元まで届いてくるようになった。

「消えたいくらいつらい気持ち抱えていてもー、……、……、まだ平気みたいだよー。どんな時も、どんな時もー」

何度も何度も同じところをリフレインしていた。

三十分も経った頃、不意に香折が立ち上がった。ビール一缶で酔ったのかもしれない。ぎこちない足取りで隣のブランコに近寄ると腰を屈《かが》め、バッグに手を伸ばした。しばらくして何かを取り出し、すると彼女はブランコを離れ、こちらへ近づいてくる。私は面食らって、椎の根本から背後のツツジの生け垣へと身をすべらせた。

ほんの目と鼻の先まで彼女はやって来た。てっきり見つかったのかと覚悟して顔を伏せていたら、ガサッと大きな物音がして、それから遠ざかっていく足音が聞こえた。顔を上げた。ブランコの方へ戻っていく香折の背中が見えた。何が起こったのかと周囲を見回したが変わった様子はない。しゃがみこんだ目線と同じ高さにある金属製の緑色のゴミ箱が目に入った。音は、彼女がバッグから取り出した物をこのゴミ箱に捨てた物音だったのだと気づいた。目を転ずると、香折はバッグを肩にかけ歩き始めようとしていた。立ち上がり後を追おうとして、ちらりとゴミ箱に視線を投げた。濡れそぼった空き缶や紙屑《かみくず》の山の上に白い箱のようなものが一つ載っていた。香折の動く方向を確かめながら、その箱を手に取った。小さな茶色の紙箱だった。白く見えたのは表に熨斗《のし》がかけられていたからだった。箱の蓋をあけた。一筆箋《せん》と分厚い封筒が出てきた。封筒の中にはかなりの枚数のデパートの商品券が入っていた。そして、街灯に照らして読んだ一筆箋には、

「香折さん、就職活動、頑張ってください。　母」

と一行きり書かれていた。あらためて商品券の束をたしかめる。五千円券で三、四十枚はあるだろう。十五万から二十万の大金である。

さっき香折が捨てたのはこれにちがいない。なぜこんなものを彼女はゴミ箱に無造作に放ったのか。

雑木林の方へと香折の白い服が消えかけているのを認め、とりあえずその手紙と商品券の束だけをズボンのポケットに突っ込み、彼女の姿を追った。

香折は入ってきた公園の出入口を出て、私のマンションの方へと向かっていた。通りに人影

はない。まっすぐの道でかなり間隔をあけても振り返られたら見つかってしまう。彼女はやはりマンションを目指しているのだと判断し、駐めてあった車に戻ると、白い背中がずいぶん遠ざかったところで発進した。スピードを上げあっという間に歩道を歩いている香折を追い抜く。

マンションの脇にある専用駐車場に先回りし、車の陰から香折がやって来るのを待った。五分ほどで案の定香折は来た。私の居る場所を通り過ぎ、突き当たりのマンションの玄関前で立ち止まった。

じっと五階の私の部屋のあるあたりの窓を眺めている。

そのまま動かなかった。が、しばらくすると大きなため息をついたのか、背中が一度縮み、バッグの肩ベルトをかけ直して建物に背を向けた。

腕時計を覗く。もう午前一時をとっくに過ぎていた。ここまでだな、と決心した。並んだ車の隙間を慎重に抜けて通りに出ると、火を点けた煙草を一本急いでくわえ、近づいてくる香折に向かって歩き始めた。

私の姿を見て、香折の体が張りつめるのが分かった。口をぽかんと開けて足を止め、こっちを見ている。私もとりあえず意外な顔を作った。

「どうしたんだ。帰らなかったのか」

気持ちは固まっているから、逆に咎《とが》めるような口調になってしまう。香折は声も出ない感じで、気まずそうに目をそむけた。

「どうして自分の部屋に帰らないんだ」

両親の住む横浜のことには触れないようにした。ズボンのポケットが香折の母親の手紙と商品券の束でふくらんでいることが多少気になる。

「橋田さん」

香折は思い詰めた表情になっていた。

「もしご迷惑でなかったら、もう一晩だけ泊めてもらえませんか」

「どうして」

一応は訊く。

「またあの男が部屋に来たら、と思うとこわいんです」

私は腕を組んで、釈然としない風を装った。

「だったら、ちゃんと彼と話をするべきじゃないか。書き置きにも書いておいたけど、どういう経緯かは知らないが、少しは付き合った仲なんだろう。とにかく自分自身できちんと決着をつけるべきで、ただ逃げ回ってても仕方がない。そもそも、だからってぼくのような見ず知らずの男の家に隠れるというのはおかしい。そうは思わないか」

そう言うと香折はきょとんとした顔になった。

「別に、私、マスターと付き合ったりしてません」

「そんなことないだろう。昨日のあの様子からしても」

「ほんとうです。いままでもずっとしつこくされてきたけど、でもあんな男と付き合ったりするわけありません」

「だったら、どうしてきみの家で待ち伏せしたりするんだよ」

「そんなの私にも分かりません。だからとてもこわいんです」

「ちょっと信じられないな」

「やっぱり、ああいうバイトしてるから、橋田さんも私のこと軽く見ているんですね」

「いや、そういうわけじゃないけど」

「だって、そうじゃないですか。どうせあんな男とできてて、ドロドロになってるんだろうって思ってるんでしょう」

「そんな風には言ってないだろう」

「言ってます」

香折はさきほどのビールのせいなのか、寒さのせいなのか、少し頬を赤くして興奮したような口振りになっている。私は時計を見るしぐさをした。

「まあ、とにかくこんな時間だし、そんな濡れねずみじゃ風邪を引いてしまう。今晩のところは泊めてあげるから、そのかわり、明日になったらちゃんと話をしよう。他人のプライバシーに首を突っ込む趣味はぼくにはないけど、それにしたってきみには聞いておきたいこともあるからね」

香折の表情が安堵《あんど》の色に変わった。

「すみません、わがままを言って」

「まあ、いいさ」

そう言って香折の肩に手をやって大きなバッグを外すと右手に持った。香折が横に並んでくる。

「でも、橋田さんこんな時間に何してらしたんですか」

「いや煙草が切れたもんでね」

燃え尽きた吸いさしを見せる。香折が怪訝そうにしていた。

「部屋の電気ついてなかったし、私、てっきりもうお寝みになってるのかと思いました」

「俺、意外と几帳面《きちようめん》でね。部屋を空けるときは明かりは消していく主義なんだ」

彼女の前で初めて自分のことを俺と呼んだ。

「でも、すごい雨降ってたでしょう。傘はどうしたんですか」

そういえば傘を車の中に置き忘れてきてしまった。一瞬言葉に詰まったが、

「俺が部屋を出たときは、すっかり止んでいたからね」

「だけどへんだなあ……」

と香折が自分に言うように小さく呟いた。

「何が」

「だって、私ずっと通りを歩いてきたんですけど、煙草の自販機、駅前くらいにしか見当たらなかったですから」

その通りだった。この住宅街には煙草の自動販売機はひとつもなかった。玉川通りに出ても、駅まで行かなければ十一時以降も稼働している販売機はない。

「車の中に買い置きがあったから、それを取りにいったのさ」

「そうなんですか。でも、橋田さんってほんとに几帳面なんですね」

「何が」

「だって駐車場に行くだけでも、明かりを消すなんて」

「まあね」

マンションの玄関をくぐり、エレベーターのボタンを押す。

「さあ、さっさとシャワーを浴びて、今夜は寝ることにしよう」

エレベーターの扉が開くと私は強い調子で言い、香折を先にして乗り込んだ。

8

シャワーを浴びなおした香折と差し向かいでビールを一本ずつ空けると、彼女は赤い顔になってすぐに書斎に引きあげた。後についていこうとしたら、

「お布団の場所も分かりますし、自分でできますから。今日はシーツをお洗濯して、お布団もちゃんと干しておきます。ほんとうは昨日もそうしようかなって思ったんですが、橋田さんきっと遅いだろうと思ってやめたんです」

と言って、私を制止した。

私は着替えるとき、ズボンのポケットに押し込んでいた香折の母親の手紙と商品券の束をもう一度眺め、それを箪笥《たんす》の引き出しの奥にしまいこむと、ベッドに寝ころがって少し考えた。どうして彼女はせっかく母親が送ってきた手紙や商品券を捨てたのだろうか。しかも数えてみると商品券は四十枚、二十万円という高額だった。こんな大金を平気でゴミ箱に投げるというのは常識ではあり得ないことだ。

なかなか寝つかれなかった。枕元の目覚まし時計の針が三時を回って、トイレに立った。寝

室につながる居間を抜け、玄関脇の洗面所に入ろうとして、廊下をはさんで斜向《はすむ》かいの書斎の扉の前でふと立ち止まった。部屋の中からかすかな物音が聞こえてきたからだ。息を詰め、扉に耳を押し当てて中の様子を窺《うかが》った。

声だった。

押し殺した、それはすすり泣きの声だった。香折が泣いていた。わが身を刃物で切りつけてでもいるように鋭く、長く尾を引くように鈍く、泣き声は途切れることなしにつづいている。ノブを握ったが、少し思案して手放すと、足音を消してそのまま寝室に戻った。それからずっと、部屋の天井を眺めながらもの思いに耽《ふけ》った。眠りに落ちたのは窓に薄日が射し込む頃合いだった。

出社すると、香折の履歴書を取り出し、もう一度念入りに目を通した。

父親は中平隆一、昭和二十二年六月十九日生まれ、五十歳。母親は中平美沙子、昭和二十五年九月二十八日生まれ、四十六歳。保護者連絡先は神奈川県横浜市磯子区洋光台4―12―19とある。免許・資格欄には平成八年十一月、普通自動車一種免許取得。特技としてワープロのほかにバイオリンとあった。バイオリンか、と呟く。

資料棚からダイヤモンド社発行の『会社職員録　全上場会社版』という本を取ってきて、中平隆一の勤務先である証券会社のページを開いてみた。年齢からいって名前くらい出ているにちがいない。代表取締役会長からずっと並ぶ名前を追っていく。すぐに「中平隆一」は見つかった。へえ、と思わず唸った。中平隆一は常務取締役の一人だった。昭和四十五年東京外国語大学卒。金融市場本部担当。会社の海外投資部門を統括する重要ポストだ。最大手の証券会社で五十歳の若さでこの地位にいるということは、中平隆一は相当な実力者といっていい。国際畑のトップとして嘱望されている人物だろう。常務以上では中平より若い役員は一人しかいなかった。

本を閉じ、不可解な気分になった。こんな父親がいるなら、香折は就職で苦労する必要などまったくないはずだ。父親が取引先の商社にでも銀行にでも一声かければたやすく入社できる。中平の会社は、もともと関西の財閥グループの主力銀行の証券部門が独立して出来た会社だ。いまでは本体をしのぎ、業界最大手の証券会社として兜町《かぶと》に君臨している。そこの常務であれば、グループ関連の大手企業なら幾らでも融通がきくにきまっている。なのに、なぜ香折はその有力なコネクションを使わないのか。まして父親はどうして娘の就職の便宜《べんぎ》くらい図ってやらないのか。この家庭なら、経済的にも十分な資力がある。何も娘にあんな深夜のアルバイトをさせることはない。

思いついて席を立つと隣の総務部に行って興信データ発行の『人事興信録』の下巻を持ってきた。この分厚い紳士録を開き「中平隆一」で引いてみる。同姓同名が二人いた。細かい文字を指でなぞっていくとやはり載っていた。

鳥取県出身。東京外大の英米語学科卒業と同時に昭和四十五年入社。資本市場第一部長、海外プロジェクト室長、国際金融部長などを経て、三年前に米州本部長、および子会社であるアメリカ現地法人の共同社長として取締役に就任している。たぶん、その前後はアメリカに滞在していたことだろう。経歴から見て、かなりの年数を海外駐在で過ごしたと思われる。

香折も外国暮らしをしたことがあるのだろうか。そんなことを思って、ふと「中平隆一」の家族欄を眺めた。

妻　美沙子　昭25・9・28生　東京女子大卒
長男　隆則　昭47・12・13生
長女　香折　昭52・10・5生

と、記されていた。あらためて香折の履歴書と見比べてみる。香折の書いたものには、家族欄に両親の名前しかない。それが興信録では長男として隆則という名前が記載されていた。昭和四十七年生まれということは今年二十五歳だ。一人娘だと思っていたが、兄がいたのか。

そこで再び怪訝な気持ちになった。履歴書の保護者連絡先の電話番号欄が空白になっているのだ。父親である中平隆一の名前と磯子区の住所は書かれているが、なぜか電話番号が記入されていなかった。香折のような未成年者の採用の場合は、必ず保護者連絡先を記入させているから、この履歴書は厳密に言えば書類不備だったが、一次面接で落としてしまったから、気づかず見過ごしたままになっていた。

まさか実家に電話がないわけはない。香折はなぜ電話番号を書かなかったのか。また、なぜ彼女は隆則という兄がいることを隠したのか。履歴書をこうやって見直してみただけでも、香折の家族に関わる謎めいたものが、紙の上から立ちのぼってくるような気がした。昨夜、彼女が公園で捨てた母親の手紙と商品券の束といい、兄の存在や実家の電話番号を伏せたこの書類といい、香折は相当に複雑な家庭環境を抱えているようだ。しかしそれが一体何なのか、当然ながら皆目見当はつかなかった。

午後半日、学生たちとの面接で費やすと、二次面接に残す五人を手早く選び出し、六時過ぎには帰り支度をして席を立った。それを見ていた課長補佐の辻《つじ》が、

「今日は、四卒の検討会がこれからなんですが」

とあわてて声をかけてきた。そういえば忘れていた。一足先に始まっていた四大卒の方は今日午前中で一次面接をすべて終え、午後七時から内山人事部長を中心に二次面接に残した学生たち一人一人についての細かい査定を行なうことになっていたのだ。北海道から九州まで各ブロックで実施された一次面接受験者も含め、応募者総数三千五百人がすでに三百人に絞られていた。それをこの二日間で査定して人事の目から見たランク付けを行なう。ランクはAからDまでの四段階で、その上に少数の特A枠を設ける。また強力な縁故を持っている学生は、現段階で毎年縁故枠として数名に絞りきることになっていた。四大の採用では、縁故はほとんど通用させない方針だった。この会社のように企業グループの中核にあると、縁故採用をやっていたらそれこそ際限がなくなってしまう。その分、短大専門職の方で例年かなりの縁故枠を設け、グループ企業や取引先に対して顔を立てる配慮を行なっていた。

「別に検討会は俺が欠けても支障はないだろう。今日はこれからどうしても外せない用事があるんだ。部長にはきみからそう言っておいてくれ」

私は内心、これで検討会に出なければ内山に対する露骨なサボタージュと部内で見られるだろうな、と思った。だが、それはそれで構わない。この際、そうした皆の意識を利用しておい

た方が好都合かもしれない。この二日、香折のことばかりで仕事が手につかなかった。検討会のことを失念するなどいままでの自分には考えられないことだった。

「どうせ、ぼくは四卒の採用にはノータッチなんだ。履歴書や面接記録だけ渡されたって、誰がAで誰がDだかなんて分かるわけがない。そんな無責任な意見を言うつもりはぼくにはないよ。補佐のきみが一応顔だけ出してくれればそれで十分だ。あとは内山さんがお好きに決めればいいさ。とにかくぼくは約束があるから、これで失敬させてもらうよ」

時計を見ると、六時二十分だった。今朝、香折と一緒に夕食をとる約束をしていた。六時半に会社の地下通用口に来るように言いつけてある。二十数年前、この会社は過激派テロリストグループの標的となり、本社ビルは大規模な爆破を受けた。死者、重軽傷者を多数出す流血の惨事となった。以来、終業時間の六時になると本社正門は閉ざされ、出入りは厳重な警備を施した地下の夜間通用口だけを使うことになっていた。若い女性とはいえ通用口前でふらふらしていたら、警備員に拘束されてしまうおそれがあった。一足先に行って待ち受けてやらねばならない。

鞄の中におさめた香折の履歴書、それから持参してきた昨夜の母親の手紙と商品券の束を確かめると、じゃあ、と言って困惑気な辻を振り切り、足早に人事課の部屋を出た。

9

香折は六時半ちょうどに現れた。ストレートのジーンズを穿《は》き、白いTシャツに丸首の半袖の薄いカーディガンを羽織っていた。靴も昨日とちがってスニーカーだ。きっとあの大きなバッグに詰めてきたものだろう。手ぶらだったので荷物はどうしたのかと訊こうかと思ったが、とりあえずよした。タクシーで赤坂まで行って、ベルビー赤坂の最上階にある「燦鳥」に香折を案内した。和服姿の女性に先導され、予約しておいた窓際のテーブルに二人向かい合って座る。香折は広い店内を見回していた。店は空いていて、五、六組の客がまばらに席についていた。

生ビールを注文し、お互いメニューを広げる。

「何にしようか」

と訊《たず》ねると、香折が困った顔をしている。

「ここは肉料理だから、懐石よりも鉄板焼きかしゃぶしゃぶの方が旨《うま》いんだけど」

香折はメニューを手元から下ろし、

「橋田さん、こんな高いところ、いいんですか」

真剣な口調で言う。値段は七千円からで、決して高い店ではない。普段瑠衣と食事をする折は、二人で三、四万程度のところを選んできた。昨夜のような特別な日にはもう少し格の高い店にも連れていく。それでも月の出費が二十万を超えることはまずない。仕事で飲む場合はすべて交際費として処理できたし、社長秘書、経営企画室とトップと直結した部署を歩いてきた私は、経費の面では苦労知らずだった。私が回した領収書や請求書に経理がチェックを入れてくることは絶対になかった。扇谷の側近である私にそんなことのできる人間は、役員を含めて会社に一人もいはしないのである。だから私的な付き合いでの二、三十万など、独身の身にすればなんでもない金額だった。それにしたところで、瑠衣と昨年末に付き合うようになるまでの数年はなかったに等しいのだ。

「別にここはそんなに高級な店じゃないよ」

私は笑って、「じゃあ、明日の面接の前祝いでしゃぶしゃぶでも食べようか」と言い、店の人を呼んで一万二千円のコースを注文した。香折はなんだかげんなりしたような表情でビールをすすっている。

「どうしたの、浮かない顔して」

「私なんか超ビンボーだから、こんな所に来ると緊張しちゃいます。いつも学食で二百十円のラーメンとか食べてて、五百円のドリアなんかにするときは、ほんとうに迷って考え込んでしまうんですから」

「そう。でも御両親からの仕送りもあるだろうし、バイトもしてるんだから、そんなこともないだろう。まあぼくくらいの年齢になれば別だけど、いまの学生なんて若いサラリーマンなんかよりよっぽど金回りがいいと思うけどね」

それとなく探りを入れてみたのだが、香折は黙ってしまった。香折が「超ビンボー」のはずはない。彼女の父親は十分な報酬を得ている大企業の経営幹部だ。

「この店はね、きみが明日受験するサントリーの直営店なんだ。だから店の名前も『燦鳥』だろう」

前掛けを広げ首からかけて胸のマークを指さすと、香折は、

「ほんとですね。そうなんだ」

「そうさ。サントリーの東京支社はこの隣だ。明日きみはここに来る。まずは敵情視察ってとこかな」

香折も前掛けをつけ、突き出しの小鉢に箸を入れた。

「おいしいです」

と微笑む。

「今夜は沢山食べるといい。精力つけなきゃ試験にも受からない」

私も箸を取った。

鍋が煮立って肉や野菜を入れてやると香折はよく食べた。何度も「おいしいですね」と繰り返す。愛らしい顔だと思う。それを見ながら昨夜公園でブランコを揺すっていた彼女の姿や、深夜書斎ですすり泣いていた彼女の声を思い出していた。肉の皿を一枚追加して、そろそろ本題に入ることにする。

「今日は病院に行ったんだね」

香折の右腕の真新しい包帯を見ながらまずそう訊いた。

「はい。大学の診療所に」

「ところでその傷のことなんだが、昨日も言ったけど、犬に咬まれた傷じゃないよね。それ、誰かに嚙まれた傷だろう。しかも相当ひどく嚙まれてる」

途端に香折は箸を止め俯いてしまった。左手で右手を隠して膝のあたりに下ろした。

「誰にやられたんだ。バイト先のあのマスターかい」

香折は何も言わない。身じろぎもせず、ただ下を向いている。

「まあ、答えたくないなら答えなくてもいい。ところで、きみは兄弟姉妹はいないのかな。きみが提出した履歴書には御両親の名前しか書いていなかったけど」

　香折が小さく頷いた。

「そうか、一人娘なんだね」

　また頷く。

「お父さんは会社ではどんな部署にいるの。きみの就職のことで何か手助けしてくれたりはしてるの」

　香折は首を振った。

「じゃあお母さんは。塾をやってるんだろう。どんな塾をやってるの」

　そこでようやく香折は顔を上げた。

「どうしてそんなこと聞くんですか」

　声つきが変わっていた。冷淡な切り捨てるような物言いで、目つきもまるで憎しみを込めたように鋭く尖っている。

「別にぼくは変なことは聞いていないよ。きみの履歴書を見直したら、お母さんは塾経営と書いてあったから、何を教えてるんだろうと単純に思っただけだ」

「そんなこと橋田さんには関係ないと思います」

「関係あるとかないとかじゃないだろう。ただ話のついでで質問しているにすぎない」

「そんな風には聞こえません。まるで尋問してるみたいです。もう面接は終わったんだし、答える必要はないと思います」

「どうしてそんなに怒るのかな」

香折はまっすぐに私の目を睨《にら》み据《す》え、それはいままで見たことのない表情だった。この女にもこんなに強いものがあったのかという気がした。

「怒っているわけじゃありません」

「いや、怒っているように見えるね。嘘をついているからかな」

そのとき香折が唇をかすかに歪《ゆが》めうっすらと笑った。それは嘲笑《ちょうしょう》と呼んでいいものだった。面白い反応だと感じた。諦めきったような暗い瞳をしている。こんな瞳を見るのは久し振りな気がした。たかだか十九の女が簡単に作れる笑みでも眼差《まなざ》しでもなかった。相手を威嚇《いかく》し、ぞっとさせる棘《とげ》も十分に含んでいる。

「その歳にしちゃ、ずいぶん舐《な》めた顔するじゃないか」

軽く牽制《けんせい》してみた。香折はさらに強く睨んでくる。おうおうと思った。

「自分の敵と味方の区別もつかないらしい。情けないね」

「まるで自分が私の味方みたいな言い方されるんですね」

「少なくとも、ぼくはきみの敵じゃないね。それくらいはきみにだって分かるだろう」

香折の全身からくゆりたっていた侮蔑《ぶべつ》と猜疑《さいぎ》の入り交じったような空気がわずかに和らいだのを見てとった。

「なんだか自信過剰……、かっこわるいよ」

香折が呟くように言う。

「どうせ私のことなんか何も知らないくせにってか」

私は少し身を乗り出して、今度はしっかりと彼女の瞳を見つめ返した。

「ぼくだって、どうしようかと多少は迷ったんだ。別にきみのことをあれこれ詮索《せんさく》しても得になるわけじゃないしね。ただ、ちょっとね。きみをこのまま放り出すには、ちょっとだけ躊躇《ためら》われるものがある。なんかひっかかるんだね」

隣の椅子に置いた鞄を開き、昨日拾った香折の母親の手紙と商品券の束を取り出した。二つ重ねて香折の前に置いた。

香折はしばらくそれを凝視していた。そして一度私の顔を怪異なものでも見るように見つめ、それから目を閉じ、まず首が振れ、肩が揺れ、全身を震わせ始めた。この変化には私もさすがにたじろぐものがあった。予想以上の刺激を与えてしまったようだ。あの駐車場で竦《すく》みきっていたときのように、いまにも椅子ごと後ろに倒れてしまう気がして、私は急いで立った。テーブルを回り、彼女の隣の席に移ってその細い体を支えた。香折は目をつぶったまま私の腕にもたれかかり、ますます身を震わせている。手を上げ店の女性を呼ぶと、財布からカードを抜いて会計をしてくれるよう頼んだ。「だいじょうぶでらっしゃいますか」と彼女はカードを受け取りながら聞いてきたが「ちょっと酔ったみたいでね。冷たい水を一杯お願いします」と言うと、そそくさとテーブルから離れていった。

香折の背中をさすりながら「悪かった。怖がらせるつもりはなかった。何も心配しなくていい。怖がらなくていいから」と声をかける。冷たい水の入ったグラスが届き、彼女の両手に持たせ口許までもっていくと、震えながらおとなしく少し飲み下した。しばらくして、

「立てるか」

訊くと香折はこくりと頷く。持ち上げるように一緒に立ち、テーブルの上の手紙と商品券を摑《つか》んでポケットに入れ、側にいた店の人に鞄を取ってもらって店を出た。

背中に腕を回し右脇から支えてほとんど引きずるようにエレベーターまで運び、ビルの一階に降りた。二十メートルほど先のタクシー乗《の》り場まで香折を抱えて歩き、「急病人なんです」と大声を上げ、列をつくる人々を押し退けて車に乗り込んだ。豪雨の翌日の街は蒸し暑く、さすがに全身汗みずくになった。

香折は車のシートに身をあずけ放心したように全身を弛緩《しかん》させ、目は開いていたが何も見てはいないようだった。額に汗が浮いている。「暑いのか」と訊いても返事はない。ハンカチでその汗を拭《ぬぐ》い取り、水色の薄いカーディガンを脱がせにかかった。剝《は》ぎ取ったときに白いTシャツがめくれ、香折の左背の素肌の一部が露《あらわ》になった。私の眼はその素肌に釘付けになった。どす黒い痣《あざ》が縞《しま》のように走っていた。夢中でブラジャーの手前までTシャツを捲《ま》くり上げ、香折の細い体を点検した。彼女はぼうっとして抗《あらが》いもしない。

背中にも腹にも何カ所にもわたって痣が浮いている。とくに脇の痣は内出血がひどく、右腕の嚙み痕《あと》とかわらぬほど腫《は》れて幅十センチ近く帯状に広がっていた。香折はされるがままだった。香折の左掌をしっかり握ると、彼女の体を自分の方に引き寄せた。シャツを元に戻し、

こんな体でよく動けたものだ。これでは夜も痛みでほとんど眠れはしなかっただろう。この全身の痣も手首を嚙まれたときについたものにちがいない。とすれば、彼女はこんな体で面接を受けに俺の会社に来たのだ。そして、夜はシェイカーを振っていたのだ。翌日は再び面接に出向き、夜中には冷たい雨に打たれて全身を濡らしたのだ。

身動きひとつしない香折の小さなからだを右腕で抱き、左手の人差し指の腹を嚙みながら、私は意識を徹底的に集中させた。

母親からの手紙と商品券を見たときの彼女の反応からして、自分の推理は誤りだったようだ。てっきりあの店のマスターに絡んでいると予想していた彼女の恐怖は、むしろ、彼女の家庭—一母親そして父親、さらには彼女が存在を否定する兄と何かしら重大な関わりがあるのではないか。そう考えれば腑《ふ》に落ちることがたくさんある。通えない距離でもないのに彼女が一人暮らしをしていることも、横浜の実家に帰ろうとしないことも、「超ビンボー」だと言ったことも、実家の隣の犬に咬まれたと言ったことも、就職活動であれだけの肩書の父親の力を借りぬことも……。

途中で一度車を止め、目についた薬局に入って買い物をすると、私は池尻の自分のマンションまで行ってタクシーを降り、いつのまにか眠り込んでしまった香折を背負って部屋へ運んだ。

10

学生時代から外傷の手当てには馴れている。ボート競技は一般の想像以上に激しいスポーツで、オールでの打撲や船体との接触による骨折などは日常茶飯事だった。香折を自分のベッドに横たえると、躊躇《ちゆうちよ》せずにTシャツとジーンズを脱がせた。案の定、タクシーの中で見つけただけでなく全身無数に痣が散っている。ことに脇腹のそれと、左ももの内側の腫れがひどかった。その二カ所は何か硬い物にぶつけて出来たものと思われた。あとはおそらく誰かに殴打されたためのものだろう。薬局で買ってきた湿布を念入りに貼っていった。

当然、香折は目を覚ました。

湿布を患部に当てるたびに小鼻に皺《しわ》を寄せて、「うっ」と小さな声を上げた。

「痛いか」

「だいじょうぶです」

「そうか」

瞳の中に意識の存在がようやく感じられる。

「昨日、私のこと尾行してたんですね」

「ああ」

「どうして」

「さあな、なんとなくだな」

「そうですか」

「ああ」

「すみません、迷惑ばかりかけて」

「俺の方こそさっきは悪かった」

「いいんです。ちょっとびっくりしただけです」

治療が済んで私が自分のTシャツとトレーナーを持ってくると、香折は「私のバッグ取ってきてくれませんか」と言った。昨日抱えていたオレンジ色のバッグが書斎に置いてあった。

体を起こそうとする香折を引き止める。

「ファスナーを開けて、右に化粧ポーチがあります。その反対側の服が重ねてある上から三番目にパジャマがありますから、それを抜いて下さい」

たしかにその場所に薄いグリーンのパジャマの上下があった。差し出すと香折はまた起き上がろうとする。制止して下から順にゆっくりと着せてやる。

「橋田さん」

「ん？」

「どうしてこんなに親切にしてくださるんですか」

「別に大したことはしてない」

「そんなことないです。私、こんなに人から親切にしてもらったこと初めてです」

見ると香折の瞳から涙がこぼれていた。

「なんだか信じられないくらいです」

涙はさらさらと水のように流れ、頰をつたってシーツを濡らす。私はハンドタオルでその涙を拭った。

「泣くことはない。罪滅ぼしのようなもんだから」

「罪滅ぼし？」

「ああ、こんな体で面接に来てくれた人を簡単に落としちゃったからね。あのとき気づいていればよかったのに」

香折が涙目のまま頰笑んだ。

「そんなのいくら橋田さんでも無理だったと思います」

それに、と言って口を噤《つぐ》んだ。

「それに何」

「橋田さん、面接のときすっごく感じ悪かったです」

「そうだったかな」

「そうです。めちゃめちゃ頭良さそうで、意地悪っぽかったです。だから、マスターやっつけてくれたとき、とても意外に感じました」

私は笑った。

「とにかく、今夜はもうこのまま眠った方がいい。こんな傷じゃ、昨日も一昨日も眠れなかっただろう。明日は一日ゆっくり休めばいいから」

「すみません。でも明日はちゃんと出ていきます。もうマスターも来ないだろうし。面接も一時からありますから。ほんとうは今夜帰るつもりでした」

「こんな体で面接なんか受けてもうまくいくわけがない。明日のサントリーはパスした方がいい。まずは体を治すことだ。就職先のことなら、ぼくの方で何とかしてもいい」

「これ以上、橋田さんに甘えるわけにはいかないです。何の関係もない人なんだし、自分でもどうしてこんなに橋田さんに迷惑をかけてしまうのかよく分からないです。きっと、私、どうかしてしまってるんです」

「まあ、そう他人行儀なことを言うな。人間ひとりきりで生きていけるってもんでもない。誰かに頼らなきゃいけないときもある。そういうときは素直に頼った方がいい。それが相手のためでもある」

「でも、私には橋田さんにお返しするものが何もないです」

「ぼくの半分しか生きていない人から何か返してもらおうなんて思わないから心配するな」

ふたたび香折の瞳から涙がこぼれだした。

「とにかく、もう寝なさい。眠るまでここにいてあげるから」

「はい」

明かりを落とすと、部屋は真っ暗になった。香折は寝返りを打ち背中を向けた。静かな嗚咽《おえつ》の声が長くつづいた。私はベッドの横に膝を抱えて座り、そのすすり泣きの声を黙って聞いていた。


自分の名前を呼ぶ声に目を開けた。眩《まぶ》しい光が射し込んでくる。その光の中に人の顔がある。若い女の顔。すうっと意識が覚醒した。

「橋田さん、もう七時ですよ」

私はゆっくりと身を起こした。体にタオルケットがかかっていた。昨夜の記憶が戻る。香折の寝息を聞いているうちに、いつのまにか自分も絨毯《じゅうたん》の上で眠ってしまったらしい。香折が目を覚ますまで起きているつもりだったのに、逆に彼女に起こされた。二、三年前までは二日、三日の徹夜など何でもなかった。その体力が次第に失われ始めている。もう決して若くはないのだ、と思いながら立ち上がった。香折は昨日と同じ服をすでに身につけ私を見ていた。

「おはようございます」

と微笑む。さっぱりと明るい顔をしている。

「おはよう」

「シャワー、お先に使わせていただきました」

そういえば髪が少し濡れている。

「ちゃんと眠れた」

「いっぱい寝ました」

「体、まだ痛むだろう」

「もう大丈夫です。これでも痛みには強いんです」

「そうか……」

ふむ、と頷いてベッドの棚に嵌《は》まった時計を見る。七時五分だった。昨夜考えていたことを思い出した。

「今日は一日ゆっくりしていればいい。そんな体じゃ、面接なんて無理だ」

香折の手を引いてベッドに座らせ、自分も隣に腰掛けた。

「就職先だったら、ぼくの方で紹介してあげる。うちの系列だったら、きみ一人くらい押し込めるから」

そう言って系列の自動車メーカーの名前を挙げた。業界では四番目の会社だが、三年前に私の会社から分離独立し、株式を公開した。その独立の際、経営企画室で前線部隊の指揮をつとめた。現在の社長を含め、幹部連とも昵懇《じっこん》の間柄だった。堅実な社風であるが業績もしっかりしているし、知名度もある。就職先としては悪い会社ではなかった。味の素やサントリーと比べても遜色《そんしょく》はないだろう。まして香折の父親の肩書があれば何とでもなる。上場時の幹事証券は香折の父の会社だったはずだ。私は今日にでも向こうの人事に連絡して、履歴書をファックスしておくつもりだった。大学時代の恩師の縁戚《えんせき》とでも言えばいい。現在の自分ならそのファクシミリ一本で内定を出させることができる。親会社の人事課長の推薦はやはり絶対なのだ。後は来週にでも香折が型通りの簡単な面接を一度受ければそれで片づく。

「もしそこでいいんなら、今日中に内定証明書を取り寄せておくけど」

手続きを手短に説明して最後にそう言った。香折は途中から呆《あき》れたような顔で私を見ていた。話の強引さにおどろいている気配だ。

「やっぱりサントリーとかの方がいいのかな。だったらそれはそれで……」

「橋田さん」

私の言葉を遮り、香折が言った。やけに口調がきつかった。

「は？」

「そういうのは、いけないことなんですよ」

「どうして」

「だって、それってインチキじゃないですか。裏口入学と同じでしょう」

香折は口許を引き締め、諭《さと》すような口振りになった。

「いいですか、橋田さん。私の学校にもそうやって父親や親戚のコネを使ってさっさと就職してしまう人もいます。でも、大半の学生はそうじゃないです。就職課の求人票を毎日見に行って、ＯＧ訪問を繰り返して、一生懸命活動して何とか目指す会社に入ろうって頑張ってるんです。私だってそうです。そりゃ今の短大生の就職は厳しいから、なかなか上手《うま》くいかないのは事実です。でも、それでもそうやって頑張ることが大切なんです。インチキしていい会社に入ったって意味がないです」

私は香折の真剣な言葉つきに苦笑した。子供らしい甘ったるい台詞ではあった。だが、企業など一面においてそういうインチキなものなのである。

私にしたところで現在があるのは、ひとえに扇谷という男の目にとまったからにすぎない。確かに能力の差も多少はあったろうが、それ以前に手応《てごた》えのある仕事が与えられるか否かでサラリーマンの一生は決まってしまう。

そもそも、中央官庁にしろ私の会社のような大企業にしろ、入社した時点で幹部候補生は少数にすでに絞られているのだ。私だってむろんその一人だったからこそ、入社三年目に副社長の欧米視察に随行することができた。大蔵省にしろ通産省にしろ、同期たちの話では入省段階で次官候補は五人と決められているのだという。ただ、これまではその当人たちには分からないように巧みに人事が行なわれてきた。場合によっては一時期外局に飛ばしたりしながら、細心の注意を払って将来の次官の椅子を競わせていく。それでも競うのは五人なのだ。最近の中央官庁の綱紀の乱れは、その五人の中に誰が入っているか皆に分かってしまう拙劣な人事が目立つようになったせいだ、と彼らは口を揃えて言っている。外れた者は腐り、五人たちは派閥を作って協同したり対立したりする。

「課あって局なし、局あって省なしの時代は別に問題なかったのさ。結局、各部署の国益に対する認識は世間の想像以上にピュアなものだったからね。だけど、いまのこの世界は、役人一人あって課なしの状態になっちまってる。そこがどうしようもないのさ」

三年前からの熾烈《しれつ》な人事抗争ですっかり往時の勢いを失ってしまった通産省で課長をやっている同期の一人は、先日もそうぼやいていた。

いま私が問題にしているのは、それよりはるかに低レベルの話である。たかが短大出の女の子一人の勤め口を斡旋《あっせん》するだけのことだ。その程度のことで社会的な正義や倫理などが云々《うんぬん》されるわけもない。

私がそんなことを考えて黙っていると、香折が質問してきた。

「橋田さん大学はどこなんですか」

「東大だけど」

「学部は」

「法学部」

香折はやっぱりという顔をして言った。

「橋田さん、ちょっとエリートぼけしてると思います。常識からズレちゃってます」

「エリートぼけ？」

「そうです」

「だけど……」

それを言うならと思った。

「きみの父親だってエリートだぜ。あの会社で五十歳で常務ってのは大したエリートだよ」

隣の香折の体が緊張するのが分かった。

「橋田さん、どうして知ってるんですか」

「いや、ちょっと調べてみたのさ」

「そうですか」

さきほどまで打ち解けていた彼女が表情を硬くしている。

「また気を悪くさせたみたいだな」

香折はそれでも気を取り直したのか、昨夜のような頑《かたく》なさを表に出すことはなかった。

「橋田さんって、いろいろ調べるんですね」

しかし、また妙なこと言ってくる。

「そうでもないけど」

「そんなことして楽しいですか。私みたいな人間のプライバシーをつっ突いて。尾行したり家族のこと調べたり」

「きみは家族のこととなると、どうしてそんなに棘々《とげとげ》しくなるんだろう」

香折はじっと考える仕種《しぐさ》をした。

「私、いい学校を出ていい会社に入った、ってだけの人は信用しないことにしてるんです。私の父もそういう人です」

香折は立ち上がり、私の方を向いて頭を下げた。

「ほんとうにいろいろとお世話になりました。昨日の夜はすごく嬉しかったです」

「これからどうするの」

「一度部屋に戻ってサントリーの面接に行きます」

時計の針は七時十五分をさしていた。

「そんなに慌てて帰ることもないだろう。ぼくもシャワーを浴びてくるから、朝飯でも食って一緒に出よう。車できみのアパートまで送っていくよ。その体であんな大きなバッグを抱えて歩くのはつらいだろう」

寝室の扉は開いていて、居間の隅に置かれたバッグが見えた。

「それから、湿布たくさん買っておいたから持って帰るといい。脇腹と左ももの傷はひどいからほんとうは病院に行った方がいいけど、厭なら自分で毎晩湿布を貼ること。分かった。じゃあ、車の中で今日の面接の予行演習でもしよう」

「はい」

香折は意外なほど素直に頷いた。

九時に出社して、手元の書類を決裁し、十時から四時半までびっちりと面接をこなした。短大生の一次面接はこれで全日程を終了した。面接のあいだも昼休みも私は香折のことばかり考えて上の空だった。香折の面接が始まる午後一時からは私自身も受験者の前に座っていたが、祈る気持ちで香折が失敗しないよう念じていたので、ろくに質問も口にせずただ黙り込んでいるだけだった。「どうしたんですか、課長ぼけっとしちゃって」と隣の辻課長補佐に耳打ちされたほどだった。

午後五時には最終日の五人の合格者を選び出し電話で通知すると、課員たちと会議室で打ち上げもかねてビールを飲み寿司をつまんだ。そろそろ香折から電話が入るはずだった。結果がどうであれ必ず連絡するよう、今朝アパートまで送っていった車の中で言いつけておいた。

電話が来たのは六時過ぎだった。課員も大半が引き上げ、私は自席でじりじりしながら待っていた。受話器を取ると香折の声は明るかった。

「橋田さん、さっきサントリーから連絡があって、一次面接を通過したそうです。橋田さんの今朝のアドバイスのおかげです。ほんとうにありがとうございました」

アドバイスと言っても大した話をしたわけではなかった。バーテンのアルバイトをやっていたことを素直に話せばいい、と勧めたのだ。最初、香折は「そんなあ」と言って難色を示した。

「そういう水商売の話とかしたら駄目だと思います。何だか遊び人みたいで軽く見られちゃいますよ。はしたないじゃないですか」

「そんなことはないさ。別にきみが遊んでいるわけじゃない。酒飲んで酔っぱらっているのは客の方だ。その酒を売っている会社の面接を受けるんだ、カウンターの中から見た客たちの様子を感じたままに喋ればいい。ついでに、酒というものが人の生活にどのくらい役に立っているか、その効用をうんと力説するんだ。面接するのはどうせぼく以上の年輩者で、毎日飲んだくれてる連中だからね。そいつらの自尊心をくすぐって、お酒飲んでるときの男たちってなんだか寛《くつろ》いでいて、すごく可愛らしいとかなんとか、そこは適当に言えばいい。そしたら一次くらい簡単にパスできるよ。筆記の点数はたぶんきみの場合十分に合格ラインだろうからね。とにかく、学生たちは似たようなことしか言わないから、すこしちがうことを言うことだ。あんまりおすまししないで、自分の地で行くのが一番だ」

「バーテンとかやるの、別に私の地なんかじゃないです」

それでも香折は最後まで渋っていた。が、やはり本番では私の言う通りにしたのだろう。

「そりゃあ良かった。まずは第一関門突破だね。次はいつなの」

「次は明後日の土曜日だそうです」

「それで内定が出るのか」

「そうじゃないみたいです。月曜日に最終面接があって、そこで決まるって人事の方がおっしゃっていました」

「まあ、それは型通りの役員面接だろう。落ちることはまずないよ。土曜日の二次面接が勝負だね」

「はい」

「じゃあ今晩は、一緒に食事でもしながら作戦を練るか。空いてるんだろう」

私は良否どちらにしろ、香折と一緒に今夜は食事をする心づもりだった。

「今日はちょっと駄目なんです」

香折はそう言った。

「どうして。何かあるの」

「はい。さっき彼氏に一次面接受かったって報告したら、食事奢《おご》ってくれるってことになったんです。だからごめんなさい」

「そうか」

呟いて、意外な気がした。彼氏がいるのなら、どうしてこの私にこれほど頼ってくるのだろうか。だが、そう思いつつもなぜか落胆している自分を感じた。なるほど香折にだって彼氏の一人くらいいてもおかしくはないということか。

「分かった。ところで明日はどうなってるの」

「明日は空いています」

「だったら、明日面接の特訓でもするか。ぼくも時間は作れるから」

「いいんですか」

「構わないよ。橋田人事課長が面接必勝マニュアルを伝授してあげるよ」

「わー、ありがとうございます」

素直に喜ぶ香折の声を耳にしながら、どうしてそこまで彼女にしてやろうとするのだろう、と自分で自分のことが不可解でもある。

「またここに来てくれるかな」

「はい」

「だったら、昨日と同じ六時半にしよう。何か旨いもの食わせてあげるよ」

「はい」

「それから、今日はあんまりお酒を飲んじゃ駄目だよ。傷によくないから。それに寝る前に必ず湿布するようにね」

「はい」

香折は返事して「なんだか橋田さんって、私のお兄さんみたい」と笑いながら付け加えた。

受話器を置いて、私は香折が最後に言った「お兄さんみたい」という言葉を反芻《はんすう》していた。

「お兄さんねえ」と呟く。隆則という名の二十五歳になる香折の実兄のことが頭に浮かぶ。

それにしても今夜の予定がぽっかり空いてしまった。私はふたたび受話器を取ると、記憶している携帯の番号を押した。

「もしもし」

ザーッと雑音が混じり、女の声が掠《かす》れて聞こえてくる。

「もしもし、ぼくだけど」

「あー、橋田さん」

「いま、どこ」

「いまねえ、クライアントとの打ち合わせが終わってオフィスに戻るタクシーの中」

「今夜、飯でもどうかな。何か予定入ってる」

「ううん大丈夫。でも八時くらいになっちゃうけど」

「いいよ。だったら八時にそっちに迎えに行く」

「分かった」

「元気?」

「うん。橋田さんは」

「元気だよ」

「じゃあ待ってる」

電話は向こうから先に切れた。

11

瑠衣はかなり酔ったようだった。青山で食事をし、二軒はしごしていまは渋谷の店に来ていた。時間はすでに午前二時を回っている。この店は道玄坂《どうげんざか》の突き当たりを左に折れ、しばらく歩いた右手の細長いビルの七階にある。看板も何もない小さな常連客相手のバーで、私の隠れ家だった。いままで人を連れて来たことは一度もない。通い始めてもう六年になる。当時の私は婚約者に逃げられ、毎晩飲んだくれて過ごしていた。一年近くそんな生活がつづき、朝までやっているこの店から松濤《しょうとう》の扇谷邸へと、一睡もせずに通ったことも度々あった。この店と松濤が近かったのも、通いつめた理由の一つだった。

香折が彼氏と食事をすると聞き、瑠衣を誘った。日比谷にある瑠衣の会社に迎えに行き彼女の顔を見た瞬間、どういうわけか今晩瑠衣を酔い潰してやろうと決めたのだった。そのためにこの店に案内した。ここならば私は幾ら飲んでも決して酔わない自信がある。すでに二人でターキーのボトルを一本空け、いまはウォッカをショットでぐいぐい呷《あお》っている。予想通り瑠衣は私のペースに乗ってきた。この女性は酒席で一度も乱れたことがないだろう、と踏んでいた。その通りのようだ。

私がグラスをカウンターに置いて黙っていると、

「どうしたんですか。橋田さん、もう飲まないんですか」

と瑠衣が言う。三十分前くらいから、何度も同じことを言うようになっていた。言われるたびにグラスを持ち上げ、「じゃあ乾杯」と瑠衣のグラスにぶつけて一息で飲み干す。瑠衣も負けじと後につづく。そうやって彼女はぐんぐん酔っていく。時折、瑠衣の口からふーっとため息が洩れるようにもなっていた。

私の方はずっと香折のことを考えていた。彼氏がいるのなら、なぜ私の部屋に転がり込むような真似をしたのだろうか。バイト先のマスターと彼女との間にはほんとうに何の関係もなかったのだろうか。全身についた痣と噛み傷は一体誰がどこでつけたのか。次々と疑問が浮かんでくる。あの手紙と商品券を見せたときの異様な反応で、香折が母親を著しく忌避していることは分かった。「私、いい学校を出ていい会社に入った、ってだけの人は信用しないことにしてるんです。私の父もそういう人です」という言葉からして、父親のことも信じてはいないようだ。隆則という兄に至っては、その存在すら否定している。そこまで彼女を両親や兄から遠ざけている原因は何なのか。よほどのこととしか思えない。だが、それが見えない。

香折は「私みたいな人間のプライバシーをつっ突いて楽しいですか」と言った。その一方で私が簡単な傷の手当てをしてやっただけで、「私、こんなに人から親切にしてもらったこと初めてです」と泣いた。

考えれば考えるほど分からなくなってくる。

「橋田さん、何黙ってるんですか」

瑠衣が肩を揺すってきた。

「いや、ちょっと考えごとしてた」

「何を」

「うん、仕事のこと」

瑠衣が顔を覗き込んでくる。ずいぶん赤くなっている。こんなに酔った彼女を見るのは初めてだ。

「嘘ばっかり」

吐き捨てるように瑠衣が言う。なんだこいつ絡み酒か、と思っていると今度は、

「橋田さん、橋田さん」

頭を私の肩にのせてくる。

「何」

「私のことで、ずっと困ってるでしょう」

思わぬことを瑠衣が口にし、私は緩んでいた気分を引き締めた。

「どういうこと」

瑠衣も体を離し、こちらをまっすぐに見つめている。

「私だって、それくらい知っていました。もう半年以上もこうやって会っていれば、いくら私が馬鹿だって分かります」

「だから何がさ」

「橋田さんは困ってます。絶対に」

そこで瑠衣がきっと強い眼差しになった。

「橋田さんだけじゃない。私だってそうです」

瑠衣はバーテンに「同じのもう一杯ね。この人にも」と左手でグラスを突き出し、私のグラスを右の人差し指でさす。

「だってそうでしょう。叔父様から紹介されて否応《いやおう》なく私と付き合わなきゃならなかったんだから」

瑠衣は空いたグラスの縁を指でなぞって「し、か、も」とピンで止めるように言葉を区切り、

「イヴの夜にわざわざ私を呼び出してあなたと引き合わせたんだから」

新しいグラスが置かれると、瑠衣は一気に飲み干した。

「ねえ、こっち向いて」

甘えたような声になっている。相当に酔っているのだろう。だが正面に瑠衣を見て、きれいな顔だと思った。香折など到底及ばない。美貌《びぼう》という言葉はこういう顔のためにあるのだろう。

瑠衣が私の頰を両掌で包む。「どうしたの」と私はちょっと戸惑う。

「美形だよねー」

「何言ってるんだよ」

「社長のお気に入りでえ、仕事もピカ一でえ、二枚目でえ、すごく冷静でえ、誰も傷つけないようにいつも気を遣ってえ……」

そこで瑠衣はぱっと手を外した。

「でも、それだけ」

瑠衣は髪を掻き上げた。長い髪がさらさらと流れきらめく。

「叔父様には私からちゃんと言っておきます。歳も離れすぎてるし何かピンと来ないから、叔父様から橋田さんにお断りしてくださいって。私が振ったんだから橋田さんが悪いわけじゃないし、叔父様も橋田さんにすまないとは思っても、含んだりは絶対しないと思います。それで全部まるくおさまるでしょ」

「ねっ」と瑠衣が頰笑んだ。私はその笑みに不思議な感覚をおぼえた。

「やっとうまくいきましたね、橋田さん。半年がかりの大事業」

返す一言が出ない。

「案外ずるいっていうか、謀略家ですねぇ。でも、もうすこしちゃんと人のことを見た方がいいと思います。好きでも嫌いでも、そのどっちでもなくても。橋田さん、いつか、そうじゃないと大失敗すると私思う。心配になります」

「心配？」

私はますます不思議な気持ちで瑠衣を見つめた。「心配」とは何だと思う。意外な言葉だった。

「そうです。私、初めて会ったときから、ああ、この人は心配だなあって思いましたよ。きっと誰にも頼らず、守ってもらおうとも思わないで、一人ぼっちで生きてきたんだろうなあって。またそれができてきたから悲劇なんですよね。というか、何かこの人変だなあって」

「そんなにぼくは変かなあ」

「はい。すごく変です。普通はもっと弱っちいとこみんなあるから」

「弱っちい？」

「そう。だらしなくて、みっともなくて、なさけなくて、ひ弱いところ」

「だから心配なのか」

「そう。だって変だもの、そんなの。無理してるに決まってるから」

「そうか」

「大抵の女の子だったら、可愛くないって思うだけです。だけど、私、ちょっと似てるから」

「似てるって」

「自分が」

「ぼくに」

「そう。少しだけ」

瑠衣は、そんなことも分からないのか、という目で私を睨む。そういえば今朝も香折に「エリートぼけ」と言われたな、とふと思い出す。

「だったら、きみの叔父さんはどうなんだ。彼は」

瑠衣がため息をついた。

「だからヒロ君、死んじゃったんだよ。叔父様も、あなたみたいだったから」

ヒロ君というのは扇谷の自殺した一人息子のことだろう。

「ヒロ君、とっても複雑な人だったから。ほんとにやさしい人だったから」

瑠衣の瞳がかすかに潤んでいる。

「ぼくは……」

何を言っていいのかよく分からなかった。

「ぼくは、扇谷誠一郎とはちがう。絶対にちがう」

そして私はもう一度確かめたかった。

「きみは、ぼくのことをほんとうに心配してくれているのか」

瑠衣の片方の掌が私の手の上に添えられた。あたたかな掌だった。

「私は、あなたのことがすごく心配だよ」

瑠衣の瞳から涙が一粒こぼれて頰を伝った。私は頭の中が混乱し、酔いが急速に回りだすような気がした。

「どうして泣くんだ」

私の問いに、瑠衣が嚙み締めるように言った。

「私は、あなたのことが好きだから……馬鹿」

12

女性の体は二年半ぶりだった。最後になった日は、扇谷と一緒に赤坂の料亭で取引先と飯を食い、それから馴染《なじ》みのクラブに一人で行った。そこは若い政治家や役人たちの溜まり場だった。すでに六十年輩のママはやはり赤坂の芸者出身で、政治家や役人、そして私たちのような人種を「一人前にする」のが好きな面倒見のいい人だった。彼女の口からはいまや政権党の枢軸となっている政治家や各省庁の次官、局長級、大企業の幹部連の名前がぽんぽん飛び出し、「○○ちゃんも、××ちゃんも、△△ちゃんもみんな私のこの膝の上から巣立っていったのよ」といつも笑っていた。それはその通りで、たまにそうした閣僚や党の要職者、次官クラス、社長たちと一緒になることもあったが、ママが叱りつけようが啖呵《たんか》を切ろうが、彼らはまるで息子のように「はいはい」と何でも言うことをきいていた。

最初は大学同期の官僚たちとの勉強会の二次会でこの店に連れて来られた。まだ私が二十代前半の頃のことだ。以来常連になった。とにかく安かった。いわゆる「学割」というやつで、ヘネシーやロイヤルサリュートの封を気前良く切ってくれ、いくら飲もうが一万円を超える金を請求されることがなかった。

その晩はたまたま若い芸者たちがしばらくするとあるタニマチと一緒に繰り込んで来て、にわかに騒々しい宴会模様になった。中に私がよく使う料亭に出入りの女の子がいて、一人だったこともあってその子と隣同士ずいぶん痛飲した。すっかり打ち解け一緒に店を出て、近くにある彼女のマンションに行った。成り行きで彼女と寝た。

その晩以降、私は女を抱いたことがなかった。

瑠衣の体は想像以上にしなやかで豊満だった。巧みで貪婪《どんらん》で感じやすかった。楽な相手で、行為を始めてすぐにほっとした。後は久し振りの女体にとっぷりと漬かることができた。クリトリスも膣《ちつ》の感度も鋭かった。幾度も達していたが騎乗位でもっとも高く昇りつめるようだった。性器は比較的美しく、分泌物の味も悪くなかったし、濡れ方もほどよかった。芯まで溶かしてからみついてくる、飽きのこないタイプの体だと思った。最中、恭子のことを何度か思い出した。恭子も似たような体だった。違うのは、恭子の場合は二年の付き合いの中でそうなったという点だけだった。

明け方まで睦《むつ》み、私の腕枕で眠っている瑠衣の顔を眺めながら、面白いもんだと思った。昨日香折を寝かせたベッドで今日は瑠衣が眠っている。五年間まったく女っ気のなかった部屋にこうして立て続けに二人の女がやって来た。香折とは寝たわけではなかったが、それにしても面白いと思った。

私は三十五を過ぎて、それまで持て余し気味だった欲求が静かにおさまっていくのを感じた。恭子を知ったのは三十歳のときで、別れるまでの二年の間はほぼ毎日抱いた。彼女の借りた部屋に入り浸りだった。恭子と出会う以前の私は、世間並みからすれば女性の出入りの激しい方だったと思う。若い頃から女性には人気があった。当たり前と言えば当たり前で、学業も図抜けていてスポーツも万能だった。それに瑠衣にも言われたが「美形」だった。母が美しい人だったし、写真で見る若い父も端整な顔をしていた。女性というのは、私にとっては自然に近づいてくるものだった。自分から近づいたことはなかった。せいぜい選択すればいい程度で、好きになられて好きになった。だが、私はいつも思っていた。どうして彼女たちはこんな私を好きになるのだろうかと。その最初の理由がよく分からなかった。たしかに備えている条件は悪くない。殊《こと》に力があったのは容姿だったようにも思う。だが、たかがそれだけで、彼女たちは自分のことを本当に好きになれるのだろうかと思った。恋愛というのはそれほどに他愛のない単純なものなのかと思った。誰と付き合ってもしばらくすると失望した。失望がきざすと相手の粗《あら》がよく見えた。嫌いになる理由は幾らでも見つかった。その理由を意識的にひとまとめにして尖らせれば、あっさり関係を切ることが可能だった。

私は子供の頃からずば抜けた秀才として通してきた。生まれたのは山口県の萩という小さな城下町である。父は早くに亡くなり、母の手ひとつで育った。父親は優秀な外科医だったという。母と同じ山口の出身で大阪大学の医学部を卒業し、研修医として萩市の総合病院に赴任した折に、看護婦だった母と知り合い結婚した。二十六歳のときに私が生まれた。その三年後、直腸癌で死んだ。だから私は写真でしか父の顔を知らない。片親ではあったが、資産家だった父方の祖父の援助もあり、経済的な苦労もなく成長した。

自分が特別な人間だということは幼い頃に周囲から知らされた。

「寅次郎さんの生まれ変わり」

そう物心ついた時分には呼ばれていた。寅次郎というのは萩の英傑・吉田松陰寅次郎のことだ。学校の試験は常に一番だった。それも際立っていて、何の苦もなく東大法学部に進学した。大学時代もボート部で肉体を酷使し、ろくに勉強した記憶はないが、成績は全優だった。指導教授から「戦前だったら金時計だよ」と言われた。学友の多くは上級職を獲《と》って官庁に入っていったが、私の目には、くだらない試験に血道をあげる彼らの姿が滑稽《こっけい》にしか映らなかった。就職の折は日銀に行くか、いまの会社にするかで多少迷った。双方から熱烈に勧誘された。日銀では地下の大金庫まで見せられた。その金庫を見せるのは毎年就職希望者の二、三名に限られているのに、とOB訪問した先輩は私の選択を悔しがった。

若い時代、何人か女性を知ると、大体分かった気になった。少なくとも彼女たちに共通する習性や身体的特質、つまりは生態学的なことは摑み取れた。最初は驚いたり感激したことも、回数を重ねると繰り返しでしかなかった。

そんな私が初めてはっきりと自分から好きになったのが足立恭子だった。いま思い出してみても恭子が特別な女だったわけではない。ごくごく平凡な人だった。愛らしい顔立ちだったがさして美人でもなかったし、そもそも同じ会社の女性だった。私が秘書室勤務で、彼女はよく顔を合わせる総務課の一人だった。扇谷政権は二期目に入っていて、すでに私は別格の存在と見られはじめていた。女子社員たちの話題の的だったが、一度も会社の女性と付き合ったことはなかった。そんなことは思ってもみなかった。

むろん恭子に対してもはじめはそうだった。

一度、彼女と二人で残業をしたことがあった。最高経営会議の前日恒例の資料作りで、各部門別の売上推移や競争企業の動向などを簡潔にまとめていく作業だった。十一月の寒い日で、私はやや風邪気味だった。扇谷の工場視察に随行し、午後七時頃に木更津《きさらづ》から戻った。工場視察中に吹きさらしの浜風をあびて体調が悪化していた。全身がだるく熱っぽかった。経営企画室から回ってきた資料を整理し、まずは手書きで表やグラフ、原稿を作っていく。それを入力して仕上げなくてはならなかった。広い秘書室には私以外に人はなく、部屋も冷えきっていた。当時から私の仕事量は先輩、同僚のほぼ倍はあったと思う。十二時前に社を出られることはほとんどなかった。休日も大半は潰れていた。

あれから八年も経ったのだ、と瑠衣の寝顔を見ながら恭子のことを思い出す。思い出し始めるといつものことだが、鮮明に彼女の表情、声、仕種、姿が甦ってくる。だがそれは二十六歳から二十八歳までの恭子で、この瑠衣と同じほどの若い恭子でしかない。彼女ももう今年で三十四歳になるのだ、と心の中で呟いてみた。

あの晩、原稿を書いているうちに軽い咳《せき》が出始め、時折咳き込みながら私はペンを走らせていた。背中に人の気配がして振り返ると、足立恭子が立っていた。手に大きな花束を抱えている。

「橋田さん、風邪ですか」

「ああ、ちょっとね」

それまでまともに言葉を交わしたことはなかった。

「それより、きみこそどうしたの、こんな時間に」

もう八時を過ぎていた。なぜ彼女がこんな遅くにこの十二階の役員フロアにいるのか不思議だった。総務課は八階だ。

「私もさっきまで仕事だったんです。もう帰るところだったんですけど」

「そう、大変だね。でも、どうしてここに」

訊《き》くと、恭子はちょっと頰笑んで抱えている花束を揺らした。

「これ」

私にはよく意味が摑めなかった。

「明日会議だから、お花新しくするでしょう。それで谷川さんにお願いして、これいただく約束になってたんです」

谷川というのは、女性秘書の筆頭で、役員フロアの主のような中年女性のことだった。

「今晩、友達の彼のライブに誘われてて、それで……」

「へえ」

そこで私はまた咳き込んだ。

「橋田さん大丈夫ですか。なんだか顔が赤いですよ」

「大丈夫だよ、このくらい」

恭子が心配そうな顔になっていた。

「だけど、足立さんはしっかり者だね。それにしてもそのラッピングはどうしたの」

役員受付の大きな花瓶に活《い》けてあった花を谷川の許可を得て貰ったのだろう。だが一見すると新品の花束に見える。透明なラップできれいに包まれ、ピンクのリボンも巻かれていた。谷川はうるさ型で若い女子社員からは敬遠されていたが、根は人のいい筋目を通す女性だった。ただ、その分仕事には厳しく、部下の女性秘書たちはよく彼女に叱られていた。秘書室勤務の長い私は谷川とは親しかった。

「ラップとリボンだけは今日お昼に買ってきておいたんです」

「じゃあ、足立さんが自分でやったの、それ」

「はい。私、短大時代にお花屋さんでバイトしてたことありましたから」

「そうか、どうりで上手なはずだ」

また呟き込む。と、空いたデスクの上に花束と肩にかけていたバッグを置き、恭子が近づいてきた。そしていきなり私の額に掌を当てた。

「わあ、橋田さん熱ありますよ」

少々面食らったが、私も自分の額に掌を持っていった。たしかに熱かった。

「お薬飲んでます？」

「いや」

そう答えると、恭子は走って秘書室を出ていった。しばらくして大きな救急箱と水の入ったコップを持って戻って来た。救急箱を開け、幾つか入っている感冒薬を取り出し、丹念に見比べて一つ選ぶ。封を切り、シートからカプセルを三つ抜いて渡してくれる。

「とりあえず、これ飲んでください」

コップも持たされ、なんだかやけに強引な感じだったが、「ありがとう」と口にして言われるままに薬を飲んだ。

「コップと救急箱はぼくが片づけておくから」

そろそろ仕事に戻ろうと考えて、私がそのまま傍に立っている恭子を見上げると、彼女は着ていたベージュ色のコートをさっさと脱いで隣の椅子に掛け、私の机の上の書類を覗き込んできた。

「明日の会議の資料作りですか」

「うん」

「じゃあ、私、手伝います」

咄嗟《とっさ》に書きかけの書類を手で覆うようにして、「いいよ、いいよ。ぼく一人で大丈夫だから」と言った。

「でも、そんな熱じゃ、早く切り上げて寝《やす》まないと風邪がひどくなっちゃうでしょう」

「平気だから。それより足立さんはライブがあるんだろう。早く行ってあげないと。もう始まっちゃってるんじゃない」

「そっちは別に行かなくてもいいんです。いままでも彼女には何度か付き合ってあげてるし、すごく仲のいい友達だから」

「だけど、ほんとうにいいよ。どうせ遅くまでかかる作業だから」

「駄目です。病気なんだから無理をしない方がいいんです。そのデータと原稿を入力するくらいなら、私だってできますから」

「いや、ほんとうにいいんだって」

私は恭子の親切に辟易《へきえき》してきた。が、つい声を高くしたからか、そこでまた大きく咳き込んでしまった。恭子が背中をさすってくれる。

「やっぱり無理しちゃ駄目です。それでなくても橋田さん毎日残業ばかりなんでしょう。美穂ちゃんが、橋田さんって仕事中毒みたいだってよく言ってるんですよ」

美穂ちゃんというのは、秘書室で雑務を引き受けてくれている渡辺という女の子のことだった。

「足立さん、渡辺さんとは知り合いなの」

ようやく咳がおさまって訊く。

「彼女、同期なんです」

「そう」

ということは、足立恭子はもう二十六になるのか、と思った。雰囲気が幼く、もっと若いとばかり思っていた。

「さあ、始めましょう。出来上がった原稿があったら下さい」

私は半ば気圧《けお》されて、まとめたものを彼女に渡した。恭子は私の席とは背中合わせにある端末の電源を入れ、椅子に腰かけた。

「書式はどうするんですか」

と訊かれ、先月のデータの入ったディスクを取り出して渡す。

「これに乗せてくれればいいから。それから言っておくけど、この文書、一応重要機密扱いだからね」

恭子がてきぱきとディスクを挿入し画面を起《た》ち上げた。出てきた先月のデータをスクロールしながら驚いた声を上げる。私は彼女の背中越しに流れていく画面を見ていた。

「すごい量じゃないですか。こんなの橋田さん、いつも一人で一晩で作ってるんですか」

「まあね」

「誰か手伝ってくれないんですか」

「だって、他の人たちもみんな忙しいから」

恭子が振り返った。

「でも美穂ちゃんの話だと、日野さんとか佐藤さんとか……」

そこで恭子は言葉を止めた。

「どうしたの」

「いえ、何でもないです」

彼女はきまり悪そうな表情になっている。私はその様子を眺めながら、この子は案外いい子だなと思った。言いかけてやめた先の言葉は予想できる。日野や佐藤は先輩秘書たちだが、仕事は彼らを飛び越えて私に集中していた。何でもかんでも扇谷が直接命じてしまうためだが、秘書室内ではそれが彼らからの嫉妬《しっと》を招き、今では他の仕事まで押しつけられて、その上たまに厭味《いやみ》の一つも言われる。陰で彼らが私のことを「お稚児さん」と蔑称《べっしょう》していることも知っていた。渡辺美穂はそんな話を恭子にしたのだろう。

「悪いね。手伝ってもらって」

「そんなことないです。それより頑張って早く仕上げてしまいましょう」

「だけど、きみ、晩飯まだなんじゃないの」

「いいえ、さっき済ませました。橋田さんは？」

私は扇谷と昼に工場で弁当を食べたきり、何も口にしていなかったが、

「うん、ぼくも戻る前に食ってきたから」

と答えた。

結局、作業は十二時近くまでかかった。それでも恭子が手際良く入力してくれたので、正直なところ時間は半分に短縮できた。終わりの頃になると風邪の症状はひどくなってきた。目がかすみ思考も減退して、なかなかはかどらなかった。全身が熱をもって関節の節々が痛かった。合間に恭子は何度かお茶やコーヒーを淹《い》れてくれた。いつも一人きりでやっていることも、こうして誰かと一緒だと気分的にはよほど楽しかった。コーヒーをすすりながら、

「足立さんは谷川女史とは仲がいいの」

と訊いてみた。取り替える花とはいえ、女史がよく下げ渡したものだと思っていたからだ。彼女はそうした公私混同は普通なら決して認めないはずだった。

「はい。私、谷川さん大好きです」

「だけど、若い女子社員たちには結構評判悪いでしょう」

「そんな声もたまに聞きますけど、でも、谷川さんはいつも正しいことをきちんとおっしゃる方です。気持ちもとってもあったかい人です」

はっきりとした物言いだった。私は恭子の顔を見ながら、人の悪口は口にせず、自分の見方はしっかりと言う彼女に好感を覚えた。

「でも……」

恭子が笑う。

「どうしたの」

「私って、ちょっとケチ」

花のことを言っているのだろう。私も笑った。

「そうだね」

「だけど、お花って高いし、あんなライブで渡した花なんて楽屋に行ったら山と積んであって、ほとんどそのままゴミ箱行きなんですよ」

「そうなんだ」

「でもやっぱり、私、ケチですね」

恭子はまた笑った。

通用口に呼んだタクシーに一緒に乗り込んだときには十二時を回っていた。二台呼ぼうとしたら、恭子が「私はまだ電車がありますから」と言い張ったので、「だったら送っていくよ」と捩《ね》じ伏せて一台だけ呼んだのだった。恭子の住まいは墨田《すみだ》区の方で、当時の私は代官山だったから方向は逆だった。それでも、せめてそれぐらいはお礼しておきたいと思った。

体調が急激に悪くなったのは車が走り出して少し経ってからだった。車体の振動が意識をぐらぐらさせ、熱が一気に上がるのが分かった。胸苦しさも覚え、最初は我慢していたが、とうとう声に出して息づくようになった。恭子がにわかに心配しだした。額にまた掌を当て、「橋田さん、すごい熱です」と言う。恭子の柔らかな掌がひんやりとして心地よかった。

しばらく二人して黙って車のシートに座っていた。恭子は何か考え込んでいるようだった。

すると静かな車内でくーっと小さな音が立った。隣の恭子を見る。また音が鳴った。恭子がお腹をさすって「ごめんなさい」と呟いた。

「足立さん、もしかしたら晩御飯まだだったんじゃないの」

「すみません」

恭子が恥ずかしそうに俯いた。熱でぼんやりしていることもあったが、その恭子の恥ずかしそうな横顔を見たとき、私は胸の底からじんわりと沁《し》み出てくるものを感じた。

「実は、ぼくも昼の後、なんにも食べてない」

「えっ」

恭子が大仰な声を出した。

「駄目です。そんなに体調悪いのに。何か食べないと風邪がますますひどくなっちゃいます」

この子の「駄目です」というのは口癖かな、と思った。

タクシーが墨田区内に入った頃合い、恭子は一度口ごもってから言った。

「橋田さん」

「ん？」

「今晩、私の家に泊まった方がいいと思います」

「え？」

なんてことを言い出すのだろうと思った。さっきから彼女はそんなことを考えていたのか。

「狭い団地ですけど、薬もちゃんとしたのがあるし、何か口にした方がいいし、母も今夜は夜勤明けで帰ってますから」

私は思わぬ申し出にどう答えていいか分からない。ただ、このまま代官山のアパートに一人戻るのも不安だった。時折意識が掠《かす》れ、恭子の声も遠いもののように耳朶《じだ》に響いていた。

「私の母、看護婦なんです。だからちゃんと看病してあげられるし、薬もたくさん揃ってるから」

私はしばらく彼女の顔をまじまじと眺めた。つい数時間前に初めてまともに話した人だった。それまでは意識の片隅にものぼったことのない女性だった。

「橋田さん、やっぱり家に来た方がいいと思います」

恭子が私の目を見つめ返してきた。やさしい眼差しだった。私はごく自然に恭子のひんやりとした手を握っていた。

その晩、私は恭子の家に泊まった。小さな団地の2DKでつつましやかだったが、きれいに整ったあたたかな部屋だった。恭子の母親は、突然娘が誰とも知れぬ若い男を担ぎ込んできたにもかかわらず、すぐに布団を敷き私を寝かせると、抗生剤を注射してくれた。その間に恭子は粥《かゆ》を炊き、起き上がって恭子と母親と三人で粥を啜った。美味《おい》しかった。いっぺんで体が楽になっていくのを感じた。恭子は父親のパジャマと新しいYシャツを持ってきて私をパジャマに着替えさせ、「サイズが合って良かった。きっとこのYシャツも大丈夫ね」と嬉しそうに言った。父親は高速バスの運転手で、今夜は深夜運転で関西まで走り、大阪泊まりなのだという。

「お父さんの部屋に寝てもらえるし、ちょうど良かったわね」と恭子の母親が言った。彼女からは懐かしい匂いがした。微かな消毒薬の匂い。それは私が高校を卒業するまでずっと嗅《か》いできた母の匂いだった。

目の前の安らかな瑠衣の寝顔を見つめ、恭子の顔と重ねてみようとした。だが、瑠衣の美しさはそれを許さなかった。

仰向《あおむ》けになって天井を眺める。ひとつため息が出た。こうして恭子のことを思い出すと、あの二年間の記憶が次々と再生されてくる。

恭子と出会うまでの私は孤独だった。父の顔は知らず、やさしかった母もいつも仕事で家を空けていた。もともと父と母の結婚に反対だった祖父は、生活の援助はしてくれたが、私の家には寄りつこうともしなかった。母を除けば肉親の情愛というものをほとんど知らずに私は育った。兄弟姉妹もいなかったから、幼い頃から一人きりで一日を過ごし、それが当たり前だった。友人もできなかった。成績が良すぎたせいもあるし、他の理由もあった。

――哀しみは雪のように静かに降り積もり、やがて小さな孤独の結晶となる。

一度、そんな子供時代のことを話して聞かせたときに、恭子が教えてくれた或る詩人の言葉だ。

「あなたの凍りついた孤独は、私が溶かしてあげる」

恭子はそう言ってくれた。その言葉を私は心から信じたのだった。

瞳にかすかだが涙が滲んでくる。想いを振り切るように寝返りを打った。静かな寝息を立てている瑠衣の美しい顔を胸元に引き寄せる。なめらかな肌の温《ぬく》もりが伝わり、急速に意識がゆるんできた。訪れた眠気に身をまかせることにする。このしなやかで柔らかな体に今日はすべてをゆだねて眠ろう、と思った。

13

翌週の月曜日、普段より早めに出社して積み残しの仕事をこなしていった。誰もいない人事課の部屋で、机の上に分厚く溜まった決裁書類に一つ一つ丹念に目を通しながら判を捺《お》していく。先週は香折の件もあったし、瑠衣との間にも思いがけないことがあって仕事が手につかなかった。

だが、今朝は晴れやかな気分だった。やはり瑠衣の存在が大きかった。週末ずっと彼女と過ごした。男女の体のつながりの不思議さを久し振りに味わっている。それまでの半年以上の付き合いを一とすれば、わずかこの三日ばかりで十にはなっただろう。そのような互いの変化が面白く感じられた。

香折の方は土曜日の二次面接も無事に通過した。前の晩は約束通り二人で食事をして、一次面接の模様を香折から詳しく聞き出し、幾つかアドバイスをした。体の傷の具合が気になったが、香折は「ぜんぜん大丈夫です」と平気な顔をしていた。けろりとしたその表情を見ていると、ここ数日の心配や彼女にまつわる蟠《わだかま》った疑問の数々も希薄になっていく気がした。

土曜日は瑠衣とずっと外にいたので、面接の結果は携帯に夕方香折から連絡を貰って知った。香折は電話の向こうで大はしゃぎだった。彼女も外からららしく、隣に彼氏がいるような気配だった。電話が切れて瑠衣が「誰？」と訊いてきた。友人の姪で就職試験の相談に乗ってやっていたのだと説明すると、瑠衣は「そう」と言ったきりだった。

香折のこともこうやって自然に霞《かす》んでいくのだろうな——書類から目をそらし窓の外に広がる青々と晴れ渡った七月の空を見やって思った。ひどく奇妙な何かを抱えた女だった。その奇妙さに深入りしてしまいそうな不安が内心にあった。だが、結局はそうはならなかったようだ。香折と出会った同じ週に瑠衣と関係を持ったのは、ひとつの歯止めだった気がしていた。目に見えぬ力が自分をもう一歩のところで不穏なものから遠ざけてくれたのではないか、そんな安堵感があった。その意味で瑠衣に感謝していた。

香折も無事に就職先を見つけた。今日の午後から最後の役員面接があると言っていたが、そこでハネられることはまずない。仕事も決まり、共に喜んでくれる恋人もいるらしい。大したこともしてやれなかったが、もう彼女とこれ以上関わることもないだろう。

脳裏をちらりと、痣だらけの香折の全身像が掠めた。そして右腕の腫れ上がった傷痕。微かな疼《うず》きが胸に生じる。三々五々部下たちが顔を見せはじめ、私に挨拶してくる。返事をしながら香折の面影を頭から払拭《ふっしょく》し、再び手元の書類に意識を集めた。

八時半過ぎに部長の内山が出社してきた。彼はその足で私の席に近づき、「ちょっと話があるんだが」と自室に誘う。何やら気色《けしき》ばんだ面持ちだったので、黙ってあとに従った。部長室のクリーム色のドアを閉めて、デスクの上に鞄を置く内山の幅広の背中を眺めていると、振り向いた彼は左手の応接セットへと私を促した。

向かい合って同時にソファに腰を沈めた。内山はつとめて冷静さを保とうとしていたが、粘着気質でありながら根は単純な男なだけに、身の内から込み上げてくる怒りを抑えきれないようだった。彼の怒りの原因は察することができたから、私は落ち着いてソファに背をあずけていた。

「草野君の件、きみは知っていたのかね」

内山が口を開く。

やはり、草野次長の話か、と思う。この週末に内山は人事担当専務から通告されたのだろう。さぞや驚いたにちがいない。

「と、いいますと」

私はゆっくりと身を乗り出してみせた。

「とぼけちゃいかんよ」

さっと朱の色が内山の面上をよぎる。

「草野さんがどうかされたのですか」

内山はうんざりした顔で、私をまじまじと見つめ、一つ小さく息をついた。

「まあ、いい。どうせきみの差し金にちがいないんだろうから」

「おっしゃっている意味が分かりかねますが」

人事部次長の草野は内山の側近の一人だった。今回の採用に関しても、私から権限を取り上げた以上、本来内山が執行すべき実務の大半は彼が肩代わりしている。この腹心があったればこそ、内山もあからさまに私を排除することができたのだ。草野は年次は私より十期上、内山同様に宇佐見副社長派の一人である。

「しかし、こんな唐突な人事は承服しがたいね。それも広島などという話では、草野も納得しようがないだろう。彼はまだここに来て一年だよ。いくらなんでも乱暴過ぎやしないかね」

「草野さん、広島に転出されるんですか」

私が少し語尾をはね上げて言うと、内山はいかにも不快げに眉《まゆ》をひそめた。その顔を見て、そういえば今朝は草野の顔を見ていないな、と私は思った。まだ採用も終わっていないこの時期、突然広島赴任を下命されれば泡を食うだろう。ポストは広島工場の総務部長だから表向き左遷とは言えないが、本社の人事部次長から僅《わず》か一年余で地方に出されるのは、当人にしてみれば遠島同然の仕打ちとしか思えまい。昨日あたり内山から聞かされて、今頃は布団でも被《かぶ》って寝込んでいるのにちがいない。

しかし、内山がどう信じ込んでいようと、この人事は私が謀《はか》ったものではなかった。私と内山との間に挟まった草野の存在が目障りだったことは否定しないが、といってわざわざ取り除くほどの気持ちは私にはなかった。ただ、昵懇の駿河《するが》経営企画室長に何度か愚痴めいた話はしたことがある。いまや酒井副社長と並んで社長の最側近である駿河室長が、そんな私を慮《おもんぱか》って気を回してくれたことから今回の人事となった。要はそれだけの話なのである。

むろん、駿河にも思惑はあったろう。草野は駿河とは同期入社だ。史上最年少の若さで経営企画室長の座を射止めた駿河も今年で在任四年、来年は役員への昇格も含めて新しいポストを探さなくてはならない。この時期に彼が同期の草野を人事から飛ばしたのは、内山の後釜《あとがま》に座る心算であることを扇谷に強くアピールしたかったからだ。ポストとしては取締役人事部長は順当なところだし、現実となれば、そこでも駿河は最年少の人事部長就任となる。駿河にすれば、私の不満は扇谷を動かしてこの人事を行なう恰好《かっこう》の材料だったわけだ。草野の異動を駿河から聞かされたのは先週の木曜日、私も内山同様、ただ通告されたにすぎなかった。

「草野君はね……」

口ごもるように内山は一度言葉を切った。

「きみは知らないだろうが、いま細君が末期癌で入院していて大変なんだ。下の娘さんはまだ中学生になったばかりだ。こんなやぶから棒に地方へ出ろと言われても、そんな奥さんや家族を放ってどうしろというんだ。部長であるぼくに事情一つ聞かずにこんな人事をやって、一体きみたちは何様のつもりなのかね」

「そうなんですか」

私は思わず呟く。草野の妻の話は初耳だった。会社での草野はそんな気振りは毫《ごう》も見せたことがない。

「きみたちのやり方はいつでもそうだ。社員といえどもみんな事情を抱えた、ひとりひとり血の流れる人間なんだ。将棋の駒でもあるまいし、自分たちの都合だけでどうにでもできると考えるのは、傲岸不遜《ごうがんふそん》というものじゃないのか」

もはや怒りを隠そうともせず、内山は私を睨みつけてきた。

「ちょっと待ってください、部長」

私はその内山の目を正面から見返した。

「部長はさっきから何か思い違いをされているようですが、私は草野さんの件については、たったいま部長に伺うまでまったく知りませんでした。そのように言われましても、何とも返事のしようがありません」

「だったら、それはもういい」

内山の眉間《みけん》の皺《しわ》がさらに深くなった。

「ぼくからも大月さんには話すつもりだが、きみの方からも手を回せるだけは回してもらいたいね。そういうことはきみの専売特許なんだろうし」

大月というのは、人事担当専務の名前だった。

「手を回すというのは、失礼ですが部長、どのような意味でしょうか」

内山はひとつため息をついてみせてからやや語調を緩めた。

「だからこの件だけは何とか撤回の方向で収拾してほしいということだよ。実のところ、草野君の奥さんはあと数ヵ月というところらしい。いくらきみたちでも、そのくらいの温情はあってしかるべきじゃないのか」

内山はもう一度深々とため息をついた。私もそれに合わせるように一つ息を吐いて言い返した。

「しかし、部長が戻せないものなら、草野さんには気の毒ですが、課長のぼくがどうにかできるはずもないと思います」

内山は憮然《ぶぜん》とした表情で黙り込んだ。私も黙る。しばらくそうやって向き合っていたが、次の言葉もなさそうな気配に、

「じゃあ、退《さ》がらせていただきます」

ひと言添えて、私は立ち上がった。

その途端、内山の顔が赤黒く膨《ふく》らんだ気がした。唇は固く引き結んだまま、憎々しげな目で私を睨み上げてくる。私もその目を見下ろす。さきほどから腹の底に抑えていた言葉が、喉元《のどもと》

まで一気に込み上げてくるのを感じた。

そもそも、あなたが私に妙な嫌がらせさえしなければ、可愛い部下がこんな目にあうこともなかったのだ。部下一人守る力もありはしないくせに、つまらない火遊びをした報いがこれだ。今回の人事の責任はすべてあなた自身にある。それを今になって個々人の私的事情を持ち出し、いかにも人情家のように振る舞うとは、何という安手のインチキ、欺瞞《ぎまん》だ。私は、あなたのように個人的感情だけで仕事や組織内の人間関係を壟断《ろうだん》する輩《やから》が何より嫌いなのだ。結局、あなたのような人間は自分の欲望を充《み》たし、つまらない自尊心を満足させるためだけに、「温情」や「人間」という見え透いた言葉をもてあそぶ。そういうあなたの方こそ恣意《しい》的で、傲岸不遜そのものではないのか。

しかし、私はむろん何も言いはしなかった。「では、失礼します」と丁寧に頭を下げた。内山は座ったままわざとらしく頭を二、三度揺すって、今度は口の端に苦笑いを浮かべた。

「まったく、きみのような男には何を言っても通じないようだな」

そして、すかさず意外な言葉を口にした。

「社長の姪ごさんと付き合ってるかなにか知らんが、驕《おご》れる者も久しからずだ。せいぜい用心することだね」

私はいかにも恐喝めいたその台詞は黙殺し、背中を向けるとゆっくりと部長室をあとにした。が、この内山の一言で今朝の爽快《そうかい》さが霧消していくのを感じずにはいられなかった。

部屋にそのまま戻ることはせず、エレベーターホールに出て一服し、波立った気持ちを整えた。それにしても瑠衣との交際は慎重に進めてきた。それをなぜ内山は知っているのか。だが、そんなことよりも、まるで自分の寝室を覗かれたようなこの不愉快さは何なのか。落ち着くほどに、瑠衣という存在がおのずから招き寄せるしがらみの重さが実感されてくる。

ほんの二、三服吸った煙草を吸殻入れに投げ込み、私は課員たちのいる部屋へと向かった。

知らず険しい顔つきになっていたのかもしれない。席に戻ると、課長補佐の辻が探るような目で歩み寄ってきた。

「課長、いまよろしいですか」

頷くと、

「席を外されているあいだに、二度ほどお電話が入っていました」

「ここに？」

机上の二台の電話を見る。

「はい。直通の方だったと思うんですが」

「それで」

辻は少し言い淀《よど》む気配を見せ、

「お名前は聞けなかったんですが、若い女性の方で、ちょっと様子が気になったものですから」

と言う。瞬間的に香折の顔が浮かんだ。

「電話って、どれくらい前なの」

腕時計を見る。すでに九時を回っていた。

「十五分ほど前です」

「様子が気になったって、どういうこと」

「ええ、何だかずいぶん取り乱した感じで、用件を訊《たず》ねても、とにかく課長のお名前を繰り返すばかりで」

そこまで聞いて、慌てて机の脇においたバッグを取り上げた。中から携帯電話を取り出すと、案の定、ディスプレイに不在着信の文字が浮かんでいる。八時四十三分、四十四分、四十五分と立てつづけに三本の電話が入っていた。発信者は非通知でわからなかったが、香折に間違いないと思われた。辻には構わず、香折の部屋の登録番号を呼び出して通話ボタンを押す。三度ほどコール音が聞こえ、回線がつながった。

「もしもし、橋田ですが」

微かな息づかいは聞こえるが、相手はなかなか応答しない。

「もしもし、香折さんですか」

そこでようやく「はい」という小さな声が返ってきた。

「香折さん、何度か電話くれた」

「はい」

「ごめん、打ち合わせでちょっと席を外してたから出られなかった。どうした、何かあったの」

「いえ」

電波の状態が悪いのか、ときどき砂が降るようなノイズが挟まって、香折の声がうまく聞きとれない。

「電話を受けた人間の話だと、何か困った感じだったらしいけど」

正面の辻が頷いている。

「いえ……大丈夫です。ごめんなさい」

口調はしっかりしていたが、ひどく沈んだ声音だった。

「でも、何かあったから電話してきたんじゃないの」

香折が息を詰める気配がした。ノイズは次第に激しくなっている。

「香折さん、香折さん」

繰り返す。香折も何か喋っているらしいが、よく聞こえない。

「掛けなおすよ。一度切ってすぐに掛けるから、ちょっと待ってて」

「いえ」と香折が言うのが、かろうじて耳に届いた。

「もう大丈夫です」

「ほんとうに」

「はい」

さらにノイズがひどくなってきた。ただ、香折が無言でいることは分かる。「香折さん」と
私は少し声を高くして呼びかけた。

「じゃあ、そろそろ切るよ」

「はい」

そこで完全に受信不能になった。私は携帯をオフにして、直通専用の電話機から受話器を取り上げた。香折の番号を四つ目まで押した。が、それで指先の動きを止めた。辻が一礼して席

の前から離れていく。

受話器を戻して、考えをめぐらせた。

あらためて掛けなおす必要はもうないだろう。取り乱した様子だったと辻は言ったが、たったいまの香折の声は平静だった。電話口の向こうに不審な物音はなかったし、香折自身が大丈夫だと言っている。今日はこれからサントリーの最終面接があるはずだ。それで少し不安な気持ちになって電話してきただけなのかもしれない。もともと気持ちの不安定な子だ。教えておいた直通番号に掛けて、私以外の人間が出たために少し怖《お》じ気《け》づいたのだろう。それで却って応対した辻の方が必要以上に重く受け取ってしまった、ということか。

まあ、そんなところだろう、と納得して、広げていた書類に目を落とした。一枚目にざっと視線を滑らせながら、それに、と思う。もう彼女に関わることもあるまいと、つい一時間ほど前に考えたばかりではないか。

週末を共に過ごした瑠衣の姿もまた思い出してみる。内山の言葉が被《かぶ》さって、さきほどのような安心感は湧いてはこないが、それでも気持ちは和《やわ》らいでいく。

そのうちどういうわけか、まだ姿の見えない草野の顔がちらついてきた。今頃、草野は死の床にある細君を見舞っているのだろうか。突然の異動について説明しているのか。草野の妻ならばまだ五十前だろう。もし余命を察しているとしたら、彼女はどんな気持ちで夫の広島行きを受け止めているのか。

内山は言っていた。「社員といえどもみんな事情を抱えた、ひとりひとり血の流れる人間」なのだと。その言葉がさきほどとは異なった音色で胸に響いてくるようだった。駿河もまた、草野の妻のことはきっと知らなかっただろう。知っていればどうしただろうか。駿河のことだ、少なくともこんな性急な異動は思い止《とど》まったはずだ。

そこまで考えて、私は、内山のことはともかくも、この件は駿河の耳に入れておこうと思い改めた。彼と草野は何といっても同期なのだ。草野の細君が内山の話通りの状況であるならば、駿河にそこまで同期を突き放す仕打ちはさせたくはない。駿河の評判にも関わってくる問題だ。

私は、今度は内線電話の受話器を持ち上げた。

14

十一階の経営企画室を出て、私はそのまま一階まで降りた。幸い、午前中は会議もなく自由になる。時計を見るとまだ十時前で、外は雲ひとつない快晴だ。しばらく散歩でもして時間を潰すつもりだった。

駿河の口ぶりではすぐにでも扇谷の了解を取って、大月を伴い、内山、そして草野本人に事情を聞きに出向く様子だった。だとすれば、当分は人事の部屋に戻らない方が無難だ。内山のことだ、私が在席であれば、嫌味たっぷりに私にも同席しろと言い出しかねなかった。

私の話を聞いて駿河は一瞬困惑した風を見せたが、すぐに、

「こりゃあ、ちょっと無理筋だったたな」

と笑顔になって言った。これで草野の転出は事実上撤回されたことになる。内山の思惑通りに事が運んだのは面白くなかったが、私は内心ひどくほっとした気分だった。

玄関を出て、明るい日差しを浴びながらお濠端《ほりばた》の方へ歩を進めた。こんもりと繁った皇居の森の美しい緑を目にして、ふと足を止めた。何か思い出す景色があった。意識を凝らすと記憶の底から浮かんでくる似たような緑がある。木曜日の朝、香折を車で送っていった際に車窓から眺めた駒沢公園の林のたたずまいだった。

再び時計を見る。ちょうど十時だ。香折はどうしているだろうか。サントリーの面接は午後からだからまだ部屋にいるにちがいない。もう一度だけ電話してみよう、そう思い、背広のポケットから携帯を取り出した。しかし、ディスプレイを一瞥《いちべつ》して思わずはっとした。画面左上のメッセージサインが点灯していたのだ。さきほど携帯を切ったときにそのままポケットにしまったのがいけなかった。でなければ、このサインを見逃すこともなかったろう。慌てて留守録センターに電話をつないだ。

間延びした声で「一件の新しいメッセージがあります」と告げてくる。香折が吹き込んだものにちがいない。

「最初のメッセージ。メッセージの受け取り日時は次の通りです。今日午前八時四十三分」

やはり香折からだ。胸の鼓動がにわかに早まってくる。

まず耳に届いたのは、激しい息づかいだった。やがてか細い人の声。

「橋田さん、香折です」

そう言っているようだった。声がひどく震え、よくは聞き取れない。

「こわい、こわいよぉ」

これははっきりと聞こえた。このとき、声の背後で何か鈍い音が響いているのに気づいた。

金属の板でも乱打するような固い荒々しい音だ。

「こわい、助けて」

思考が混乱してくるのを感じた。携帯を耳朶に強く押し当てながら、この声はすでに一時間以上前に録音されたものなのだ、と自分に言いきかせる。そのあと自分は無事な香折の声をたしかに聞いたのだ、と。だが、電話機を通して伝わる切迫した気配は私の不安をいやましに増幅させる。

何拍かの間があった。そして突然、ガラスが割れるような大きな音。鋭い悲鳴。

そこでぷっつりと音声は途絶えた。

私は電話を切って呆然《ぼうぜん》とした。強い後悔の念が押し寄せて、動悸《どうき》で胸が詰まる。さきほど話したときに、どうして香折の異変に気づかなかったのか。迂闊《うかつ》だったとしかいいようがない。はたして彼女はほんとうに無事なのか。

会社へと踵《きびす》を返す。小走りになりながら、香折の部屋に電話を入れる。呼出し音は鳴るが香折は出てこない。正面玄関をくぐり、まっすぐに受付台に向かった。受付の女性に電話を借りて内線で社長室を呼び出す。以前部下だった室長補佐をつかまえ、空いている役員専用車をすぐに正面玄関に回すように命じた。

電話を切って三分後には、黒塗りのプレジデントに乗って駒沢に向かっていた。顔見知りの沢崎運転手に香折のアパートの住所を告げ、カーナビゲーションで細かい地図をディスプレイに出してもらう。二度近所まで送っていったが、路地を入ってから先は分からない。役員専用車のナビゲーションシステムにはゼンリンの住宅地図情報が特別にインストールされている。

ホワイトコートというアパートはすぐに確認できた。沢崎運転手にそこまで最短で行くように指示した。車中から香折の部屋に電話を入れつづけた。やはり通じない。香折はどうして電話に出ないのか。それとも出ることができないのか。あるいは、私ではない、誰か恐ろしい相手からの電話に怯えているのか。想像すると、痺れるような不安が次第に逃げ場のない黒々とした恐怖に変わっていく。

駒沢公園の林が見えはじめたあたりから、私の胸騒ぎは痛いほどになった。香折と最後に話してからすでに一時間半がたとうとしている。こうなると一時間半前に無事な声を耳にしたことも、何の気休めにもならない。幾度も沢崎運転手に大声で「急いで」とせっつきそうになる。いてもたってもいられず、両脚が引きつってくる。全身から冷たい汗が噴き出す。

狭い路地を入り、アパートの正面で車を降りた。沢崎運転手にしばらく待っているように伝え、鉄骨がアーチ型に組まれた入口をくぐった。低い階段があって、その先に左右に振り分ける形で個々の扉が奥までつづいていた。入口の両脇は半地下のガレージになっていたから、各部屋は中二階といった高さだろう。扉の列の手前に非常階段のような鉄の階段があり、仰ぎ見ると一階と同様に左右に扉が並んだ二階が見えた。

香折の部屋は103号室だ。まず左側の廊下に視線を走らせた。最初の扉に101と記されている。三番目の扉の前に駆け寄った。

表札はなかったがひと目でそれと知れた。臙脂《えんじ》色に塗装されたドアに無数の傷がついていた。何か硬い物で繰り返し殴打された跡と思われる。ところどころ塗装が剝《は》げ、灰色の線が走っていた。力まかせに何度も殴りつけたのか、一部へこみさえ出来ていた。呼吸を整え、祈るような気持ちでインターホンのボタンを押した。とにかく香折が無事であればいいが。チャイムの音は聞こえるが、応答はない。

私は大声で香折の名を呼んだ。自分の名前も連呼する。まだ香折が中にいるとしても、チャイムだけでは却って恐怖を与えるだろう。しばらく呼びつづけていると、カチリと錠の上がる音がして、静かにドアが内側から開かれた。

「大丈夫か」

香折は私の顔を見るとこくりと頷いた。狭い玄関に入って背中のドアを閉め、後ろ手で鍵をかける。その途端だった。香折が私の体にむしゃぶりつくように抱きついてきた。突然のことに、バランスを崩しそうになってドアに背中をぶつけた。足場を固めて姿勢を立てなおすと、香折はさらに力を込めてしがみついてくる。そのうち香折の全身ががたがたと震えだした。

「もう大丈夫だから」

香折の中に蓄積していたすさまじい量の恐怖が急速に発散されていることが、その冷えきった体を通して直《じか》に伝わってくる。

「無事でよかった」

そう口にした瞬間、香折は一度大きく身震いし、胸元からうーっという呻《うめ》き声が洩《も》れた。呻きはすぐに泣き声に変わり、次第に激しさを増して号泣となった。私は香折の華奢《きゃしゃ》な体を抱き止め、細い背中や小さな尻を点検するように眺めた。こうやって見る限りでは大きな怪我はしていないようだ、と思った。その瞬間、力が抜け、へたり込みそうになった。かろうじて足腰を踏んばり、靴を脱ぎ部屋に上がった。香折はしがみついたまま泣きつづけている。彼女の肩越しに部屋の中を眺める。細く短い廊下があって、左にバスルームに通ずるらしいドアがある。右が流しで、その手前に洗濯機が置かれている。流しの横は冷蔵庫、そして丈の低い食器棚。廊下の突き当たりにアコーデオンカーテンがあり、いまは半ば開いて、奥にフローリングの六畳ほどの部屋が見通せた。

香折はしゃくりあげ、体の震えは止まらなかった。全身が痙攣《けいれん》に襲われているようで、いまにも息が止まるのではないかと恐ろしくなるほどだった。十五分近くそのままにしていた。体の節々が強張りはじめ、私は香折を持ち上げ横抱きにした。彼女は無意識にか首に腕を回してきた。抱き取ってフローリングの部屋まで運んだ。香折はほんとうに軽かった。背広もシャツもその涙でぐしょぐしょになっている。呆《あき》れるほどの涙の量だ。

ワイヤーの入った曇り硝子《ガラス》の窓が大きく割れていた。窓際に置かれたベッドには大小の破片が飛び散っている。ベッドの際まで香折を抱いたまま近づき、鈍く光る破片の他に奇妙な赤い物体が灰色のベッドカバーの上に落ちているのに気づいた。物体は三つだった。瞳を凝らし、それが異様なものであることに我が目を疑った。

小動物の死骸だった。

白い毛に茶色の模様が入っている。おそらくハムスターだろう。三匹とも腹を裂かれ、血だらけの内臓がはみ出していた。腸管がほどけ細い紐《ひも》のように腹から垂れ下がっている。ベッドカバーはその粘性の血で、点々と赤黒く汚れていた。

15

香折が泣き止むと、私は彼女の体を床に降ろし、クリーム色の壁にあずけて立ち上がった。香折は背中を壁にくっつけ、両足を投げ出して、放心したような表情をしている。赤い目を中心に顔は腫れぼったくむくんでいた。青ざめている。

私は部屋の中を物色し、大きなクロゼットの中にあった幾種類かの包装紙を取り出して、まずベッドに散った硝子片を拾い集めた。ハムスターの死骸はすでに乾燥しはじめ、近づくと腐臭のようなものが薄く漂っていた。腹部から流れ出た血も固まりだしている。きっと窓を外側から叩き割った人間がこれを放り込んだのだろう。血の乾き具合からして、生きたハムスターを一匹ずつ、その場で腹を切り裂いて投げつけてきたのだ。割れ残った窓硝子にも血糊《ちのり》が幾カ所かこびりついていた。よく観察すると三匹のうち一匹は頭部が切断され、ベッドの隅に小さな頭が落ちていた。左右上下からベッドカバーをたくし上げ、真ん中に死骸を転がして、カバーで何重にも包んだ。

それから部屋の入口のところに置かれていた例のオレンジ色のバッグを持ってきて、クロゼットの中の衣類や、箪笥の中のシャツや下着などを手当たりしだいバッグの中に放り込んでいった。小さなドレッサーの上にあった化粧道具もポーチに詰めてバッグに入れた。クロゼットには面接の際に香折が着ていたスーツがクリーニング屋のビニールに包まれてかかっていたので、これも取り出した。香折はぼんやりと私のすることを見ていた。もうすっかり涙は止まっていた。

私は廊下の右手にあったバスルームに行った。バスタブとトイレが一緒になったユニットタイプだった。かかっていたタオルを熱い湯で濡らして軽く絞ると、それを持って部屋に戻り、座り込んだままの香折の顔を拭《ぬぐ》ってやった。それからティッシュで何度も鼻をかませる。

流しの下の扉を開くとゴミ袋の束があったので、二枚抜いて、一枚に分厚く丸まったベッドカバーと濡れタオルを突っ込んで口を縛り、もう一枚には硝子片をまとめた包装紙を入れてこれも口をきつく縛った。十五分ほどで作業は終わった。香折の正面にしゃがんで、

「大丈夫か」

と訊《き》く。

香折は少し意思を取り戻した顔つきで頷いた。私はどうしても尋ねなければならないことを口にした。

「誰がやって来たの。あの店のマスター」

香折が首を振る。

「じゃあ、誰だろう」

香折の瞳からふたたび幾粒かの涙がこぼれた。口を開きかけたが、また真一文字に結んで黙り込む。

「ねえ、香折さん、ぼくはきみの敵なんかじゃない。そうだろう」

できるだけ刺激しないよう宥《なだ》める口調で言った。香折が頷く。まるで幼児のようだ。

「ぼくはきみの味方だ。きみがいま体験している恐怖からきみを守りたいと思っている。その

ために は誰がやって来たかをぼくも知っておかないと、うまく守れないだろう」

香折の瞳が揺れた。

「誰がこんなことをしたんだい」

すると投げ出されていた彼女の両腕が持ち上がり、拳《こぶし》を固めて、不意に自分の体を殴りはじめた。狂ったように自身の足や胸を殴りつけている。呻き声を上げて香折は唇をかみしめ、再び涙が瞳から溢れ出していた。私は慌ててその両腕を押さえ込んだ。すると香折は意外なほどの力で腕を引き離し、今度は私の体をめったやたらに殴りつけてきた。両手で彼女の殴打を防ぎながら、しばらくそのまま殴るにまかせていた。香折の心理状態がよく把握できなかった。だが、自分にこれほどのことをした人間の名前を彼女が口に出せないのは、心に強い抑制が働いているからだろう。いままでの彼女との会話や現在のこの有り様からして、誰の仕業かは、ある程度察しはつくような気がした。香折の反応がおさまったところで、

「香折さん」

と言って彼女の俯いた顔を両手で持ち上げた。また涙で顔がくしゃくしゃになっている。

「犯人はきみの家族だね。そうだろう」

香折はまっすぐに私の目を見つめてきた。その不思議な表情は形容のできないものだった。まるで見知らぬ人でも見るように香折は私の顔を見ている。

「やったのはきみのお兄さんじゃないか。隆則という名前の人」

新しい涙が一粒ずつ、ゆっくりと彼女の両頬を伝っていった。

急ごしらえの荷物とスーツ、それに靴を二足ばかり持って香折を連れてアパートを出た。ドアの鍵は彼女が自分の手でかけた。ゴミ袋を表に出し、駐めてあった車のトランクに荷物をおさめると、香折を促して車に乗った。沢崎運転手に池尻のマンションに向かうように頼む。

「面接は何時から」

　車が走り出して訊いた。

「二時からです」

　香折はそのときだけ、まるで反射的に答えた。

　もう十一時を過ぎていた。自分のマンションで香折を少し休ませて、一時に部屋を出るとしても余り時間がない。香折は相変わらず放心の態だ。これでは型通りの役員面接とはいえ、まともな受け答えはできないだろう。この二時間足らずで何とか彼女の気持ちを立て直さなければ、と私は焦っていた。

　自動車電話で会社に連絡した。交換に課長補佐の辻を呼ぶように言った。急用で今日は戻れないと告げると、辻は困った声になった。

「しかし、課長、今日は総合職の採用を最終決定する会議が入っています。先日の検討会も課長は欠席だったですし、役員たちも集まります。出ないというのはちょっとまずいと思うのですが」

「どうしても抜けられない事情ができたんだ。悪いけど、今回もきみが代理で出てくれ。役員連中や内山さんには、明日ぼくの方から詫びを入れておくから。頼むよ、じゃあ」

　一方的に電話を切った。自分の車で香折を赤坂のサントリー東京支社まで運び、面接が終わったら迎えて、その後も今日一日は彼女から目を離すことはできない。会社に戻るのは不可能だった。香折は車に乗り込んでしばらくするとぐったりして、半分意識を失ったようにシートにもたれ込み、瞼をずっと閉じていた。

マンションの前で車を降り、沢崎運転手に「今日のことは内緒で頼みます」と口止めして帰し、香折を抱えて部屋まで運んだ。

ソファに香折を座らせるとコーヒーを淹れ、ミルクをたっぷりそそいだカップを彼女に渡した。彼女はカップを握りしめ少しずつコーヒーを口に含んだ。私も向かいのソファに腰掛け、自分のコーヒーを飲み干す。窓からは明るい日差しが降り注いでいた。香折の全身をあたたかな陽が照らし、ようやく彼女も少し落ち着いてきたように見えた。

「香折さん」

私は空になったカップをテーブルに置いた。

「こんなことがあってショックは大きいと思うけど、今日は大切な日だ。あと一時間したらここを出て、面接を受けにいかなきゃいけない。ぼくが車で送っていくから、なんとか元気を出して一緒に行こう」

私の言葉を聞いているのか、香折は困惑気な顔になって、

「どうしてだろう……」

と不意に呟いた。

「何が」

香折はカップを口許に持っていく。

「どうしてアイツに私の居場所が分かったんだろう」

私には言っている意味がよく呑み込めなかった。

「まさか、アイツらが教えたのかしら……」

香折は私とのあいだの中空の一点に目を凝らして、その顔つきは何かに憑《つ》かれたような薄気味の悪さを感じさせた。

「香折さん」

声を高くして言うと、ふっと我に返ったように彼女は私を見た。

「すみません」

香折が謝る。表情ににわかに生気が甦っていた。口調もいつもの丁寧さを取り戻している。その突然の変化にむしろ戸惑う。

「兄には私の居場所は分かっていなかったはずなんです。父や母にも絶対教えないように口止めしてたし」

なるほどそういうことか、と思った。香折が初めて兄の存在を認めた瞬間だった。

「なのに、どうして兄は知ったのかしら」

「じゃあ、お兄さんがきみのアパートまで来たのは今朝が初めてだったんだね」

「はい」

「窓を割ったり、ドアを叩いたり、あのハムスターの死骸を放り込んだのもお兄さんなんだね」

「はい」

「きみのその体の痣や手首の嚙み傷もお兄さんがやったこと」

香折は頷いた。

「就職活動のことを両親に説明しておかなくてはいけなくて、厭だったんですけど、私、先週の日曜日に横浜の実家に三年ぶりに戻ったんです。月曜日の朝、知らないあいだに父と母が外出して、私が台所で料理をしていると、それまで部屋に引き籠《こ》もっていた兄が急に二階から降りてきて、『その包丁でお前は俺を殺す気だろう』って不意に襲いかかってきて。それで揉み合いになって、私の手首に兄が嚙みついて……」

そこで香折は一度言葉を止め、

「こんな話しても、橋田さん迷惑ですよね」

薄く笑みを浮かべる。

「いや、もっときちんと説明してくれ」

香折は眉根《まゆね》を寄せて、少し苦しそうな表情になった。

「我慢して喋ってくれないか」

さらに促した。

「血が出て、すごく痛くて、それまでも兄や母からずっと暴力を振るわれてきたんですが、私、あの時、生まれて初めて警察呼んだんです。警察を呼べばきっと兄を病院に連れて行ってくれるって思って。でも駄目で、警察の人には『どこか親戚《しんせき》の家にでも行っていなさい』とか言われてしまって。兄も病院に連れていくわけじゃないし。私、泣きながらすぐ家を飛び出したから、後のことはよく分からないんですけど……。それで薬局で包帯と薬を買って急いでアパートに戻って、慌てて包帯だけ巻いて着替えをして、それで橋田さんの会社の面接に行ったんです」

私は「兄や母からずっと暴力を振るわれてきた」という香折の言葉を記憶にとどめた。黙っていると、

「やっぱりこんな話、しない方がいいですよね。話しても気持ちいい話じゃないし。誰だって聞いたら困ってしまうだけだから」

香折はそう言い、冷静な目でこちらを観察していた。

「お兄さんは、ずっときみにああいうことをしてきたの」

香折はきょとんとした顔になった。

「ああいうことって」

「だから、さっきのように窓を割ったり、ドアを叩いたり、動物の死骸を投げ込んだり……」

なあんだ、という面持ちに香折はなった。

「兄はおかしいんです。母にも少しそういうところがあって、小さいときは母から殴られるだけだったんですけど、兄が中学に入って、学校で苛《いじ》められたのがきっかけで、それからは毎日すごい暴力を私に振るうようになって、学校から帰ったら私の部屋とかめちゃくちゃにされたりもしょっちゅうだったし、いつも殴る蹴るの連続で、それで私、高校二年のときからアパートを借りて一人で暮らすようになったんです。今日はハムスターだったけど、昔は、猫とか鳥とかも殺してたし、兄は黒魔術に凝っていて、私が高校の頃にはよく夜中に自分の部屋に魔法陣なんか作って、動物の死骸とか持ってきて私を呪ったりしてました。部屋が隣だからうるさ

くて、ある朝、ドアを見るとノブに紐《ひも》で吊《つ》るした子猫の生首が幾つもぶら下がって、『ルシファーの呪い』とかなんとか呪文《じゅもん》みたいなの書いた紙が貼ってあって、それで私、気を失いそうになって。そういうことも私が家を出た理由の一つだったから」

私は香折の話の異様さに啞然としていた。にわかには信じられない。娘が長男からそういう目にあっていることは当然両親には分かっていただろう。それを放置しつづけるなどということがあるだろうか。

「お父さんやお母さんはどうしていたの。お兄さんを病院に連れて行ったりしなかったの」

「母だって、私に同じようなことしてたし、私が『お兄ちゃん絶対変だから病院に連れて行かなきゃ駄目だよ』って言っても、ぜんぜん聞いてくれないし、逆に『自分の兄弟のことをそんな風に言うお前の方が変だ』って言われて、高校の時は私が精神科に連れて行かれたくらいですから。たとえば朝とかでも、私がリビングで兄にめちゃくちゃ殴られていても、母は目の前で新聞なんか読んで、ぜんぜん知らん顔だったし。むしろ兄が暴れると母はむしゃくしゃして私のことすごく苛めてましたから」

「お父さんは」

「父は、いつも海外とか不倫とかで家にいなかったし、高校の時、私が家を出るきっかけになった或る事件が起こるまでは、私がそういう暴力を兄から受けてたなんて全然知らなかったんです。いまでも小さい頃に私が母から何をされていたかは、きっと父は知らないと思います」

私は手元の空になったカップの底に薄く溜まったコーヒーの色をぼんやりと目に入れていた。顔を上げ、

「長いあいだ大変だったんだね、きみは」

と言った。

「ごめんなさい、こんな厭な話を聞かせてしまって。今まで誰にも話したことなかったんです。友達にも、彼氏にも。ちょっとでもそういうことを口にすると、みんなどうしていいか分からない顔するし、可哀そうだから。母にも絶対に他人に喋っちゃいけないって言われつづけてきたし」

「ぼくは聞かせてもらってよかった」

そして私はつけ加えた。

「きみのことがこれで少し分かったような気がする」

香折はいかにも不思議そうな表情になっている。

「私……」

「ん？」

そこで、香折の瞳は不意に透き通り、奇妙なきらめきを放った。

「私、ずっと死にたいと思って生きてきました。兄に嚙まれたあの朝も、本当は電車に飛び込んで死のうかなって駅のホームで思ったけど、死ねなくて。でも、私みたいな人間はやっぱり死んでしまった方がいいと思います。こうやって橋田さんのような人にまで迷惑をかけてしまって、生きている価値なんて全然ないです」

私は立ち上がると、テーブルを横切り香折の隣に腰を下ろした。彼女の掌を取って両手で包み込んだ。

「もう心配しなくていい。これからはぼくが味方だ。ぼくでできることは何でもする。それは約束するよ」

そう言うしかなかった。今日だって、と私は思った。もし自分があの部屋に駆けつけなければ、香折は死んでいたのではないか。死ぬという言葉をこれほどリアルに感じたことはかつてなかった。

第二部

1

瑠衣が行きつけだという九段の料理屋で遅い夕食を共にしたあと、私たちは靖国《やすくに》通りに沿って田安《たやす》門までゆっくり歩いた。「今日の雨でもうだいぶ散ってるとは思うけど」そう言いながら、瑠衣はお濠《ほり》にかかった橋を渡り田安門をくぐる。私は黙って彼女のあとにつづいた。

黒々とうずくまる巨大な日本武道館を左手に眺めつつ、北の丸公園の中に入っていく。思ったほどではないが、やはり沢山の花見客が咲き乱れる桜の木々の下を行き交っていた。公園の中央を突っ切る太い歩道の両脇の桜も、千鳥《ちどり》ヶ淵《ぶち》に面してびっしり植えられた木々も、ともに根本から投光機で明るく照らし出され、それはさながら夜の闇にたなびく雲のようだ。

「今年はじめての桜よ」

瑠衣がはしゃいだ声を上げて私の手を引いた。その拍子に私の足元はもつれ、思わず瑠衣の身体に凭《もた》れ込んでしまった。

「どうしたの」

瑠衣は私を支えながら、驚いた表情で顔をのぞき込む。

「ちょっと、目が眩《くら》んでしまって」

急いで立ち直り、私は大きく息をついた。煌々《こうこう》と輝く満開の桜と群れ歩く人々の熱気が一時にかぶさってきて、一瞬意識が白く遠のいたのだ。

「大丈夫」

「疲れているのね」

「ああ」

「少し」

「ごめんなさい、気づかないでお花見しようなんて言ってしまって」

「いや、そんなことはない。大丈夫だ、よくなったから」

瑠衣はもう一度私の手を取ると、目の前の人波を逸《そ》れ、右手の暗がりにあった木製のベンチまで引っ張っていった。そして私を座らせ隣に腰掛けると、

「肩を貸してあげるから、ちょっと休むといいわ」

そう言って私の頭を自分の方へ引き寄せた。黙ってされるままに瑠衣に身をあずけた。まだ視界がわずかに揺れている気がした。人々のざわめきも彼方《かなた》の波音のようにかすんでいた。やわらかな肩があたたかくて心地良い。午前中降っていた雨のせいか、襟元にしのんでくる夜気は冷たく湿っていた。

「いま何時かな」

目を閉じて訊《き》いた。

「十時半よ」

まだ十時半かと思う。インドネシアへの出張の旅疲れが残っているのだろう。三日前に帰国したばかりだ。二時間遅れの時差はそれほど負担ではないが、ジャカルタの喧騒《けんそう》とあのうだるような暑さから突然、例年になく肌寒さを残す四月半ばの東京に戻って来て、体の方が戸惑っ

ている。何よりも五日間の調査でほとんど成果らしい成果を得られなかったことがこたえていた。昨日報告した折の扇谷の失望を隠さぬ表情が思い出される。再び気が滅入ってきた。

「今夜も会社に戻るの」

瑠衣が私の髪に頰を寄せてくる。香水の仄《ほの》かなかおりが漂ってきた。

「いや、今日は部屋に帰るよ」

目を開けて身体を起こした。「ありがとう、だいぶ楽になった」と瑠衣を見ると、不安そうな表情で見つめ返してくる。その瞳はいつもながらわずかに黒目が上によってぼうっとかすんでいる。周囲の蛍光に照らされて長い髪が一層赤くきらめいていた。

「あなたは働きすぎだわ」

瑠衣が言った。

「叔父様も、あなたのことをこき使いすぎてると思う。いくらなんでもひどいわ」

「だけど、急を要する仕事でね。わがままを言える状況じゃないから」

「それはそうかもしれないけど、こうやって会うのも半月ぶりだし、私たちのことも少しは考えてほしいわ」

二月の初めに、現在私が扱っている少々やっかいな問題が起きて以降、瑠衣との逢瀬《おうせ》もすっかり数を減らしていた。瑠衣にはそれが不満なのだろうが、私の方は、半ば意識的に彼女を避けているところもあった。だが、その理由は瑠衣には言えない。ジャカルタへの出張でも分かったことだが、今回の問題は扇谷や私たちが当初予想していたよりも根深く、複雑な様相を抱えているようだ。単なるスキャンダルの流出といったレベルではなく、その背後にはさらに大きな政治的意志が働いている気が私にはしはじめていた。

私は立ち上がった。瑠衣も一緒に腰を上げた。

「じゃあ、ゆっくり桜でも拝ませてもらおうか」

瑠衣が手を握ってくる。

「桜はもういいの。帰りましょう。池尻まで送っていってあげる」

「いいよ。きみだってこれから会社に戻って仕事なんだろう」

「平気。どうせ私は今夜も資料作りで徹夜なんだから」

「悪いよ」

「構わないわ。タクシーの中でさっきみたいに眠るといい。ちゃんと起こしてあげるから」

瑠衣はそう言って、田安門の方へ足を向けた。手をつないで歩いていると、例によってすれ違う男たちのほとんどが瑠衣に視線を送ってきた。

車に乗って車窓から外の景色をずっと眺めていた。瑠衣は私の左腕に自分の腕をからめ黙っている。靖国神社の横を通り抜けるとき、香折の顔を思い浮かべた。一昨日久し振りに香折を迎えにここまで来た。昨年の十二月から香折が通っているクリニックは、この靖国神社の裏手、白百合学園の向かいの真新しいビルの二階にある。週に一度、香折はそこへ行く。二月までは毎回、その直後に報告を受けるようにしていた。六時過ぎにクリニックの出口で待っていて、カウンセリングを終えた香折を出迎える。処方箋《しょほうせん》を持って近くの薬局まで行き、薬を受け取り、それから飯田橋あたりで食事をして話を聞く。

しかし、今回の問題が持ち上がってからのこの二ヵ月間は、それもままならなくなっているのだった。

三年前の二月、インドネシア政府はキプロスに政府並びに政府関連の石油開発公社が出資する船舶運輸会社をひとつ作った。インドネシアが東南アジア随一の石油産出国であることは言うまでもない。インドネシア産原油は日本にとっても大きな輸入商品だ。キプロスの会社はこの日本向け原油を運ぶための大型タンカーを所有、運航すると同時に、併せて親会社である石油開発公社と協同して、スラバヤ沖の海底油田採掘事業を進めることになった。

スラバヤ沖の海底油田は、それまでの米・欧・日の海底探査で巨大な埋蔵量が確認されていた。中国や韓国、ASEAN各国の急速な経済成長による石油需要の増大もあって、将来的に安価な化石燃料を安定的に確保することを最重要課題とする日本政府は、従来からこのスラバヤ沖油田開発に対して強い関心を示していた。しかし油田採掘には欧米企業も同様の関心を払っており、採掘権を各国がどのようにシェアするかは国際競争入札にまかせられることとなった。だが、インドネシア政府が独立以来、スカルノ、スハルトの独裁政権によって運営され、現在はスハルト大統領一族によってインドネシア経済が牛耳られているという現実がある以上、国際競争入札が単なる形式的儀式にすぎないことは、他の開発途上国となんら変わりはない。

そこで日本政府は、五年前に新たな対インドネシア経済援助協定を締結。向こう十年間で五十億ドルの政府開発援助を行なうことにした。そして、この巨額の援助資金の一部がスラバヤ沖海底油田開発に投資されるよう、協定書の秘密合意事項に明記することに成功したのだった。

しかし、すでに設立されて二十年以上を経過した政府直轄の石油開発公社に直接日本の援助資金を大量に回すことは、採掘権の国際競争入札を謳《うた》っているインドネシア政府としては、公平性の確保という点からもさすがに無理があった。同時に、大統領一族に膨大な政府開発援助資金の一部が安全かつ広範囲に行き渡るためにも、何らかの新たな仕組が必要だった。

それらの諸目的を達するために設立されたのが、キプロスの船舶運輸会社だった。この会社はインドネシア政府および石油開発公社、さらに日本企業の協同出資で作られ、日本企業側が五十一パーセントの資本を受け持ち、あくまでも民間企業の様態をとることとした。そしてその出資比率に基づいて株式が発行された。むろん、油田の採掘をめぐる競争入札に参加する私の会社の系列石油企業も出資した。瑠衣の父親の経営する石油会社も出資している。この二社はジョイントベンチャーを組み、両社一体となって入札に加わることになっていた。

問題はそこから先だった。キプロスの会社はそもそも船舶運輸を業態の基本とする運輸会社だ。ここに実は政府開発援助資金をインドネシア政府関係者、また日本の関係各国会議員たちに還流させる巧妙なシステムが構築されたのだ。

まず、キプロスの会社は自前の新式大型タンカーを持つためにインドネシア政府から莫大《ばくだい》な融資を受け、私の会社に四隻の船舶製造を発注する。これは純然たる一般企業同士の商取引だから、特命発注による随意契約でも構わない。受注した私の会社では、タンカー一隻ごとに一千万ドル強の製造費用を浮かせていく。その分だけ見積り書の数字に上乗せするのだ。キプロスの会社もはなからそのつもりで発注しているのだから、この高い見積り書が見積り審査会で引っかかることはない。そうやって生まれた合計四千万ドル、日本円にして約四十五億円が、大統領一族と日本の国会議員に密《ひそ》かに配分された。むろん原資は元をただせば日本の政府開発援助資金ということになる。

　この四十五億円の効果によって、昨年のスラバヤ沖油田の国際競争入札では、予想通り私の会社の系列企業と瑠衣の父親の会社のJVが、最も埋蔵量が多いと期待されるB鉱区の採掘権を獲得したのだった。

　調達した四十五億円は、インドネシア側に二十五億が還流し、日本側は二十億を手に入れた。その二十億を商工族の各国会議員に配ったのが、扇谷の後継者と言われる酒井実雄副社長、今年六月の株主総会後、内山の後を襲い取締役人事部長就任が内定している駿河徹経営企画室長、そして私だった。

　もともとこのスラバヤ沖油田開発に対する政府開発援助の提供を政界で率先して進めてきたのは、五年前の時点では通産大臣を務め、現在は政権を実質的に支える幹事長の要職にある神《か》坂《さか》良造だった。神坂は政権党商工族の首領的存在であり、総理と並ぶ現政権最大の実力者だった。

　神坂には五億円が提供された。日本側二十億の二十五パーセントだ。三年前の八月、国会裏の神坂の個人事務所にこの金を持ち込んだのは私だった。旅先の土産物屋などで売っているビニール張りの大きな紙の手提げ袋一つでちょうど一億円入る。私はそれを五個、神坂のところに運び入れた。

　今年の二月に入ってすぐ、私は社長室に呼ばれた。

　人事に移ってからは扇谷とも直接会う回数は減っていた。せいぜい月に一、二度、彼の私的な会合に同席するくらいだった。大体は政治家や財界関係者相手の親睦《しんぼく》会で、秘書時代から同行してきた私は年齢はかけ離れてはいるが、そういう会のメンバーたちとはすでに気がおけない関係になっていた。一番若いこともあって可愛がられた。愉快に酒を飲んで政治や経済についてそれぞれがひとくさり話をして、後は芸者衆を招いての派手な宴会になる。副社長の酒井や駿河が一緒の折も多く、そういう時は、帰りに四人で扇谷の馴染みのバーやクラブ、神楽坂《かぐらざか》の料亭に出向き、そこで社の事業や人事について突っ込んだ相談を行なった。社の重要決定の大半は、こうした密かな四人だけの会合で決まっていく。むろん政官界工作についても同様だった。

突然社長室に呼ばれ、私は訝《いぶか》しい気分だった。何か突発的なトラブルが発生したのではないかと即座に思った。部屋に入るとすでに経営企画室長の駿河が扇谷と向かい合ってソファに腰を下ろしていた。やはり、何かが起きたのだと察した。扇谷は彼にしては珍しく渋い顔をしている。駿河の手招きでその隣に座ると、二枚の紙を駿河から手渡された。一通は新聞のコピーで、もう一枚はワープロで書かれたチャート図のようなものだった。ざっと目を通し、驚きを隠せなかった。新聞は英字紙でインドネシアの反体制紙として名の知れた新聞だ。チャート図の方はおおむねこの記事をなぞって作成されたもので、三年前の政界工作の実態がかなり正確に記されていた。政府開発援助資金がどのような経路でインドネシアおよび日本の政治家たちに流れたのかが図解されていた。私を驚かせたのは、資金を受けたとされる日本の政治家たちのイニシャルがチャートの最後に二十数名並び、それがほぼその通りであったことだ。英字紙にはそんな詳細までは書かれていない。

「これは？」

隣の駿河に訊いた。駿河ではなく正面の扇谷が口を開いた。

「両方とも、さっき菊田君が持ってきたものだ。ＴＢＲの事務所に今朝突然ファクシミリで送りつけられてきたらしい。差出人はむろん不明だ」

菊田とは神坂良造の秘書官の名前だ。私とも昵懇《じっこん》の第一秘書だった。

「この新聞記事はともかく、こっちのチャートの方のイニシャルは正確すぎる」

駿河が言った。

「しかし、どうしてこんなものが神坂先生のところに」

「分からん。が、神坂側はこちらの情報洩れを疑っているようだった」

扇谷は軽くため息をついた。

「しかし、あの時の献金先は、社長を含め酒井さん、私、それに橋田君しか詳細は知らないはずです」

駿河も表情を硬くしていた。

「とにかく、この怪文書の出所を徹底的に洗う必要がある。内部に情報提供者がいるとしたら由々しき事態だ」

扇谷はそう言うと私の方を向いた。

「橋田、今日付けでお前を経営企画室に戻す。辞令は明日午前中に出しておく。肩書は企画室参事、つまりは駿河の次ということだ。とにかく一刻も早くこの怪文書について駿河と二人で徹底的に調べてくれ」

余りに唐突な人事異動だが、扇谷が命ずる以上は従わざるを得ない。私は内心の動揺を抑えながら訊いた。

「他の先生方の事務所には、この文書は届いているのでしょうか」

「いや、菊田君がそれとなく各事務所に確認したところ、今朝の時点では神坂事務所だけのようだ」

心なしか扇谷の顔が青ざめていた。文書の内容はともかく、扇谷のその表情が妙に気にかかった。この程度のことで顔色を変える扇谷とは思えなかったからだ。

以来、二ヵ月、私はあらゆるルートを使って、怪文書の背後関係を洗いつづけてきた。具体的な犯人像はまだはっきりとはしていなかったが、十分に推量される目星のようなものはつき始めている。だが、そのことは駿河にも扇谷にも話してはいない。よほどの確証を得ない限り、とても口にできるような中身ではなかった。

環状六号線を右に折れ、玉川通りに入ったところで瑠衣は目を覚ました。仕事のことを考えているうちに、吐息のようなものが聞こえ、ふと横を見ると瑠衣が私に体をあずけて眠っていた。安心しきったような寝顔は私を複雑な気持ちにさせた。

「ごめんなさい。私の方が寝ちゃった」

瑠衣は目を開けて、小さく欠伸《あくび》をした。

「きみの方こそ徹夜つづきなんだろ」

「まあね。でも私は若いから」

「はいはい」

瑠衣はおかしそうに笑う。

「ずっと考えごとしてたでしょう。あなたの横顔見てたら、なんだかとても痩せたみたいで、そしたら急に眠たくなっちゃった」

「なんだよ、それ」

「また、仕事のこと考えてたんでしょう。あんまり思いつめないでね。見ていられない気がするから」

呟くように言って、瑠衣は私の腕を強く握った。なにかいたたまれない気分になる。目下私がやっていることを知れば、瑠衣は驚愕《きょうがく》するだろう。瑠衣の父親である藤山宏之の会社も、もし事が露顕すればただではすまない。私が黙り込んでしまうと、瑠衣はますます心配気な顔つきになった。

「昨日は何時間くらい眠ったの」

「さあ、四時間くらい寝たんじゃないかな」

「たったそれだけ」

「そうだね。明け方電話が入ったりしたから」

「電話？」

「ああ、いろいろと調べ事をしててね」

「どうしてまたそんな時間に」

「その辺はちょっと勘弁してほしい。この前も言ったけど、少し込み入った一件なんだ。全部片がついたらきみにもきちんと説明するから。ただ、情報収集してると夜も昼も見境がなくなるから」

「ごめんなさい、立ち入ったことを聞いて」

瑠衣は目を伏せた。その素直な様子を眺めながら、私は、この人ともいずれは別れなくてはならないのかもしれないと思う。そう思うと彼女のかけがえのなさを感じる。だが、現在会社の中で進行しているだろう権力争奪の黒い渦を思い描くと、これ以上彼女と深く関わるわけにはいかない気がする。

それに、と再び思う。香折とのこともあった。香折の状態が目に見えて悪化しだしたのは、二月以降私が仕事に忙殺されだして、それまでのように彼女に注意を払うことができなくなってからだった。香折とのことはもちろん瑠衣には一切喋っていなかった。だが、香折がサントリーの入社試験に無事合格した昨年七月からこの九ヵ月、彼女との付き合いはますます複雑な様相を呈してきていた。

2

世田谷公園を通り過ぎ、私のマンションに通ずる三叉路《さんさろ》のところで車を降りた。瑠衣はマンションの玄関まで送ると言ったが、道が狭くてUターンが面倒だから、といつもの理由で断った。瀬田の実家に住んでいる瑠衣とは帰り道が同じ方角なので、たまにこうやって送ってもらうのだが、三叉路で車を止め、最近は決して自分の部屋の近くまで来させないようにしていた。二月に入るまではよく彼女を泊めていたのだから、瑠衣は私のそういう態度変わりに不審を覚えているにちがいない。だが、玄関先まで送ってもらえば、成り行き次第では瑠衣を部屋に上げなければならなくなる。そんな事態はどうしても避けたかった。この二月から香折とはお互いの部屋の鍵を交換し合っていた。彼女がいつ部屋に来ているか知れなかった。

マンションの前まで来て自分の部屋の窓を見ると、案の定明かりが灯《とも》っていた。二日前香折と会ったとき、今日は早く部屋に戻るだろうと伝えておいた。かなり不安定な精神状態になっていたから泊まりに来たのだろう。

明日も午前八時には八重洲《やえす》のホテルで情報提供者と会わなくてはならなかった。腕時計の針は十一時半を指していた。今夜くらいは少し休息を取っておきたかったのだが、香折が来ているとなるとそうもいかない。私はひとつ深呼吸をしてマンションの玄関をくぐった。

香折はソファの上に膝をかかえて座りテレビを見ていた。手前の硝子《ガラス》テーブルにはビールの空き缶が三本並んでいた。頬も赤いが目つきもとろんと焦点を失っている。ビールと一緒にかなりの量の安定剤を飲んだのだろう。

背広の上着を脱ぎながら「来てたのか」と言うと、ちらりと私を見てすぐに視線をテレビに戻し、

「ずいぶん遅かったね」

と言う。

「来るなら来ると会社に電話でも入れてくれればいいんだ」

香折は私の言葉は無視して、

「また瑠衣さんとデート」

ようやくまともに見つめてくる。香折に嘘をつくわけにはいかない。もしあとで知れたら手がつけられなくなる。自分は平気で隠し事をする香折だが、他人の嘘には著しく敏感に反応した。

「ああ、メシ食って千鳥ヶ淵で花見してきたよ」

「そう」

気のなさそうに返事してふたたび画面に向かうと、彼女はケラケラと笑い声をあげた。とんねるずの番組のようだ。石橋貴明の鼻にかかった甲高い声が響いていた。

寝室に行って着替えをすませ居間に戻った。香折は相変わらずタレントたちの下らないジョークに声を立てて笑っていた。その顔を見ると二日前と比べてもまた痩せたような気がする。ろくに食事をしていないのだろう。調子が悪くなると香折は食べなくなる。そんな折は無理にでも誘って食べさせてきたのだが、この二ヵ月ばかりはそうもいかなくなっていた。香折の身長は百五十六センチ、体重は普段は四十二、三キロというところだが、いまは四十キロくらいまで落ちているだろう。これまで何度もそういう痩せ方を目の当たりにしてきたから、私は一見で彼女の体調を大方把握できるようになっていた。

香折はシンプルなダークグレーのパンツスーツを着込んでいる。襟元が深く切れ込んで、白い肌と胸の谷間の一部が露出していた。きっとこの恰好《かっこう》のままソファで眠り、明朝出社するつもりなのだ。安定剤と睡眠剤の常用で、なかなか朝起きることができないといつもこぼしていた。定時に間に合う知恵で、明日着ていく服装のまま寝るようにしているのだが、香折が入社してすぐの半月ほど前、深夜の電話で部屋に呼ばれてベッドにスーツ姿で眠り込んでいる彼女を見つけたときは、背筋が凍る思いを味わった。「ああ、とうとうやってしまったのか」と思った。力まかせに両肩を揺すると香折は瞼を開き、きょとんとした顔で私の顔を見上げ、

「どうしたの」

と言った。安堵感で息が詰まりそうになった。薬で意識が混濁した末の電話だったらしく、私に連絡したことすら彼女は忘れていたのだ。

ここ数ヵ月で香折の使う薬の種類と量は急速に増えていた。最初は抗鬱剤《こううつ》トリプタノール10㎎に抗不安剤のデパス1㎎、ソラナックス1㎎、睡眠剤のユーロジン2㎎程度だったが、二日前の処方箋を見ると、抗不安剤のコンスタンが新たに加わり、安定剤のドグマチール50㎎にトリプタノールも25㎎錠となり、さらにルジオミールも出されていた。睡眠剤もユーロジンからアモバンに切り替わり、ダルメートも出されていた。しかもダルメートは15㎎を就寝時に二錠服用することになっていた。

私も何度か香折の薬を試したことがあった。デパスにしろユーロジンにしろ一錠で意識が朦《もう》朧《ろう》としてしまった。そんな薬を日常的に飲み流している香折のことを考えると、彼女の抱える鬱屈の大きさに計りがたいものを感じてしまう。

「今日はどうしたの」

訊いたが香折は返事をしない。仕方なく冷蔵庫まで歩きビールを一缶持ってきて香折の横に腰掛けた。こういうときはしばらく放っておくしかない。番組の終わるまでの二十分近く、黙ってビールを啜《すす》っていた。時折、香折は私の手からビール缶を奪い取って口許に運ぶ。空になると缶を叩きつけるようにテーブルに置いて、今度は自分でビールとグラスを二つ持って戻っ

てきた。まず私のグラスに注ぎ、自分のグラスをいっぱいに満たすと一気に喉《のど》に流し込んだ。まるであてつけのような飲み方だった。

「何か厭《いや》なことでもあった」

探りを入れる。

「別に……」

香折はそっけない。テレビのスイッチを切ってやっと彼女は私の方へ体を向けた。

「何か会社で気に障《さわ》ることでもあったのか」

「会社なんて、何もあるわけないよ……」

皮肉な笑みを浮かべる。

「じゃあ、どうしたの。卓ちゃんと喧嘩でもしたか」

卓ちゃんというのは香折が付き合っている恋人である。大川卓次という名で立教大の四年生だ。学生仲間とバンドを組み、ドラムを叩いていた。彼のバンドは今年の初めに渋谷のインディーズ・レーベルからCDを一枚出してプロとして一人立ちしようとしていた。CDがリリースされた頃、香折の部屋で彼らの曲を聴かせてもらったが、ラップ系のビートのきいた音で、ジャズ以外は不案内の私でもなかなかのものではないかと感心した。ライナーノートの「DRUMS　TAKU」の欄には、「Special　Thanks　to　KAORI　NAKAHIRA」と記されていて、香折はその一行を誇らしげに指し示してくれたりしたものだ。

香折はしばらく黙っていたが、唐突に、

「卓ちゃんが昨日婚姻届を送りつけてきたの。自分の判子捺して、保証人の欄にはバンド仲間のショージとトシオの名前と印鑑まであったわ」

「婚姻届?」

耳を疑った。まだ卓次は二十二歳の学生にすぎない。

「いつのまにそんな話になってたの」

さあ、香折は首をかしげたが、

「きっと先週、大喧嘩したからだと思う。でもあんまり突然で、私は厭な気がしちゃった。それまで結婚なんて話、二人の間で出たこともなかったんだし」

その口ぶりはまるで他人ごとのようだった。

「浩《こう》さんはどう思う」

と訊いてくる。この九ヵ月の付き合いの中で、香折は私のことを浩さんと呼ぶようになった。私も香折と呼び捨てにしていた。しかし突然そんなことを聞かれてもどう答えていいか分かるはずもない。ただ、とりあえずその程度の話であったことにほっとしていた。香折の様子から、何か彼女の家族絡みで急を要する事態が起きたのではないか、と危惧《きぐ》していたのである。

「どう思うって。それは香折が決めることだろう。もし結婚したいならそれでいいし、卓ちゃんの方はきっと真剣だと思うよ」

「だけど、自分の名前と判子ついて、保証人欄にはショージとタイチの印鑑まで捺させてさ、それってすごい身勝手だと思わない」

「タイチじゃなくてトシオだろ」

「ああ、そうそう」

香折の瞳はますます虚《うつ》ろで、口調も呂律《ろれつ》が回らなくなっていた。

「卓ちゃんは、私のことなんかこれっぽっちも分かっちゃいないよ」

彼女は突き放すような言い方をした。それは彼女の癖で、私にしても度々そういう台詞を浴びせられてきた。「どうせ私のことなんか誰も分かってくれないんだから」というのは香折の常套句《じょうとうく》だ。そのくせ、「私の過去の事情については、浩さんと卓ちゃんにしか打ち明けてない」と甘えた風に言ったりもする。

「なんでまた卓ちゃんと大喧嘩なんかしたのさ」

私は訊いた。香折はしばらく目を閉じて考えるような素振りを見せたが、案外しっかりした声で言った。

「ずっと今年に入ってから浩さん忙しかったでしょう。それでこの前卓ちゃんが泊まりに来てくれたときに、病院に付き添ってほしいって頼んだの。それだって、卓ちゃんは新しいCDのレコーディングでスタジオに籠もりっぱなしだから、スタジオのない日だけでいいからって話だよ。なのに彼、なんて言ったと思う」

「さあ」

私は首をかしげてみせた。

「『俺は、そうやって香折を甘やかしたくないんだ』だって」

「甘やかすって？」

意味がよく理解できなかった。

「だからね、これからは私と真剣に付き合っていきたいから、病院に一緒に行くとかそういうことはあんまりしたくないんだって。いつもそんな風だと、逆に私を甘やかすことになるからって」

咄嗟《とっさ》に、卓次はまずいことを口にしたものだ、と感じた。その種の態度は香折の感情を刺戟《しげき》してしまう。誰からも気づかわれたり大切に思われたりしたことがない、と香折は頑《かたく》なに信じていた。自分は誰にとっても愛されたり心配されたりする価値のない存在なのだと香折は思い込んでいる。香折と知り合って以来、私は決してそんなことはないと説きつづけてきた。だが、現在の香折の状態を見ていると、自分の無力さを思い知らされるような気になる。まして最も身近にいる恋人からそんな突き放すようなことを言われれば、香折の反発と失望は頂点に達したことだろう。

「だけど彼だって、いまが一番大事な時期なんだろう。だったらある程度は香折の方も我慢してやったらいいじゃないか。近いうちに俺の仕事も一段落する。そしたらまた病院くらい付き合うことはできるからね」

「浩さんは嘘つきだわ」

急に香折が妙なことを口走った。

「どうして」

と聞き返す。

「だってそうでしょう。『卓ちゃんには香折の昔のこともちゃんと話して、しっかり分かってもらった方がいい』って言ったの浩さんだよ。だから、私、思い出すのも厭だったけど、必死で我慢して詳しく話したの。そしたら卓ちゃん、なんだか困った顔して、『いろいろ大変だったろうけど、それって過去の話だし、いまの香折とは全然関係ないよ』だってさ」

香折は呆れたようなわざとらしい顔をつくった。

「昔のことにあんまりこだわっちゃ駄目だって。笑っちゃうよね。そんなことができるんだったら、毎日毎日こんな辛《つら》い思いなんてしてないよ。結局アイツも何にも分かってはくれないんだよね。どうせ苦労しらずの大病院の御曹司だしさ」

卓次は千葉の大きな総合病院のオーナーの家に生まれた次男坊で、いまも千葉市内の実家に住んでいる。香折は彼女独特の冷え冷えと諦めきった口調でそう言い、減っていない私のビールグラスを取り上げるとまた一息で呷《あお》った。それから、あーあと声に出してため息をついて、

「卓ちゃんと付き合いだして『お前は変わった子だとみんな言ってたけど、付き合ってみたら普通だったからよかった』って言われたときは、私、ほんとうに嬉しかったんだよね。女の子って変わってるって言われると大抵は喜ぶって言うじゃない。でも私は自分が変わってるって言われるのがすっごく厭だったから、この人とならやっていけるんじゃないかって思ったんだよね。それが、真剣に付き合いたいから甘えるな、だよ。なにそれ。おまけに婚姻届なんか送りつけてきて。やっぱりアイツも自分のことしか考えてないんだよ」

香折は薬と酒で相当に酔っていた。そろそろ寝かしつけた方がいい。

卓次はまだ若い。唐突に婚姻届を送りつけるといった芸当も、その若さが可能にするのだ。果たして彼がどのていどの覚悟で香折にプロポーズしたのか、その辺は私には分からなかった。

相当にラリッてしまった香折を一応着替えさせてソファに寝《やす》ませた。すぐに眠りに落ちた彼女の寝顔をビールを啜りながらしばらく眺めていた。香折がこの部屋に来たのは久しぶりだ。

前回はたしか冷たい風の吹く夜だったから、三月の初め頃だったろう。もうあれから一ヵ月以上も過ぎたのか、と思う。そのあいだに二度ばかり彼女のアパートに泊まりにいったことはあった。いつも彼女のベッドの下に布団を敷いて、そこで香折が寝つくまで見守ったあと浅く短い眠りを眠った。むろんいままで香折の身体には指一本触れたことはない。肉体関係のある卓次とはどうしているのだろうか、と私はたまに思う。卓次のことは香折から話を聞かされるだけで、私自身は彼とは一度も会ったことがなかった。一方、卓次の方が私について香折からどんな説明を受けているのか、それも定かではない。香折が時折洩らす言葉から、私の存在については卓次も一応知らされてはいるようだ。だが、まさかこんな風に香折が私の部屋に泊まったり、私が彼女の部屋に出向いたりしているとまでは思っていないだろう。

さっきの香折の言い方もそうだが、香折の卓次に対する気持ちにしてもよく理解できないところがあった。二人の付き合いは香折が短大に入ってすぐからだというから、もう二年にも及んでいる。幾ら卓次が学生で千葉の実家住まいだとはいえ、これほど危機的な状態に恋人が陥っている以上、彼が面倒を見るのが筋というものである。香折の方も卓次に頼ってこそ自然なのではないか。香折は私の忠告にしたがって、自分の過去のことを初めて卓次に話したように言っていたが、それは事実ではない。香折は私と知り合うずっと前から、彼女の家のことを卓次に打ち明けていたはずだ。

だが、実際にはいつもこうして香折は卓次にではなく私に救いを求めてくる。そういう香折と卓次の関係が私には分からない。

本来、肉体のつながりは男女において決定的な要素だ。だから、卓次にしろ私よりはるかに香折を理解できているはずだった。にも拘《かかわ》らず、彼はなぜ香折の抱える根源的な恐怖から彼女を救い出してやろうとはしないのだろうか。それは彼の若さゆえの力不足のためなのか、それとも、もはや香折の中で育ち上がってしまった恐怖は、誰の力をもってしても解き放てないほどの怪物と化しているのか。そのあたりもいまもってよく分からないのだった。

三十分ほど寝顔を見つめていると、香折の口からはっきりとした寝言が聞こえてきた。

「馬鹿！　死んじまえ！　死ねよぉ」

いつもの台詞だった。そっと髪を撫《な》でてやると、思いのほか強い力ではねのけようとする。これもいつもの反応だった。私は手を離し、ため息をついた。「馬鹿！」も「死んじまえ！」も「死ねよぉ」も、香折は誰か他人に向かって吐いているのではない。自分自身を罵《ののし》っているのだ。

香折は恐怖に塗りつぶされた過去の体験を夢の中で反芻している。そうなると、周りの人間が幾ら慰めても、抱きしめてやってもほとんど効果がなかった。傍らに人がいると、彼女の恐怖心はむしろ増幅されてしまうようだった。

幼児期に肉親から理不尽な虐待を受けた人間は、その虐待に抵抗するだけの自我をまだ身につけていないために、深い精神的外傷を負ってしまう。彼らは虐待にあうたびに、その理由を見つけようとし、結局自分自身が親に苛《いじ》められる素地を持って生まれてきたからなのだと結論づけてしまう。そして彼らはそんな自分自身を憎み、呪うようになる。家庭内の虐待は発見が難しく、従って子供たちを救出する手段をいまの社会は持ち合わせていない。彼らは愛されることのなかった自分に嫌悪を抱き、自己を愛せない人間として成長する。そうした自我の未発達は対人関係にも大きく影を落とすことになる。彼らは人を愛したり、信じたりすることに極端に臆病《おくびょう》になる。最も深い愛情を与えてくれるはずだった両親に愛されなかった経験は、彼らに他人の愛を信ずることをむずかしくさせる。場合によっては愛を訴えてくる相手に恐怖感すら覚えるのだ。親がそうであったように、たとえいまは一時的に愛してくれている相手も、いずれ自分を裏切るのではないか——恋人と付き合っている最中でさえ、そうした怯《おび》えを彼らは常に抱えている。そしてもし現実に裏切られたりすれば、その精神は深く沈潜し、裏切られた相手を憎むよりも、自分自身を責める方向にむかってしまう。人間同士の付き合いには、ささいな誤解やいさかいはつきものだが、彼らは記憶の倉庫からその種の自らの過ちのかけらをピンセットでつまみ出し、精神のテーブルの上に並べて数え上げ、いじくりまわし、ついには、ひたすら悔悟と羞恥《しゅうち》で自身を責め苛《さいな》んでしまう。

香折もその典型の一人だった。まして彼女の場合、中学、高校時代、実の兄の隆則の常軌を逸した加害の犠牲になった体験が加わっていた。私は香折から過去の話を少しずつ聞かされるようになり、幼児虐待の諸例をあつかった幾冊かの専門書にも目を通してみたが、香折ほどのひどいケースを見いだすことはできなかった。ことに兄隆則の彼女への異常な行為は、虐待の範疇《はんちゅう》をはるかに越えるものと思われた。香折は、

「性的ないたずらって、洒落《しゃれ》になんないようなのはなかったけど、何度かされたことはあったわ」

と言っていたが、香折に聞かされた別種の隆則の異常行為からすると、その点に関してもさ

らにひどい経験をしているのではないかと私は疑っていた。ただ、それをことさら香折の口から聞き出すわけにもいかなかった。

無事サントリーから内定を貰ったあの日の夜、私は彼女の過去の一端を詳しく聞いた。そのとき彼女は指折り数えてこう言ったものだ。

「十五歳のときから、千五百回は死のうと思ったかな」

高校一年のときは絶対死んでやると台所に行って包丁を握ったこともあると言った。

「ちょうど夕食の後だったから、包丁にネギのかけらがくっついていて、こんなネギのかけらがくっついた包丁じゃ厭だなと思って、それで一生懸命、水でその包丁を洗ったの。そしたら手に水の冷たさがあたって冷静になったのかもしれないけど、なんだか死ぬのが馬鹿馬鹿しくなってやめちゃいました」

就職が決まってからも彼女の精神状態は決して安定することがなかった。入社までの九ヵ月のあいだにも香折を悩ます様々な出来事が起こり、そうしたこともあって私は大学時代の友人の伝《つて》を頼りに、現在香折が通っている心療内科のクリニックを紹介したのだった。それが去年の十二月のことだが、いまもって彼女の精神は落ち着いたとはとても言えない。家族とのことは特別としても、私にとっては思いもかけないことが香折を悩ましてしまう。たとえば隆則が香折のアパートにやって来たあの日、強引に連れていった最終面接でのやり取りがいまになって彼女を苦しめていた。

最終面接で、重役の一人が香折の右手の包帯に注目し、その傷はどうしたのかと尋ねてきたのである。香折は私が面接した折と同様に「先週、近所の家の犬に咬まれてしまった」と答えたらしい。それで全員の重役たちがにわかに興味を示し、どこで、どういう状況で、どんな犬に咬まれたのか、細かく質問してきた。

　私は常々、香折の記憶力の精密さと、議論の過程で巧みに自分の論理の側に相手を引き込んでいく話術に感心するのだが、この面接の折も、犬の種類から咬まれた場所、小雨まじりの天気で濡れそぼっていた室外犬だったからひどく怯えていて、それが逆に災いして咬まれてしまったのだ、などと、身振り手振りでユーモラスに説明してみせたらしい。それが重役連中に受けて、あっと言う間に内定となった。だが、この経緯が最近になって香折をさんざんに傷めつけていた。入社直前の三月あたりから、

「あんなインチキな嘘をついて合格したんだから、私なんて本当はこんな一流企業に勤める資格なんてないんです」

　事あるごとに彼女はそう言うようになった。

「だけど、まさか実の兄に嚙まれました、と正直に言うわけにはいかなかっただろう」

　私が慰めると、香折はいつも黙り込んでしまう。

「馬鹿！　死んじまえ！」

　香折が同じ寝言を繰り返していた。その顔が苦しそうに歪《ゆが》むのを見つめながら、私は無性に哀しくなってくる。ソファから垂れ下がっている彼女の細い手をそっと握りしめた。ふとその手首の裏を見て、さらに暗鬱《あんうつ》な気分になった。赤い横筋が幾本も入っていた。香折は気持ちが落ち込むと、眠っているあいだ無意識のうちに右手の爪でこのように左の手首を引っ搔いてしまうのだ。だから、彼女はいつも爪を短く切りそろえていた。

「私もふつうの女の子みたいに、爪を思いっきり伸ばしてきれいなマニキュアを塗ってみたいなあ」

とよく言ったりした。

就職が決まった昨年の七月とクリスマスを控えた十二月にも同じようなことがあった。そしてこの二ヵ月のあいだ私が彼女をおろそかにしていたせいか、香折はまたもや相当な鬱状態に陥ってしまったようだ。目下のところは爪くらいですんでいるが、もしこれがカッターやナイフに変わったら、と想像すると慄然《りつぜん》とする。香折の左手首は幾筋もの傷で内出血していた。これほどひどい傷を見たのは初めてだった。生々しい傷痕とは裏腹に寝顔は安らかなものだった。瘦せて頰はこけているが、香折は次第に美しくなっているような気がする。

香折の部屋で一度、彼女の両親の写真を見せて貰ったことがあった。彼女は父親にも母親にも似ていなかった。「似てないね」と気安く言うと、香折は、

「この顔は私自身が生きていくために必死で作った顔なんだから、あんなやつらに似てるわけないじゃん」

心外そうに、険を含んだ彼女特有の目で私をにらみつけたのだった。

3

料亭「鶴来《つるぎ》」は神楽坂を登って善国寺の手前を左に折れ、しばらくつづく曲がりくねった道を歩くと突き当たりにあった。両脇に軒を連ねる割烹《かっぽう》やスナックの明かりが不意に途切れ、街

灯一つきりの小暗い空き地が左右に広がった、その行き止まりにひっそりと暖簾《のれん》をかかげている。といっても、いまは白い五階建てのがっしりとしたビルだ。一階と二階が店で、上はテナントを入れた貸し事務所になっており、五階が女将《おかみ》と中女将の住居に充《あ》てられていた。私が扇谷に連れられて来たのは、彼の秘書になってすぐからで、もう通いだして十四年になる。二年前にそれまでの古い日本家屋の店を取り壊し、半年の休業を経てこのようなビルに生まれ変わった。一歩店の中に入れば梁《はり》も廊下も座敷の造りもかつての「鶴来」そのままだが、それは女将の配慮で可能な限り旧材を使って内装を施したからだった。とはいえ、以前のたたずまいを完全に残すのは無理なことで、昔の「鶴来」に親しんだ私には、新しい店はどこかよそゆきの白々しさを感じさせた。

扇谷に仕え、度々顔を出す身となると、しぜん女将の佐和さんとも懇意になり、二十代の頃は宴会がお開きになった後そのまま泊めてもらい、よくここから出社したものだった。そういう朝は、佐和さんや、佐和さんの姪《めい》で中女将をつとめる百合さんと奥の部屋で朝食を共にして、まるで家族の一員のように扱ってもらった。

その佐和さんももう五十の坂を越え、私と二つ違いの百合さんも早や四十なのだから、時の流れの速さには茫然《ぼうぜん》とするものがある。初めて会った頃の佐和さんは美しい人だった。まだ四十前の若女将で、女盛りのあでやかな色香に私はうっとりとさせられた。いまは少し太ってさすがに化粧の下の老いも隠せなくなってはいるが、それでも白い肌ときらきらと光る大きな眸《ひとみ》は、客の心をくすぐる魅力を失ってはいない。

佐和さんは扇谷の愛人だった。

二人の仲は、佐和さんが赤坂の座敷づとめをしていた頃からで、もう二十年以上になる。子のなかった「鶴来」の女将に乞《こ》われて養女に入り、二代目女将を継いだ頃には扇谷も常務に昇進し、以来、扇谷は頻繁にこの店を使って、彼の目ざましい立身と共に佐和さんも新しい上得意を増やし、ついには店をこれほどのビルに建て替えるまでになったのだ。そういうわけで、扇谷にとっては自宅同然の店だったから、その連なりで酒井や駿河や私にしても、これまで身内に変わらぬ待遇を受けてきたのだった。

私は中女将の百合さんと特に親しかった。彼女は津田塾出の英語の達者な人で、一度の結婚に失敗し、叔母《おば》を頼ってこの道に入った変わり種だ。仕事柄、外人の接待も多い私の会社では百合さんの英語は重宝で、やがてその噂が各企業に広まり、いまでは外国人相手の接待に「鶴来」を利用する会社も増えている。二十代の頃は忙しい合間をぬって、百合さんと一緒に英語学校に通ったこともある。佐和さんとはまたちがってさっぱりと後腐れのない性格の人で、兄弟姉妹のいない私には姉のように思えた一時期もあった。足立恭子と別れてしばらくは、たまの休みの日など彼女と一緒によく映画を観たり、ドライブに行ったりしたものだ。

百合さんと駿河も長い愛人関係にある。私が彼女を知ったのはちょうど駿河と深くなった初め頃で、以来、何度となく起こった二人のあいだの波瀾《はらん》のたびに、私は百合さんの話し相手をつとめてもきた。駿河に懇願され、切れそうになった仲をなんとか修復させたこともある。

酒井や駿河や他の扇谷側近たちが社の情報を持ち寄り、策謀もめぐらし、扇谷を一気に社長に押し上げた十年前も、この「鶴来」が前線基地となった。若かった私は彼らの傍らに控え、その時期は何日も泊まり込んで雑務を懸命にこなした。

扇谷が社長の座を射止め、それを祝う会を側近たちとここで開いたとき、彼は部下たちの席を酌をしながらゆっくり一巡し、一人一人の手を握って深々と頭を下げて回った。そして、自席に戻ると、

「お前たちは、みんな俺の宝だ。ありがとう」

と男泣きに泣いたのだった。

あのときの光景を私は忘れることができない。扇谷のその姿に誰もが咽《むせ》び泣き、私も涙を堪《こら》えきれなかった。扇谷の隣に座った佐和さんも静かに頰を濡らしていた。

いつも四人が集まるときに使う二階の一番奥の座敷で、私は手酌でビールを飲んでいる。隣の駿河はウィスキーの水割りを手にしていた。テーブルの向かいに座る扇谷と酒井は熱燗《あつかん》で、やはり手酌で盃《さかずき》を口許に運んでいた。この座敷は隣の部屋とは渡り廊下で隔てられ、別棟のような恰好になっている。昔の「鶴来」の広い中庭とは比ぶべくもないが、窓の外には小庭がしつらえられ、半分開いた障子から背の低い桜木がのぞいていた。花はわずかに残るばかりで、もう若葉が枝々の大半を覆っている。狭い庭の向こうは白い壁で、そこに当てられた照明が、木の緑を暗い窓に影絵のように映し出していた。

窓を背負った側からすると左手に切ってある床の間の掛け軸にちらりと目をやり、扇谷は盃をくっと呷《あお》ってちいさな吐息をついた。軸には「桃李不言　下自成蹊」の辞が清麗な墨跡で一筆あざやかに運ばれている。この軸は「鶴来」新築の折に扇谷が自ら書家の榊巌道に頼んで書かせた座右の銘だが、扇谷がこの座敷を使うときにだけ床の間を飾る。『史記』李将軍列伝の一節で、「桃や李《すもも》は口をきいて人を招くようなことはしないが、美しい花や実のゆえに、人が

争ってやって来るので、自《おの》ずからその下に道が生まれる。つまりは有徳の夫《ふ》には自然に人々は心服するのだ」といった謂《いい》だ。

「ふむ、なるほど」

吐息を押し込めるように扇谷が一言呟《つぶや》いた。

私はさきほどまで他の三人のあいだをめぐっていた一枚の紙をテーブルから取り上げると、再び折り畳んで背広のポケットにしまった。

「しかし、宇佐見さんの意図が分かりませんなあ」

駿河がグラスを置いていつもの鷹揚《おうよう》な口振りで言った。

「それより、会長の中野さんの気がしれない」

誰よりも食い入るようにさきほどの紙に熱心に見入っていた酒井が吐き捨てるように言う。

「あれは海軍経理学校だからね。細かいんだ」

扇谷が笑った。

「しかし、こんなメモまで後生大事に取っておいて後任に引き継ぐというのは。呆《あき》れてものが言えませんな」

「あんな小さな会社だ。少々、あれには荷が重い仕事だったんだろう」

「それは社長、逆でしょう。身の丈以上の駆け引きをやって、手柄気取りだったんですよ。それで自慢半分で残しておいたんだ。まったくもって大馬鹿だ」

酒井はいつになく辛辣《しんらつ》だった。

「まあ馴《な》れないことはやらせるもんじゃなかったってことですか」

駿河が口を挟んで苦笑する。私は黙って、三人のやり取りを聞いていた。聞きながらじっくりとそれぞれの反応を観察もしていた。酒井の言う「こんなメモ」というのはさきほど私がポケットにしまった紙のことだった。

「それにしても麗《うるわ》しき兄弟愛ですな」

事前に私の報告を聞き、法的問題も含めて仔細《しさい》に二人で検討した上でこの席に臨んでいる駿河には余裕が感じられた。むしろ扇谷、酒井のトップ二人の方が、さきほどまでの私の説明に動揺しているようだった。

「で、橋田、メモはもう相当出回ってるのか」

扇谷が私を見た。

「まだそれほどの範囲ではないでしょう。繰り返しになりますが、宇佐見副社長の子飼いの生方《うぶかた》という読売の元記者が、例のチャート図とイニシャルの入った文書を作ったのは間違いありません。いまのところメモは、その男が写しを一通持っているだけでしょうね。私はその生方から人を介して直接コピーを取ったわけですから。ただ、宇佐見さんからは慎重にと釘を刺されているはずですから、それでもこうやって簡単に流してくるところをみると、いずれ広い範囲に流出する可能性は高いと考えなくてはなりません」

駿河が後を引き取った。

「まあ、しかし、こんなメモが出回ったところで痛くも痒《かゆ》くもありませんよ。二十六名の人間の名字と、数字がただ並んでいるだけで、意味も何もないものです。そもそも誰が書いたかも分からない。紙には日付が入っているわけでも、うちの社名や向こうの社名が入っているわけでもない。こんなもの誰でも作ろうと思えば簡単に作れます」

「だが、私の筆跡だとは分かるだろう」

扇谷が渋い顔になっている。

「その点についても検討しましたが、たとえ社長の筆跡だと分かったとしても、このメモ自体に法的証拠能力はまったくないというのが結論です。ただのいたずら書きだと言えばそれでおしまいですよ。神坂　5　伊藤　0・8　杉村　0・6……要するに延々と名字と数字の無意味な羅列があるだけであって、金額の単位が入っているわけでもなければ、矢印があるわけでもない。マスコミが嗅《か》ぎつけたとしても、とても記事にできるような代物じゃないですね。せいぜいブラックが流す程度ですが、それにしたってちょっと難しいでしょう。社長の筆跡かどうか彼らに確認する手段はありませんし、仮に取材が来ても、記憶にないと言えばそれまでです。それでも万が一、筆跡照合がなされたとしても、当時の各代議士たちの能力評価を点数にしてみただけだとでも言えば、相手はグウの音も出ないですよ」

私も駿河の隣で黙って頷いてみせた。

「それにさきほども申し上げましたが、この一件については誰にしろ表沙汰《おもてざた》にできる話ではありません。だから、私には宇佐見さんの意図が分からない。いまさらあの時の秘密献金を暴露して彼に何の利益があるというのですか。向こうの会社にしてもそうですよ。お互い一蓮托生《いちれんたくしょう》、墓場まで持っていく話です。まして向こうの宇佐見は去年社長になったばかりですからね。ことが露顕すれば、彼にとっては自殺行為でしかない。いくら兄貴思いでも、そんな馬鹿なことをするわけがありません。だいいち、こんなこと洩らしたところで、こっちの宇佐見がどうにかなるわけでもない」

「しかし……」

扇谷はいつもの鋭い視線で駿河を見た。

「橋田の調べでは、向こうの宇佐見がインドネシアの新聞にリークしたことは事実なのだろう」

「あの新聞の内容自体は、それほどの情報を貰って書いているわけではありません。もともと政府批判になれば嘘も本当もなしに書きまくって、それでスハルト一族をゆすって食ってるだけの新聞ですからね。そっちの方は、この前、橋田が行ってこれ以上書かせないようスリジャヤ貿易相にしっかり釘を刺してきています。もう二度と記事になることはないはずです」

インドネシアでは収穫がなかったが、この半月で、貿易大臣のスリジャヤが断固否定した通り、情報洩れがインドネシア側からでないことは確認できた。私はそれで胸を撫《な》で下ろしたのだった。

「宇佐見としては、今年の株主総会で馘《くび》だとは分かっているわけですからね。弟がたまたま手に入れたメモを見て不発弾と知りながら、こちら側に少しでもプレッシャーをかけようという魂胆なんでしょう。実に馬鹿なことをやってくれたものです」

駿河はさっきから宇佐見と呼び捨てにしている。

「不発弾かい」

酒井がようやく笑みを浮かべた。

「橋田、神坂の方はどうなってる」

扇谷が訊く。

「はい。菊田さんの話では、あれ以来すでに三ヵ月が経過しましたが、いまのところ何もないようです。他の先生方のところにも何も来てはいないようですし。幹事長も気にはしておられないということでした」

「ふむ」

扇谷はゆっくりと頷いた。その顔を見ながら、扇谷も老いたなと思う。かつては黒々としていた髪も、六十七歳となったいまは真っ白の白髪となっていた。精悍《せいかん》な相貌《そうぼう》にも顎や頬にややたるみが出てきていた。とはいえ、今年で社長十年目を迎え、日本最大にして世界有数の企業の舵《かじ》取りを休みなく続けてきたその姿には、得も言われぬ凄味《すごみ》も加わってはいた。刻まれた深い皺、時折鋭く光る大きな眼は、太く低い声音と相まって、巨大な集団を日々指導してきた男の迫力を感じさせる。

私の説明で、今回の事件の大体の構図は扇谷にも呑み込めたはずだ。二月に扇谷に呼ばれた折、「内部に情報提供者がいるとしたら由々しき事態だ」と言われたが、事実は彼の案ずる通りだった。二ヵ月半に及ぶ調査で分かったのは、インドネシアの英字紙に情報を漏洩《ろうえい》したのも、神坂幹事長の個人事務所に怪文書を送りつけたのも、宇佐見副社長の一派であったということだった。

三年前キプロスにインドネシア政府と協同で船舶会社を設立したとき、私の会社の系列の石油会社が資本参加した。その系列石油会社の当時の社長が中野照彦で、扇谷はこの中野を使ってインドネシアおよび日本政府関係者への政府開発援助資金還流の仕組を作らせたのだ。もともと資本出資を促し、キプロスに会社を作る知恵を授けたのも扇谷だった。その指示に従って中野は藤山瑠衣の父親が所有する新日本石油を誘い、船舶会社を立ち上げたのだった。

中野の会社は私の会社の系列といっても、石油企業としては業界四位の小さな会社であった。通産省の指導による石油精製量の割り当ても少なく、元売りとしては当時から伸び悩んでいた。企業規模も私の会社とは雲泥の差がある。私の会社は資本金三千億円、従業員五万人、いわば国家規模の経済力を持つ企業だが、中野の会社など資本はその四分の一、従業員は二十分の一という、扇谷から見れば取るに足らない小企業であった。同じ財閥グループに属するといっても、財閥筆頭の扇谷と中野とでは格の違いは歴然としている。三年前の秘密献金にしろ、朋友《ほうゆう》の神坂からスラバヤ沖油田の重要性を訴えられ、国策に沿ってすべてを計画し実行したのは扇谷だった。中野は扇谷の掌の上で踊ったに過ぎない。それでも中野にすれば、スラバヤ沖海底油田の一級鉱区が手に入るとはまさに僥倖《ぎょうこう》だったろう。扇谷から計画を持ち掛けられ一も二もなく乗ってきたのは当然のことだった。

実際、昨年四月の国際競争入札で中野の会社は藤山の会社と共に最も有望な鉱区を落札することができ、その実績があったからこそ、中野は直後六月の株主総会で代表権を握ったまま実力会長として社にとどまることができたのだった。

だが、問題だったのは、この中野が社長の座を譲った相手であった。宇佐見彰二——現在、扇谷の下で筆頭副社長の座にある宇佐見幸一の実弟だったのだ。しかも中野は宇佐見への社長職の事務引き継ぎの際に、三年前の秘密献金の事実を教えてしまった。酒井が言うように自慢半分、手柄話のつもりで、幸一がかやの外だったとも知らず、その弟だからと気をゆるして口をすべらせたのだろうが、さらに愚かなのは、中野が当時扇谷から渡された日本側政治家への献金リストのメモの存在を宇佐見新社長に知らせてしまったことだった。そんなメモを処分もせずに持ちつづけていただけで、私たち献金実務を行なった側から言わせればおよそ常軌を逸しているが、中野にすれば政治工作という企業活動の深淵《しんえん》を初めて垣間《かいま》見て、扇谷直筆のメモが自らの参画の貴重な記念品とでも思えたのかもしれない。まさにため息ひとつ出ないような話ではある。

宇佐見新社長は、メモを中野から巧みに借り受けるなりして、それをいまや社長レースで完全に酒井に水をあけられた実兄・幸一に渡した。三年前の政治工作のことなど何ひとつ知らなかった宇佐見副社長は驚倒《きょうとう》したにちがいない。何とかこの材料で自らの地位を保全し、あわよくば次期社長の座を狙えないものかと策を巡らせた。その策が、旧知の元新聞記者を使った怪文書の作成とインドネシア反体制紙への弟を使った情報リークだったのだから、まったくもってお粗末きわまりない手口だ。駿河が宇佐見の意図が分からないとしきりに言うのもなるほど首肯できる話だ、と私自身も思う。

そもそも秘密献金を含めた一連の工作が露顕すれば、次期社長の座云々《うんぬん》どころではない。政界中枢を巻き込んだ一大疑獄事件に発展するのは必至だ。一体宇佐見兄弟は何を考えているのか。

宇佐見幸一は自負心の強い自信家だ。扇谷とも中途までは社長レースを争ったエリート中のエリートでもある。だが、扇谷が長期政権を維持し、結果名ばかりの筆頭副社長に押し込められ、すべての重要政策の決定の埒外《らちがい》にいまや追いやられている。今期の株主総会前の役員人事での退任がすでに内定していた。まだ本人は知らないはずだったが、その種の情報はさすがに宇佐見の耳にも入ってはいるだろう。扇谷は宇佐見を外して酒井を筆頭副社長に据え、もう一期務めた後に社長を酒井に譲って、現在空席となっている会長職に就任する心づもりだ。これは社の既定路線となっているが、宇佐見としては承服できない。

彼は名門宇佐見家の長男だった。父・義一は私の会社と共に財閥を束ねる都市銀行の元頭取であり、祖父・興一は戦後復興の時期に経済安定本部で辣腕《らつわん》をふるい、後に日商会頭を経て大蔵大臣を経験した大立者だった。その名門の誇りが、彼をしてこのような狂おしいまでの妄動に駆り立てているのかもしれない。そう考えると私は宇佐見に対して侮蔑よりも妙な物哀しささえ覚える。

「この地球は、毎年一億ずつ人口を増やしつづけている」

私がもの思いに耽《ふけ》っていると、扇谷が不意に口を開いた。慌てて彼の言葉に注意を向ける。

「戦後すぐの日本なら十パーセントだろうが、二十パーセントだろうが幾ら経済成長しても問題はなかった。だが、いまやこの国は世界のGNPの十五パーセントを占めるまでの経済大国にのし上がった。そうなった以上、以前のように五パーセント、七パーセントといった成長率を維持しつづけていけば、世界経済のバランスはたちどころに崩れさってしまう。現在の日本は実質三パーセントの成長を果たしただけで、インドネシア経済全体と同じ規模の経済力を年ごとに身につけることになる。つまり我々の成長だけで、インドネシアの経済全部を一年で飲み込んでしまうのだ。韓国経済でさえも、飲み込むのに二年ほどしかかからない。ゼロサム状態の目下の世界経済を考えれば、我が国の無闇な成長は、他の国家の国民経済のすべてを破壊することにつながる。

　地球資源の消費についてもむろん同様だ。増えつづける地球人口の中で、もはや日本一国のみが富み栄えればいいという時代はとうに終わったのだ。だからこそ俺は、神坂にスラバヤ沖の海底油田の話をもちかけられたとき、これだけは何があっても日本が獲《と》るべきだと考えた。日本のためだけではない、インドネシアのためにもそうすべきだった。海底油田事業が軌道に乗れば、自前のタンカーを持たせるだけでなく、当然精製プラントも作ってやらねばならない。ただの原油商売では、インドネシアは有限な石油資源を欧米や日本から吸い取られるだけにすぎない。原油を精製し、それを自国のタンカーで輸送できるようになってこそ、インドネシアの石油事業は初めて独立自営をかちとれる。神坂の考えも俺と同じだった。そのためには、スラバヤはどうしても欧米企業に譲り渡すわけにはいかなかったのだ。

　メジャーの連中はアジア経済のことなんかこれっぽっちも考えてはいない。原油だけ抜き取れればインドネシア経済がどうなろうと知ったことではないのだ。あいつらの発想は五百年前から変わってはいない。オランダやイギリスが東インド会社を使ってやったギルド商法と同じことを延々繰り返しているだけだ。アラブの産油国の凋落《ちょうらく》を見れば一目瞭然《りょうぜん》だろう。イランにしろイラクにしろ、武器を売りつけて無理やり軍事国家に仕立てたのはどこのどいつだ。石油の代金をそうやって回収し、目障りになってくれば謀略をめぐらして互いを戦争に駆り立てて国力を奪い取る。あげく湾岸のときは、自国の軍隊を国際平和維持の名目のもとに送り込み、サウジとクウェートという旨い肉をちゃっかり手に入れてしまう。百三十億ドルもの戦費を調達した我が国は、結果的にメジャーから締め出されただけではないか。そのくせ、こっちがリビアに精製施設用のプラントをドイツと組んでちょっと融通してやった途端に、テロリズムへの肩入れだとやつらは恫喝《どうかつ》してくる。俺は、こうした欧米のやり方に腹を据えかねている。少なくとも日本の権益、そしてアジアの権益だけは欧米の植民地主義から断固守らねばならないと思っている。そのために、スラバヤの一件を多少無理をしてでもやり遂げたのだ。あの四隻の船舶受注でいったい我が社が幾ら潤った。微々たるものじゃないか。我が国の化石燃料の確保、そしてインドネシア経済の発展のために俺はやった。それだけのことだ」

扇谷はやや興奮気味にいつもの持論をとうとうとぶった。酒井も駿河も頷きながら黙って演説を聞いていた。しかし、私は扇谷の妙に高ぶった表情に微妙な違和を感じていた。事の真相が明らかになったいま、扇谷が取るべきは、粛々と宇佐見一派を掃討するだけのことだった。宇佐見の弟、そして中野も処分しなければならない。この席で話し合うべきはそれだけのはずだ。なのに、なぜ扇谷はこんな長広舌をふるっているのか。

さきほどしまったメモのコピーをそっと背広のポケットの上から手で押さえてみる。駿河も酒井も気づいてはいないようだが、このメモには不審な点があった。私自身も何度も見直す中で初めて気づいたのだ。まだ誰にも明かしてはいない。だが、もし宇佐見側が何らかの手段でそのことを察知したとしたら、このメモはただの「不発弾」とばかりは言えなくなる可能性があった。

4

「鶴来」を出たのは午後十時頃だった。相談が一段落すると佐和さんが座敷に加わり、五人で飲んだ。扇谷は元気を取り戻したようで、佐和さんの酌で盃をぐいぐい干し、顔を赤くしてすっかりいい機嫌になった。扇谷と酒井はそれぞれの車で一足早く引きあげ、駿河と見送って、私は一度部屋に戻った。戻ると手回しよく茶漬けが用意されていた。御大二人を先に帰し、私はいつものようにゆっくり飲み直すつもりでいたが、駿河の方は茶漬けを腹に流し込むと、

「橋田、ちょっと河岸《かし》を変えるか」

そそくさと立ち上がった。

神楽坂の賑《にぎ》わいの中を飯田橋の駅に向かって歩きながら、

「オヤジも酒に弱くなったなあ」

駿河が妙にしんみりした口調で呟く。駿河は扇谷が名古屋の航空宇宙システム製作所長だった平取時代からの子飼いで、私にとっても東大ボート部の大先輩にあたっていた。百八十センチを越える体軀《たいく》そのままのおおらかな性格の男で、髭の濃い童顔に人なつこそうな笑みをいつも浮かべている。今年で四十九になるが、傍目《はため》にはまだ四十代前半にしか見えない潑剌とした精気を漂わせている。私がどちらかといえば緻密《ちみつ》で計算のきくタイプだとすれば、駿河は万事流れを摑んで、体軀に似合わぬ鋭い直観で動くタイプと言えた。その分、私にはない旺盛な行動力を彼は持っている。私が扇谷の秘書となって以来、二人は共に扇谷の下で同じ道を歩いてきた。年齢は十も離れてはいるが、いいコンビだと思っている。その点は駿河も同様だろう。何かにつけて互いに相談をし合いながら、この十数年扇谷を支えつづけてきた。

飯田橋の駅まで来るとタクシーを拾い、乗り込んだ。駿河が、新宿と運転手に告げている。

「最近はオヤジ、いつもあんな風にすぐ酔っぱらっちまうんだ」

駿河は扇谷のことをオヤジと呼ぶ。工場長時代からの側近だからこそで、そういう言い方を聞くと羨《うらや》ましくなる。

「そうですね。先日も一つ宴席に同席しましたが、歌田さんや樫村さんたちでしたから、三人で肩組んで軍歌を歌いまくって、最後はべろんべろんでした」

「だろう」

駿河が相槌《あいづち》を打った。歌田や樫村は扇谷の陸軍幼年学校時代の同期生で、それぞれ大手商社と精密機械メーカーの社長をつとめている。

「ああ見えても、もう十年だからな。オヤジも相当疲れてるんだ。俺は早く酒井さんに社長を譲って、会長に退いた方がいいような気もする。院政をしいてもっと大所高所から会社を見てゆけばいいんだ。社内的にもあと二年は余計なんじゃないか」

駿河はずいぶん思い切ったことを言った。私は黙っていた。

「酒井さんも、今年で六十だ。オヤジは五十七の若さで社長になった。最初の二年は会長の馳《は》せ澤《ざわ》さんもいたが、いまは独裁体制だ。いまだったら円満に酒井さんにバトンを渡すこともできる。あんまり酒井さんを待たせるのも気の毒だと俺は思うよ。それにオヤジの体調のこともある」

「体調って?」

風邪ひとつ引いたことのない頑健な扇谷を秘書時代から知っている私は、駿河の言葉が気になった。

「そういえばお前はまだ知らなかったよな。まあ、店に着いたら話すよ」

駿河は声を低めてそう言った。

新宿三丁目の交差点でタクシーを降り、私たちはビッグスビルの手前を右に折れて五十メートルほど先の小さなスナックに入った。「りょう」という名の駿河の行きつけの店だった。奥のソファに陣取ると、眼鏡を外し、出されたおしぼりでごしごし顔を拭《ふ》いていた駿河が手を止め、ぎょろりとした眼で私を見た。

「先月、『鶴来』で倒れたんだよ、オヤジ」

「えっ」

つい声を出して、思わず周りに視線を配った。離れたカウンターにサラリーマン風の若い三人連れがいるだけで、他に客はいなかった。

「どういうことですか」

まったく聞いていない話だった。駿河は眼鏡をかけなおし、少し身を乗り出してくる。そのときママがボトルとアイスペール、それにグラスを持って席にやってきた。

「橋田さん、ひさしぶりじゃない」

隣に腰掛け水割りを作りはじめる。駿河の言葉が頭の中を駆け巡っていたが、それからしばらくママと三人で世間話をしなければならなかった。ママが最近売り出し中の若い俳優の名前を出し、私がその俳優によく似ているとさかんに言い、駿河がピンとこない様子だとカウンターからわざわざ週刊誌を出してきて、彼の写真が載っているページを開き駿河に見せる。「ああ、これか。こいつ整髪料かなんかのコマーシャルに出てるやつだろ」と言いながら、駿河まで写真と私の顔を熱心に見比べたりした。

「橋田さん、ほんといい男よねえ」

ママが肩に体を寄せてくる。昔、新劇の女優だったというこのママは、もう三十の半ばを過ぎた年頃だが、目鼻立ちの整ったきれいな顔をしていた。駿河に連れられて何度もここには来ているが、その度にこうやって容姿のことを言われるので、私は彼女のことが余り好きになれない。

若い頃から私は外見のことを言われるのが嫌だった。服装にことさらこだわらないようにしてきたのもそのせいだ。いま思い出すと馬鹿げているが、高校から大学のはじめにかけては、わざと度のない黒縁の眼鏡をかけていたこともあった。とにかく小学校に上がったその年から、私は同級の女の子たちにつきまとわれた。中学になると限度を越えて、他の教室からわざわざ私を見物に来る女子が絶えず、卒業式の日など見ず知らずの下級生から不意に抱きつかれたり、制服のボタンやポケットの中のハンカチを力ずくで奪われたりした。最もひどかったのは、学年ごとにどういうわけか「橋田君の奥さん」という女の子がいて、それは女生徒たちの合議のもとに毎年改選され、選ばれた彼女は当然のように私のために弁当を作ってきたり、部活で怪我などするとわざわざやって来て傷の手当てをしてくれたりするのだった。そういう状況がどのくらい学校生活を束縛し、また他の男子生徒たちの嫉妬を買ったか、これは実際に体験してみないと決して理解できはしないだろう。私はいまでも時折思い出して胸が悪くなる。成績が特別だったこともあって中学、高校と私には友人というものがほとんどできなかった。友達と呼べる存在を持てたのはようやく大学に入ってからのことだ。

私が女性を知ったのは大学三年のときだった。それまでの私にとって彼女たちはただ薄気味悪いだけの生き物だった。生まれて初めて女性を抱いたとき、女というものにもこれほどの取り柄があったのか、と蒙《もう》を啓《ひら》かれるような思いがした。が、それは女の体への驚きがすべてだったとも言える。

最初の人はボート部のマネージャーをやっていた女の子の友人だったが、美人でも何でもなかった。おかっぱ頭で化粧ひとつせず、擦り切れたジーンズ姿しか記憶にないような人だ。ある時、彼女が何の話でか「眼や鼻なんか、ついてりゃそれでいいんですよ」と口にしたことがあった。この言葉は私にとっては格別の響きがあって、それから彼女とだけは当たり前に会話ができるようになった。自分の顔にさえ興味のない人だったから、むろん私の容姿についても彼女は何とも思っていなかった。

足立恭子を除けば、私の中に思いを残しているのは、この最初の人くらいだ。一年ほど付き合って別れたが、その別れた理由は、あらためて女性の奇妙さを私に再認識させてくれた。彼女には四つ違いの兄がいて、実は彼女はこの兄のことが好きだったのである。一度紹介されたとき、二人の溶け合うような雰囲気に異様なものを感じた。最後に問い詰めた折にはっきりと告白されて、私は彼女への思いを絶った。

香折のように実兄にあれほどの虐待を受けてきた女性もいれば、彼女のように血を分けた兄を愛して苦しんでいた女性もいる。この世の中、まったく訳が分からないもんだと最近は思ったりする。しかし「眼や鼻なんか、ついてりゃそれでいいんですよ」という言葉は忘れられない。ほんとうに、眼も鼻もついていればそれで良い。それを何やかやと言い立てられると正直なところ頭にくる。

ひとしきりママは駿河とだべって席を離れていった。

「倒れたって、どういうことですか」

駿河に訊《き》いた。

「先月の二十日のことでな。これはまだ社内でも俺しか知らない。酒井さんにも言ってない話だ」

駿河の顔が打って変わって引き締まる。

「はい」

「朝木さんと『鶴来』で飯食った日だったよ」

朝木というのは、統合幕僚会議議長の朝木光晴のことだ。

「例によってオヤジは相当飲んで、それでその日は五階に泊まるっていうんで、俺も朝木さんを見送った後、車を呼んで引き上げたんだ。そしたら十五分くらいして携帯が鳴って、百合からだったんだが、オヤジが胸を押さえて苦しんでるというのさ。慌てて『鶴来』に取って返したら、五階の佐和さんの寝室で真っ青な顔して呻いているじゃないか」

「それで」

「俺はてっきり心筋梗塞《こうそく》だと思って、全身の血の気が引いたよ。大学の同期が榊原で循環器の部長やってるから、そいつに電話して榊原にかつぎ込んだ。梗塞じゃなくて軽い狭心症だった。金曜日だったから特別室に土、日と入院させて、心臓カテーテルもやってもらった。一応心臓自体はそれほど問題はないらしいが、これからはあんまり無理をさせるなと言われたよ。オヤジに聞いたら、この二、三ヵ月どうも時々軽い発作があったみたいでな。いまのところはアムロジンを服用するくらいで大したことないんだが、それにしたって、オヤジもやっぱり歳相応ってことだ。とにかく肝が冷えた。もう、そうそう無茶はできないよ。酒も飲みすぎだ。どっかで歯止めをかけないと大事になりかねない。佐和さんのところで倒れたのが不幸中の幸いだったって話だ」

「榊原の方は大丈夫なんですか」

「そっちは大丈夫だよ。オヤジのことはそいつしか知らない。入院の時も別の名前を使わせたから、外部に洩れる心配は絶対にない」

「そうだったんですか……」

さきほど駿河が「あと二年は余計だ」と言っていた意味が分かったような気がした。狭心症の発作を目の当たりにすれば、駿河ならずとも不安を覚えるだろう。彼の胸を過《よぎ》ったであろうものが、私には手に取るように感得できた。それは、この話を聞いた瞬間、私自身の胸にくっきりときざしたものでもあった。恐怖心だ。さきほども顔を染めた扇谷を眺めながら、老いたという思いは抱いた。が、私はいまのいままで一度たりとも、あの扇谷が死ぬという想像はしたことがなかったのだ。苦悶《くもん》する扇谷を見て駿河を捉《とら》えたのは、その恐怖だったにちがいない。

「今期は予想外に業績も良かった。会長に退くには一番いい潮時だと俺は思うがな。この不況だ、オヤジは攻めの人だからもう一期は却って辛《つら》いかもしれん。こういう時代は酒井さんの方が向いているような気がするよ」

両掌に包んだグラスを揺すりながら駿河が言った。氷のぶつかる細かな音がする。酒井は経理畑一筋できた男だ。守りの経営という点では駿河の言う通りだろう。

「社長はあと二年は絶対やるつもりでしょう」

「まあな……」

駿河は残っていた水割りを一息で飲み干した。

「中条さんのこともあるし」

「相変わらず、財界活動には何の興味もないしな」

お互い顔を見合わせて笑った。四期八年を終えた扇谷が五期目に入るとき、駿河と私にだけぽつりと洩らしたことがあった。明治の会社創建以降、オーナーだった大崎家支配の時代を除けば、社長在任期間の記録は昭和初期に社を切り回した中条勘平の十年が最高だった。二年前、扇谷は「俺は、十二年やって中条の記録を抜きたい」と言ったのだ。この台詞を聞いて、私は権力者の発想というものに直《じか》に触れた気がした。扇谷の老いを初めて感じたのもそのときだった。それは駿河も同じだったようだ。

「とにかくオヤジには、この二年はできるだけ無理をさせないようにするしかない。俺やお前で、少々煙たがられても、酒や遊びは自重させるってことだな」

「はい」

それからしばらく人事の話をした。六月に取締役人事部長になる駿河から私の身の振り方について打診を受けた。当初の扇谷の構想では、駿河部長、橋田課長で人事をもう一、二年やらせ、それから私を原発を扱う原動機事業本部か、防衛庁を担当する航空機・特車事業本部に出す予定だったが、今回のような事態となり、宇佐見問題の片がつき次第、そのまま防衛庁に張りつけるだろうとのことだった。現在の企画室参事というポストは序列二番目とはいえあくまで遊軍的なもので、まさか駿河の後を受けて私がすぐに経営企画室長に昇格できるはずもないので、私としては特車に出ることはまったく構わないと答えた。

「来年はガイドラインも変わるし、中期防の見直しもある。FSXのライセンスも揉めているしな。俺もお前をそっちに回した方がいいと思ってるんだ。何と言ってもうちは官需でやらなきゃ仕方がない。国と商売してれば食いっぱぐれはないよ」

そう言って駿河は「お前の同期もそろそろみんな主計の企画官クラスになっただろう」と付け加えた。防衛担当になればまた役人や制服、政治家、業者相手の接待漬けの日々か、と思うと多少げんなりしないでもなかった。

駿河と喋りながら私は迷っていた。例のメモの記載内容について胸にくすぶっている疑問を相談するべきなのか。むろん彼のことを信用していないわけではなかった。ただ、口にしてどうなる話ではない気もする。仮に駿河が真相を知っていたとしても私に打ち明けるとは限らなかったし、信用はしているが、やはり問題の性質上、話すことに危険はあった。もともとが闇に消えた金だ。下手につっ突けば何が出てくるか知れたものではない。少なくとも金を配った私たちにとって有利な材料とは思えない。言い出そうかと躊躇《ためら》っているうちに、ぐいぐい水割りを呷っていた駿河の方が、不意に深刻そうな表情になった。

「橋田……」

脂の浮いた眉間に皺を寄せて、駿河は言い淀むように言葉を切った。

「どうしたんですか」

ずっとメモのことを考えていたので、もしかしたら駿河も私と同じ疑問を持っているのかと緊張した。

「実は百合と大事になってるんだ」

百合さんの件と知って途端に気が抜けた。

またか、と思う。駿河と彼女とのあいだは、大事でなかった時期の方が少ないくらいだ。しかし目の前の駿河は例によって困り果てた風情である。巨体がしわくちゃに萎《しぼ》んでしまったような姿が私には可笑《おか》しい。

「大事って、今度は一体何なんですか」

「それがなあ……」

ますます駿河は身を縮こませ、情けないったらないその顔に、これも毎度のことながら私はつい心配な気持ちになってしまう。ここが駿河という男の愛嬌《あいきょう》だった。私が決して持ち合わせていない魅力でもある。

「どうしたんですか、ほんとに。何があったんですか」

「俺はもううんざりだよ。あいつと別れたいよ」

そういえば、今夜の座敷には百合さんは顔を見せなかったな、と私は思い出した。

「だから、どうしたんですか。話してくれなきゃ、相談にも乗れないじゃないですか」

そうか、という顔で駿河は私を見る。弱々しい瞳が甘えるような媚《こび》をにわかに帯び、まるで溶けた角砂糖みたいだ、と思う。

「またできちまったんだよ」

「はあ？」

「今度はどうしても産むと言って、とてもじゃないが手がつけられんのだ」

私は呆れて、口許に運んでいたグラスを途中で止めてしまっていた。知らず憮然とした顔つきになっていたのだろう。

「お前までそんな目で見るなよ」

駿河が言った。

二年前にも同じように百合さんが妊娠し、騒動になったばかりである。その折も私は百合さんと何度も話し合い、なんとか堕胎を了承させた。「もう堕《お》ろすのは嫌」と百合さんは激しく抵抗し、そこで初めて、すでに一度駿河の子供を彼女が流していることを知ったのだった。それも入れると都合三度目という話だ。一体何をやっているのか、と言いたい。

「どうしてちゃんと避妊しないんですか。この前あれほど口を酸っぱくして注意したはずですよ」

駿河には二十年連れ添った妻と、大学生の娘、高校生の息子が一人ずついた。私の言葉に彼は肩をすぼめ黙り込んでしまった。

「今回はきっと無理ですよ。二年前だって百合さんは産むと言い張ったんだから。もうどうしようもないですよ」

「そうだよなあ」

「そうですよ」

駿河は肩を落とし、深々と息をついた。「参ったなあ」と呟く。

「いいじゃないですか、産ませれば」

「そうはいかんだろう」

「だけど彼女なら、駿河さんに迷惑をかけずに産んだ子を育てていくと思いますよ。この前のときだって、そうはっきり言ってましたからね」

「しかし、認知やなんかの問題もあるしな。まさか父《てて》なし子にするわけにもいかんし」

「だったらどうして子供なんか作らせるんですか。どうしてちゃんと避妊してあげないんですか」

駿河は急に真剣な眼差しになった。

「お前みたいな男には分からんだろうが、これだけ長くなると、なかなかそう何でも割り切ってとはいかんのだよ」

「ぼくに当たったってしょうがないでしょう」

気まずい雰囲気になり、二人とも沈黙してしまう。私は二年前、百合さんに堕胎を頼んだときのことを思い出していた。駿河には明かしていないが、どうしても産みたいと言う彼女の前で、私は土下座までしてみせたのだ。父親のいなかった自分の子供時代を語り、父のいない子供がどれほど寂しいものか力説もした。むろんそこには大いに誇張もあったから、諦めると言ってくれた百合さんのみじめな姿を前にして、私自身もひどい自己嫌悪に陥ってしまった。もうあんな思いは二度としたくはない。

「橋田、とにかく百合と一度会って話してもらうわけにはいかんかな」

「またですか」

駿河は掌をすり合わせ懇願の態である。私は返事をせず、水割りを啜《すす》る。

「頼むよ橋田。お前だけが頼りなんだ」

そんな駿河を眺めながらしばらく考えていた。彼は縋《すが》るような目になって私を見ている。

「じゃあ、会うだけは会ってみます。そのかわり条件が一つありますが、それでもいいですか」

素早く考えをまとめてそう言った。ここで妙に手を出して結果がうまくいかなければ、今後の駿河との関係に罅《ひび》が入りかねない。百合さんにも恨まれて両損という話だ。

「条件ってなんだ」

駿河は怪訝《けげん》そうだった。

「この際、きっぱりと彼女と別れてください。子供を作るのは百合さんの勝手です。そもそも彼女が産むというのを止めることは駿河さんにも、ましてぼくにもできる筋合いのものではありません。だから、もしぼくが彼女の決心を覆せるとしたら、駿河さんは、たとえ子供が産まれても認知もしないし、それで百合さんが怒って駿河さんの家に怒鳴り込んだとしても別に構わない、もう二度と百合さんとは付き合うつもりもないんだ、とそんな風に徹底的に彼女を突き放すしかないと思います。そうすれば彼女だって愛想尽かしで心変わりするかもしれない。そのかわり、駿河さんの方にもそれだけの覚悟をしてもらわないと、幾らぼくだってそこまでのことは言えません。それでいいなら、もう一度だけ百合さんと話をしてみます」

彼は私の言葉に二の句が継げないという顔になった。

「とにかく、こうなったらそれしか手はありません。また子供は堕ろさせて、その上で関係だけはつづけていこうなんて虫が良すぎます。諦めるときはばっさり諦めるしかないですよ。そうそう自分の都合ばかり押しつけて、無理を通しつづけるなんてできやしないんです。駿河さんもこれを機会に、きっちりと彼女との関係を整理することですね。取締役になって、今後は身辺はきれいにしておくにこしたことはありません。そうしないと思わぬところで足をすくわれかねない。駿河さんにとっても彼女にとっても、いまがいい潮時なんじゃないですか」

うーんと一声唸《うな》って駿河はソファの背に身を投げだしてしまった。

5

駿河と別れ私は新宿駅の方へと歩いた。電車のある時刻はとっくに過ぎていたが、少し風にあたってむかむかする酔いを醒《さ》ましたかった。結局駿河に押されて、百合さんと会うことになってしまった。断りたかったが断れなかったのは、駿河の目に執拗《しつよう》な光を見取ったからだった。どうせ百合さんと話しても結果は見えている。それでも約束は約束である。近いうちに連絡を取って一度会ってみなければなるまい。駿河は私の出した条件を呑んだ風でもなかった。それでは、こちらとしても手の打ちようがないが、やれるだけはやって、この問題から身を引くしかないだろう。

歩いているうちに喉が渇いてきたので途中のコンビニで缶ビールを買って、それを啜りながら駅に向かった。アルタの前にさしかかると、明日の四月二十九日が休日であることもあってか駅前は人で溢れ返っていた。背広姿のサラリーマンや若いカップルがひしめいている。ビルのネオンサインや街灯の明かりで界隈《かいわい》はまるで昼のような明るさだ。どこからか歌声が聞こえてきて私はその方角に目をやった。通りを隔てた向こうに薄い人垣ができ、誰かが弾き語りをやっているようだった。私は信号が青に変わると交差点を渡り、その人垣の中に入っていった。

金髪の若い外人がギターを抱えて「キャンドル・イン・ザ・ウィンド」を取り囲んだ十四、五人の若者たち相手に聴かせていた。意外に澄んだ美しい声だった。昨年、交通事故で死んだイギリスの皇太子妃の葬儀で、鬘《かつら》を被《かぶ》った古手のシンガーがこれを歌い、あろうことかギネス入りのセールスを記録したという曲だった。私は、あのとき英国という国の民度の低さを思い知ったものだ。かつての大英帝国の国民たちは、王室を裏切りアラブの悪名高き武器商人の甥《おい》と情を通じた愚かな女性のために、まるでヒステリックなほどの弔意を国を挙げて表したのだ。貧相な皇太子とその息子たちの葬列を見送る何万というイギリス人の群れを見て、私は英国という国がいまもっておそろしいほどの階級社会であることを思った。さきほど扇谷は東インド会社のことを言っていたが、たしかに、十六世紀のイギリスの識字率はわずかに十パーセントだったという。その頃の日本は男性に限っていえば半数が文字を読み書きすることができた。それでもアングロサクソンはこの四百年間にわたって一度も戦争に敗れたことがない。この国も五十年前に完膚なきまでに叩きのめされた。

「日本はアメリカ以上の武器を持つ必要はない。ロシアや中国よりいい武器を持つ必要はあるが、二度とアメリカと戦うわけではない。日本にはもう大和《やまと》魂がない。防衛産業も大和魂までは作れやしない。財界が憲法改正を持ち出したこともない。どの会社の定款を見たってそんなことは書いてやしない。我が社だって同じだ。だから、財界が武器産業に憂き身をやつすのは誤りだ。歯止めがなくなってしまう。武器産業はアメリカに進出して工場を作り、そこから日本に輸出してくれればそれでいい」

これが扇谷の持論だった。私に言わせればそのあたりに扇谷の限界があると思う。少年時代を陸軍幼年学校で送り、あの惨めな敗戦を経験した彼には抜きがたい欧米への劣等感があった。そして扇谷に限らず、この半世紀、この国のあらゆる人々を縛りつけてきたのは、こうしたアングロサクソンへの恐怖だ。だが昨年の元皇太子妃のスキャンダラスな死に対する反応でも分かる通り、アングロサクソンの世界史的優位性も次第に化けの皮が剝《は》がれだしている。

次期支援戦闘機FSXの開発を国産で行うと決まったとき、私は扇谷の側近として純国産化の道をいまこそ拓くべきだと力説した。可変翼、可変座の画期的技術を私の会社ではすでに実用段階にまで磨き上げていた。だが、結果はアメリカとの共同開発に落着した。それが現在の日米間の深刻と呼べるほどの摩擦を招いてしまったのである。あそこで政府、そして扇谷が踏ん張っていれば、これだけ開発に膨大な資金を投与し、また完成機誕生を大幅に遅らせてしまうような失態は決して演じなかったはずだと私は考えていた。

扇谷はスラバヤ沖油田の確保は国策上の重要課題だと言う。だが、アメリカに対抗する軍事力を持てない以上、いくら経済分野で背伸びしてみたところで高が知れているのではないか。この日本という国の底の浅さは、軍事分野を見ればすぐに了解できる。戦中派の扇谷たちは、そこに目を瞑《つむ》って国力の伸長をとうとうと弁じ、国際情勢の安定確保などという空疎な文言に自ら酔う傾向があった。私にはそうした彼らの根拠のないオプティミズムが理解できない。

人垣の端のプランターに腰掛け、残りのビールを飲み干したところで、歌は終わった。若者たちが拍手をして、外人の足元に置かれた帽子の中に小銭を放っていた。

「ドウモアリガトウゴザイマシタ。ワタシ、ケビン・ブラウンデシタ。コンヤハホントウニアリガトウゴザイマス。サイゴニ、ワタシガコノクニニキテ、イチバンスキニナッタキョクヲウタッテ、ミナサンニサヨナライイタイトオモイマス。デハキイテクダサイ」

そう言って、彼は河島英五の『酒と泪《なみだ》と男と女』を歌い始める。聴衆の誰もがしんみりとした表情で聴きいっている。その阿呆《あほ》面が私には耐えられないもののように思えた。立ち上がり、その場を離れた。

「ノンデーノンデーノマレテノンデー、ノンデーノミツブレテネムルマデノンデー、ヤーガテオトコハー、シズカニネムルノデショウ」

流暢《りゅうちょう》な日本語で熱唱するその声が耳障りで仕方がなかった。

東口でタクシーを拾った。日付は変わり腕時計の針はすでに午前二時を指していた。車に乗り込んで、そういえば今日は香折と久し振りに会うのだと思い出した。半月ほど前に部屋に泊まっていったきり音沙汰のなかった香折から、昨日の昼間突然電話が会社にかかってきた。声は元気そうで、卓次との関係も修復したのかも知れないと思った。どうしても明日会いたいというので、夕方六時に渋谷駅の東口の改札で落ち合うことにした。

香折はいま高円寺のマンションに住んでいる。兄の隆則が突然訪ねて来たあの日、私は香折を部屋に泊め、それから二日間で彼女の新しい部屋を見つけだした。大学時代の友人の父親が経営している賃貸マンションで、オートロック式の新築の建物だった。間取りも2DKと広かったし、おいそれと人が侵入することのできない造りだった。急の引っ越しだったが、香折は部屋を一目見て気に入ったようだった。引っ越し費用は私が全額融通してやった。知り合いの持ちビルだから六万五千円と破格の家賃で手を打たせた、と彼女には説明したが、実際は毎月四万ずつ私が援助していた。むろんそのことは香折には黙っている。

その週の土曜日に香折は新しい部屋に引っ越していった。私も一日作業を手伝った。レンタカー屋で小型トラックを借り、荷物を高円寺まで運んだ。前の部屋の割れた窓も硝子屋を呼んで取り替えさせた。香折の持ち物は少なくて片づけるのにそれほどの時間はかからなかった。午後十一時頃には新居の整理も大方ついて、私は東高円寺の駅まで香折に送ってもらい家に帰った。改札口で別れるとき、

「ほんとうにお世話になりました」

香折はそう言って頭を下げると、振り返りもせずに駅の階段を昇って消えていった。ずっとその背中を目で追いながら、こうしたささいな気持ちの落差が、人と人とのつながりを決定づけるような気がした。結局、香折にとっての自分は親切で都合のいい、歳の離れた中年男に過ぎないのだ、私は電車に揺られながら痛感した。香折からすれば、内定も得て、ずっと私の部屋に居候しつづけるのは不都合だったにちがいない。彼氏の手前もあっただろう。しかし、それにしても彼女の彼氏とやらは何をしているのか、とは思った。香折の方も、こういう場合頼るべきは自分ではなくて彼氏のはずだ。その彼氏が卓次だとは後々分かったことだったが、この卓次と香折との関係もなかなかに複雑で、私にはいまもってよく把握できないところがある。

その後も香折については虚実とりまぜて驚かされることが多々あった。

まずは、香折が私の部屋を出ていった翌週の金曜日、竹井から聞かされた話だった。採用試

験も無事に終わり、竹井としばらくぶりに飲んだのだが、そこで竹井が例の南青山のダイニングバーのマスターの話を不意に持ち出してきたのだ。

「橋田さん、あの晩、かなり派手にやったそうですね」

突然、竹井にその件を持ち出されて私はびっくりした。

「派手にやったって、何のこと」

知らぬふりで聞き返すと、竹井はにやけた笑みを浮かべて、

「マスターに聞きましたよ。店の女の子のことであの夜、橋田さんからさんざんな目にあったって。そりゃあ、橋田さんが本気出したら彼なんて赤子の手をひねるようなもんですよね。あの怪力には参ったってぼやいてましたよ。カオリって子のことでしょう」

竹井が香折の名前まで口にしたので私は思わず彼の顔をじっくり見た。

「その女、まだ十九らしいけど、相当な玉だって言ってましたよ。あの女には気をつけた方がいいって」

「なんでお前が、そんなことまで知ってるんだ」

香折が引っ越してからも、毎日電話で様子は聞いていた。

「先週の月曜日、橋田さん、総合職の決定会議シカトしちゃったでしょう。あれで内山さんカンカンでしたよ。辻が、課長はどうしても出席できない事情が出来たって一生懸命言い訳してたんで、後から詳しく聞いたんです。だってあの会議を欠席するなんて、よほどの理由としか思えなかったから。まして橋田さんがそんなことするとは信じられなかったし」

辻と竹井は同期入社で仲がよかった。

「そしたら、午前中に女の人から電話があって、橋田さんがそのあと急に席を外して、それきり一度連絡が入っただけだって辻が言うんで、ぼくにはピンときたんです」

「何がどうピンときたんだよ」

「何て名前の女だったって辻に訊いたら、『カオリ』ってしきりに橋田さんが呼んでたって言うから、ああ例の女だなあって思ったんです」

例の女だの、相当な玉だの、私には竹井の言っていることが理解できなかった。竹井は水割りを飲み干し、グラスを持ち上げてカウンターの向こうのバーテンに「同じのをもう一杯ね」と注文すると、一度スツールの上で姿勢を真っ直ぐにし、「橋田さん、気を悪くしないで聞いてくださいね」と真面目な顔つきになった。

「あの店は、ぼくが入社の頃からの行きつけで、髭面《ひげづら》のマスター、あいつ池上っていう名前なんですが、彼とも長い付き合いなんです。釣りやゴルフにも一緒に出かける気心の知れた奴でね、女にはちょっとだらしないけど、ああ見えても結構気のいいナイスガイなんですよ。それで先週、ぼくがあの店に行ったら池上がすぐに寄ってきて、このあいだ竹ちゃんのお連れさんにひどいめにあったっていうじゃないですか。それで、そのカオリって女の子のことを聞いたんです。そしたら、辻がカオリって名前出すから、こりゃあその女に違いないって分かったんです」

それから竹井が語ったことはかなり意想外な話だった。

池上の言うところでは彼と香折とは半年以上つづいた関係だった。もとは客で来ていた香折だったが、ある晩、彼氏らしい男と彼女が店で罵り合いの大喧嘩になって、それを池上が宥《なだ》めたことから関係が出来たのだそうだ。

「なんでも、その彼氏ってのがバンドやってる学生らしくって、カオリって子に内緒で別の女とも出来てたそうなんですよ。一度見つかって、それで別れたとかなんとか誤魔化してたのが、たまたまその日、その女と池上の店で三人鉢合わせになってバレちゃったんですね。まあ、よくあると言えばよくある話ですけどね。ほら、ぼくの三期下で、前の課で一緒だった大迫って奴いるでしょう。橋田さんも顔くらい知ってると思うけど、あいつなんか、この前の日曜日、自分の部屋で彼女Bに飯作って貰ってたら、突然旅行に出てたはずの彼女Aが訪ねてきて、それで包丁びんびんの大騒動になったらしいですよ。これが傑作で、『何よ、この女、どういうこと』って彼女Aに問い詰められて、大迫の奴、どこをどう血迷ったのか『いや、これは召使でさ』とか目茶苦茶なこと言っちゃって、なんてたって包丁握ってるのは彼女Bの方ですからね、冗談抜きのきつい修羅場だったたって話ですよ。『サコちゃんの召使事件』っていって、今週はその話題で若手連中は盛り上がりまくりでしたからね。で、まあ、そのカオリって子とバンドマンの彼氏とのあいだにも、半年前に同じような事があの店であったわけです。で、これもよくあることだけど、池上が取りなして彼氏を先に帰して、カクテルか何か彼女に飲ませて慰めてるうちに、その晩彼女とやっちゃったんだそうです」

私が卓次という名前は別にして、香折の彼氏がバンドマンだと知ったのは、この竹井の話が最初だった。そして池上という例のマスターが竹井に語った話というのも、腹いせまじりのでたらめとばかりはあながち言えない内容だった。ことに私が注意を向けたのは、次の部分だった。

「池上の話だと、そのカオリって子、相当複雑な生い立ちらしくて、親とすごく仲が悪いんだそうですね。なんか分裂症気味の兄貴がいて、子供の頃ひどい目にあって、ずっと高校から彼女一人、別にアパート借りて暮らしてたような感じで、それで、池上と出来たら彼のマンションに荷物運び込んで居ついちゃったって言ってましたよ」

隆則が襲ってきたあの日、私も同じような話を香折から聞いていた。私に対しては、

「いままで、こんな話、誰にも言ったことありませんでしたけど」

香折はたしかにそう言ったのだった。

さらに竹井の話では、

「それで、金もないからって池上は彼の店でバーテンのバイトさせて彼女の面倒見てたんだけど、とにかく感情の起伏が激しすぎて、何やらかすか分からない危ない子で、先月くらいから別れたはずのバンドマンともよりが戻ったらしくて、この半月揉めに揉めてたそうなんですよ。あの晩もそんなことで池上のマンションに帰る帰らないで痴話喧嘩になって、そこへ橋田さんがひょっこり顔を出したってことだったらしいですよ」

私は何とも言えない顔になっていたのだろう。竹井が気にした表情になった。

「まあ、別に橋田さんとそのカオリって子がどうだろうと、ぼくの関知することじゃないですが、とにかく真相だけは池上の名誉のためにも伝えておこうと先週辻の話を聞いてずっと思ってたんです。橋田さん、この二週間ばかりちょっと変だったし、内山さんともこれ以上こじれちゃうと、いくら橋田さんでも傷になりかねないとぼくは思ってます。いつものクールでカミソリのような橋田さんじゃないって、辻と二人で心配してたんですよ。辻だって橋田さんに抜《ばっ》

擢《てき》されて課長補佐になったのは、ぼくと同じで、言ってみれば橋田さんは我々のヒーローなんですよ。ぼくたちとしては、スーパーマンの橋田さんに変なことで絶対しくじって欲しくないですからね」

この時、私は竹井の話にやや啞然とした。むろんすべてを信じたわけではなかったが、根も葉もない作り話だと一笑に付す気にはなれなかった。

「でも、池上は心底ほっとしてましたよ。あの女だけはキレ過ぎてて怖かったって」

竹井は皮肉ではない口調でそう言った。

この九ヵ月の間に、この竹井の話の大部分が、池上の手前勝手な自己弁護を鵜呑《うの》みにしたものだったことは分かっていた。だが、すべてが捏造《ねつぞう》だったわけでもない。

実際、香折と池上との間には関係があった。卓次が他の女に入れあげて、一時期香折と別れていたことも本当だし、香折が自分の過去を池上に喋ったのも確かだ。

香折は私に対して、池上との関係をあくまで否定しつづけた。ようやく認めたのは、カウンセリングを受けたいと言いだした昨年末になってからだ。そのときに、私は詳しく池上、そして卓次のことを香折から聞いた。

どんなことにしろ、香折は最初からありのままを話すことはまずない。彼女の話には誤魔化しや都合のいい改竄《かいざん》が施されていて、それを見抜き、一つ一つ訂正させていくのにひどい苦労を強いられる。近頃は、香折も相当に心を開くようになってきたが、まだまだ十分と言うにはほど遠いものがある。

それでも、池上に関しての香折の告白に嘘はないと私は確信している。二人が同棲などしていなかったことは、当時の香折のアパートの様子からも明白だったし、卓次のことで池上と香折が揉めたという点にも真実味はなかった。池上という男の実像は、あの青山の駐車場で私自身が見た通りのものでしかあるまい。

今年の年明け早々、私は臨時異動で竹井をマニラ支店に飛ばした。池上のような人物をナイスガイなどと言った男を私は信用できなかった。辞令が出た当日の竹井の驚愕した顔をいまでもたまに思い出す。彼には、どうしてこんな目にあうのかまったく理由が分からなかっただろう。

6

六時五分前に渋谷駅東口の改札に着いてみると、めずらしいことに香折が先に来て待っていた。ごった返す乗降客の波の中でも香折の姿はやけにくっきりとしていた。明るいグリーンの格子縞《じま》シャツにチョコレートブラウンのパンツをはき、同じブラウンのジャケットを羽織っている。半月前と髪の色が違っているのにまず目がいった。薄く茶に染め、それがその服装とうまく馴染んでいた。辛子色のイヤリングとバングル、それにベージュと白のコンビのバッグを肩にかけている。勤めはじめてまだひと月なのに、こうやって街中で見るとずいぶん大人びていた。香折ももう立派なOL様だなあ、と思って声をかけた。

「待たせて悪かったね」

香折はにこっと頬笑んで、身を寄せてくる。その落ち着いた表情を見て、今日の用件はトラブルの相談ではなさそうだと一安心する。それでも知り合ってすぐから心配ばかり先に立たせて付き合ってきた相手だから、完全に気持ちをほぐしたわけではなかった。

「ごめんね、いきなり昨日の今日で呼び出したりして」

「いや、それは構わないけど。何か困ったことでもあったんじゃないかってちょっと心配した」

香折は首を振った。笑みをふたたび浮かべ、顔の色艶《いろつや》もいつになくいい。体重も若干戻ったようだ。

「今日はどうしても浩さんに会いたかったの」

声のトーンが幾分跳《は》ねている。

「一体どうしたのさ」

「うん、ちょっとね」

「なんだよ」

思わせぶりな彼女の様子に少し当惑していると、香折は私の腕をとって駅の外に向かってさっさと歩き始めた。引っ張られるようについていきながら、

「おいおい、なんだか気味悪いよ」

香折は一度足を止め、腕を解いて私の方を見る。

「今夜は私にエスコートまかせてね」

一緒に並んで歩きながら「なんだか変だなあ」と私はぶつぶつ呟いていた。香折は金王坂《こんのう》の方へと向かっていた。

「さっき、改札に立っているの見て、見違えたよ。お前がジーンズ以外のパンツはいてるの見たことなかったし」

「何、変なこと言ってるのよ」

「いや、結構いけてる気がした」

「またあ。お尻ぺったんこだから、私こういうのあんまり似合わないもん」

香折は一度手を広げ、再び、私の腕をとってきた。にこにこ顔になっている。

「それより瑠衣さんとデートの日だったんじゃないの。無理させちゃったかな」

「いや、そんなこともない。最近は彼女とも御無沙汰だから」

「どうしたの。喧嘩でもした」

「そんなんじゃないが、俺の方が忙しくってね」

「ふーん。でも浩さんももういい加減歳なんだから、あんな綺麗《きれい》な人、手放しちゃ駄目だよ」

私は笑った。

「なんだよ、それ。香折は彼女の顔なんか知らないじゃないか」

「相変わらず甘いね、浩さんも」

香折は私の前に出て振り返ると唇をすぼめ、鼻先に右手の人差し指をかざし、左右に揺らしてみせる。私は妙な気がした。香折が瑠衣を知っているはずがない。それでも彼女のそんな明るい仕種《しぐさ》に、気持ちが急速に和《なご》んでいくのを感じた。

「お前、彼女とどっかで会ったりしたの」

そう訊いたところで、香折は足を止め、「ああ、ここ」と坂の途中の小振りなビルを見上げた。張り出した階段を昇っていく。私も従った。二階がレストランだった。古びた樫《かし》の扉を押して店内に入った。幾種類ものパスタの束が低い天井からぶら下がり、細く暗い通路の先にオードブルを盛りつけた深皿がたくさん並べられている。オリーブオイルの匂いがした。イタリアンレストランだ。香折は出てきた黒服の外人に「六時半で予約していた中平です」と告げ、彼は予約表を確認して「お待ちしておりました」ときれいな日本語で言い、私たちを席まで案内してくれた。通路を抜けると店内は意外に広く、赤いクロスのかかったテーブルが間隔を充分にとってかなりの数、配置されていた。何組かのカップルがいて、私たちの席は坂に面した窓際の一つだった。照明は壁のランタンきりで、あとは卓に載った硝子シェードをかぶった赤い蠟燭《ろうそく》の明かりだけだった。なかなか雰囲気のあるいい店だと思った。

ウエイターがやってきてミネラルウォーターのボトルの栓を抜いてグラスに注ぐ。置かれたワインリストを私が手にする前に香折は取り上げ、開いてゆっくりと眺めていた。そんな姿はほんとうにいっぱしで、私は目を見張ってしまう。

「浩さん、赤がいい、白がいい」

「えっ」

「だからワイン」

「お前、ワインなんか分かるのか」

香折がいかにも心外そうな顔になる。

「浩さん、私が何の会社に勤めてるのか知らないの」

「よく言うよ。ど新米のくせに」

「赤なの、白なの、どっち」

「じゃあ赤」

「オーケー」

香折はウエイターに合図し、彼が来るとバローロの結構値の張るワインをオーダーした。

私は煙草を取り出し、一本抜いて火をつける。

「ねえ、一体今夜はどういう風の吹きまわしなんだよ。なんだか変だぞ」

私はまた心配になってきていた。知り合って以来、こんな香折の振る舞いは初めてのことだった。

「今日は、お祝い」

ワインが運ばれてきた。香折が馴れた素振りでテイスティングし、頷いてみせる。双方のグラスに赤い液体が注がれ、香折は自分のを持ち上げると、乾杯の手つきでグラスを差し出してきた。私もグラスを取り上げる。

「お祝いって、何のお祝いなのさ」

香折はわきあがる笑みをおさえるように、口許をちょっと引き締めて、

「浩さん、当ててみて」

と言った。私はしばらく思いを巡らせてみる。香折の誕生日は十月五日だから関係ない。といって八月生まれの私の誕生日はまだまだ先である。就職祝いだったら三月の末に済ませたばかりだ。思いついたのは結局二つだけだった。一つは香折の家族に何らかの変化があったということ。たとえば兄の隆則が急死したとか——しかしいくらなんでも、それでお祝い、とまで

は香折も言わないだろう。そうすると、卓次が先般送りつけてきた婚姻届の一件から推察して、香折は卓次と一緒になる決心でもつけたのだろうか。

「そうだな……」

私は一度口ごもって、

「卓ちゃんといいことでもあったのかな。例の婚姻届に判子でも捺したとかさ」

と言った。

「ブー。卓ちゃんとはあれ以来ぜんぜん会っていません」

香折は尚《なお》も私の新しい答えを待っている。全然それらしいことが思いつかず参った。が、この答えはきちんと言い当ててやりたいという気がした。こんなに香折が開放的で打ち解けた様子をしているのは、この九ヵ月間でもなかったことだ。よほど嬉しい「お祝い」なのだろう。

「一個だけヒント」

私が頼むと、「そうねえ」と香折は呟き、

「もう四月もおしまいだよね」

と言った。四月が終わる——どういうことだろうと考え、なぜか瑠衣と見に行った千鳥ヶ淵の桜が脳裏に浮かび、「鶴来」で昨夜見た小さな庭のちっぽけな葉桜が思い出された。私は思念を集中した。頭の中で糸車のようなものが加速度を上げながら高速回転しているイメージが湧いてくる。子供の頃から、何か考えを絞り込んでゆくとき必ずこのイメージが現れた。そしてそれが現れたとき、私は答えを誤ったことがなかった。

「おめでとう」

と私は言った。

「分かったの」

香折が言う。私は持ち上げていた自分のグラスを香折のグラスにぶつけて、

「で、幾らだったの。サントリーだから案外良かったな、きっと」

香折は途端にしんみりした表情になった。小さな唇にグラスをあててワインを一口飲んだ。

「ありがとう。浩さん」

香折はグラスをテーブルに戻すとちょっと俯いて、それから顔を上げた。

「やっぱり浩さんだね。浩さんは私のことをほんとうに分かってくれてるこの世界でたった一人の人かもしれないね」

「よく頑張ったね。これで香折も一人前の社会人だ」

「うん」

そういえば、彼女と初めて会ったとき「大人の世界のルール」なんて馬鹿げた台詞を置き手紙に書いたな、と私は思った。それから、池上の腹を蹴り上げたあの駐車場で「もっときちんとしたところに早く就職したいと思ってるんです。本当はお酒飲ませるようなところでバイトなんかしたくなかったんです」と香折が言っていたことも思い出した。どれも遠い昔のひどく懐かしいことのような気がした。

「で、幾らだった」

香折は嬉しそうに含み笑いをして、

「それがね、残業なんかしてたから明細見てびっくりしちゃった。手取りで二十五万もあった

んだよ」

「それは悪くないね」

「でしょう」

「うん」

「なんだか、私すこし自信が出てきちゃった。こうやって、自分の力でこれから生きていけるんじゃないかって」

　自信という言葉に私は耳を止めた。この子が自信なんて言葉を口にするようになったのだ、そう思うと胸が詰まるような気分になった。

　香折は隣の椅子に置いてあったバッグから小さな包みを取り出して私の前に差し出してきた。

「浩さん、ほんとうにありがとう。みんな浩さんのおかげだもんね。浩さんみたいに親切にしてくれた人、私、初めてだったから。これ大したものじゃないけど、最初のお給料をいただいた記念。受け取って」

　私は両手でその包みを手にした。グレーの紐《ひも》を解き、同じ色の包装紙を開くと「GUCCI」と白い文字の入ったやはりグレーの小箱が出てきた。蓋《ふた》を取ると海老茶《えびちゃ》色の革に金のホルダーがついたキイ・ホルダーが収まっている。革の部分に「K・H」と私のイニシャルが刻印されていた。私は麻のジャケットのポケットから車のキイと部屋のキイ、それに香折の部屋のキイを吊るしたキイ・ホルダーを取り出し、三つの鍵を外して新しいホルダーに付け替えた。

「何も大したことしてやれなかったのに、なんだか悪いな」

　私は言って残っていたワインを飲み干した。香折はじっと私の顔を見ている。

「浩さん、それ瑠衣さんに見つかったら、ゴルフコンペで貰ったとか言うんだよ」

私は答えず、鍵をポケットに戻した。

一杯ずつワインを飲み終えたところで料理が出てきた。香折が席を予約するときにコースを頼んでいたのだろう。前菜の盛り合わせをつまみながら、私はさきほど香折が言っていたことを思い出す。

「香折、瑠衣さんと会ったことあるのか」

そう口にして、香折を呼び捨てにし、瑠衣にさんづけしている自分にちょっとした奇妙さを感じた。香折は悪戯《いたずら》っぽい目になって、

「会ったことはないけど、すっごい美人じゃん。浩さんにはもったいないくらいだよ」

と言った。

「会ったことないのに、なんで顔を知ってるんだ」

「だって浩さん、前言ってたじゃない。瑠衣さん、学生の頃に週刊誌の表紙になったことあるって」

そういえば、瑠衣と付き合い始めの頃、彼女が一橋の二年生だったときに、「週刊朝日」の表紙になったことがあると聞かされ、それをそのまま香折に話したような記憶があった。篠山紀信に一橋の時計台の前で撮影され、学生が大勢集まって恥ずかしくて仕方なかったと瑠衣は言っていた。

「この前の日曜日、図書館に行く用事があったから、『週刊朝日』のバックナンバーを探してみたの。瑠衣さん二十八だって聞いてたし、案外すぐに見つかったよ。あんまり綺麗な人だか

らびっくりしちゃった。私が一度訊いたとき『まあまあかな』なんて浩さん言ってたくせにさ」

「へぇー」

「浩さんは、その雑誌、瑠衣さんから見せてもらってないの」

「ああ」

「どうして」

「どうしてって、別に理由なんてないけど。そんなの見てもしょうがないだろ。いつも本人を見てるわけだし」

香折がちょっと小首を傾げてみせる。

「だけど、好きな人だったら、その人の若い頃の写真とか見たくならない」

「さあ。ただ顔が写ってるだけだし、いまとそれほど違ってるわけでもないだろうしなあ。大体、俺あんまり女の顔に興味ないからな」

「そうじゃなくって、好きな人のことだったら、その人の過去とか、思い出とかそういうものを全部知っておきたいって思わないかなあ」

私はその香折の問いにちょっと隙をつかれたような、思いもかけなかったことを聞かれたような気がした。

「まあ、あんまりそういう風には思わないね。彼女は藤山家の娘で、何不自由なく育って、夏と冬は別荘暮らし、子供の頃から行きたいと思えばいつでもどこにでも行けて、そこそこ秀才で、仕事だって得意な英語の使える、それなりに満足できる職種を選んだわけだしね。大体の想像はつくし、そこからはみ出たものがもしあったとしたら、それは彼女だけのプライバシーであって、そんなものをつっ突いてみても大したものは出てきやしないよ。少なくとも俺にとっては」

香折は「ふーん」と言って、ひと呼吸おき、

「でも、浩さんって結構詮索《せんさく》好きなタイプじゃない。私のプライバシーは根掘り葉掘り聞いてくるし、知り合った最初から尾行したり、家族のこと調べたりしてたし。私にとっては、そんなに自分のことに関心を持ってくれる人は生まれて初めてだったから、嬉しかったし、いままで誰にも言えなかった本当のことが言えて、いつも相談に乗ってもらえて、まるで夢みたいな気がするけど、それは瑠衣さんに対する興味とはちがうものだってこと」

と訊いてきた。

「まあ、そうだね。香折は、ちょっと、というか、かなり特別だからね。香折を理解するには香折の過去は不可欠だと思うから関心が持てるんだ。でも瑠衣さんについては、いまの瑠衣さんが分かれば、それで充分なんじゃないか。つまり香折は現在だけ見てたら予測不可能な範疇《はんちゅう》の人間で、瑠衣さんは予測可能な範疇の人間、ってことだと俺は思ってるよ。大方の人間はさ、その人の今の姿やその人の話す今の言葉を注意深く受け取れば、それでそこそこには理解できるからね。だからってその人間が底の浅いつまらない人間だっていう意味じゃないけどね。ただ、人間誰だって大変な思いで生きているとしたってさ、それには自ずから軽さ重さはあるよ。香折の抱えている荷物は、やっぱり普通の重さとは量的にも質的にもかなりちがうんじゃないのか」

「なんか浩さんの話を聞いてると、何で瑠衣さんと付き合ってるんだろうって気もするけど」

「たとえ予測可能な人間であっても、その人の人間性は固有のものだからね。善し悪しも当然あるし、気持ちのやり取りのできぐあいにも差がそれなりにあるから。俺はただ、香折と瑠衣さんとはちょっと比較できないって言ってるだけだよ。それに、そもそも香折と俺とのあいだは恋愛関係ってわけじゃないだろう」

「だったら、瑠衣さんの顔の話に戻すけど、瑠衣さんと付き合ってて、美人だなあとか、嬉しいなあとか、そういうことも浩さんは思わないの」

「いや、それは思うよ。でも瑠衣さんの顔が綺麗だから、それで好きだってことは多分ないよね」

「浩さんって変わってるね」

「そうか」

「そうだよ。卓ちゃんなんて、私のこと可愛くておっぱいが大きいから好きだって平気で言ったりするよ」

「卓ちゃんは、まだ若いしね」

「浩さんも若い頃はそうだったの」

「いや、俺は人の顔のことはほんとうに興味がないんだ。香折には言ったことなかったけど、俺、自分の顔のことでいろいろ言われてきたからね。外見で人を判断するってのは余り好きじゃないんだ。セックスの相性とかそういうのは案外大事だとは思うけど」

「浩さん、顔のことでいろいろ言われたって、どうして」

香折が不思議そうにした。

「うーん。どうでもいいようなことだけどね」

フォークを皿に戻して香折はしげしげと私の顔を見つめた。そして急に、驚いたような声になった。

「そういえば、浩さんってきれいな顔してたんだね。私いま初めて気づいた」

「そうでもないけど」

「へぇー、こうやってよく見てみると、浩さんってすっごい二枚目じゃん。もしかしたらメチャモテだったりするんじゃない」

おかしそうに笑っている。

「馬鹿、うるさい」

私も笑った。

「香折の方は相変わらず、鏡見て『死ね』とか『馬鹿』とか言ってるのか」

いつもの質問項目に私は話題をずらす。

「うん、たまに。この前、浩さんちに泊めてもらった頃なんか結構ひどかったけど」

「泣くのは？」

「泣くのは、いまは二日に一回くらいかな。でも、もうそんなに沢山は泣かないよ」

香折は中学の頃から毎晩泣き明かして夜を過ごしてきた。私と会う前は「一晩にティッシュ一箱分は必ず泣いてた」と言っていた。

「そうか……」

私は香折がいまも二日に一度は泣いていると聞いて、やはり彼女の心理状態は不安定さを脱していないのだと思った。

「眠っているあいだに手首引っ掻いたり、体に爪立てたりはどう」

それとなく香折の細く白い左手首の裏に目をやる。照明が暗いので判然とはしないが、先日のような深く赤い線は見当たらないようだ。

「この半月くらいはあんまりない。知らないあいだにシーツを引っ掻いてて、そのガリガリの音で目を覚ましたりはするけど」

「夢は？　家族とか実家の夢とかまだしょっちゅう見てる」

香折の不眠は、そうした悪夢が原因の一つだった。

「それもたまにかな。昨日は今日が休日だからお薬飲まないで寝たでしょ。また殺される夢見ちゃった」

殺される夢も香折の定番で、相手が鮮明でないときはまだいいが、気持ちの塞《ふさ》ぎが重くなるとはっきりと母や兄が殺人者として出てくる。

「薬は」

「そんなにいっぱいは飲んでないよ。この一週間はデパスとアモバン二錠ずつで眠るようにしてるし」

「それぐらいなら大丈夫だね」

「うん」

今日の香折は素直でこの前の夜とはまるで別人のようだった。生まれて初めてきちんとした仕事につき、その報酬を得たことが彼女には強い支えとなったのだ、とは理解できる。しかしそれにしても、少しばかり躁《そう》状態の気味が色濃すぎるのではないか、と私は次第に不安になり始めていた。

7

店を出るとき勘定しようとすると、黒のスーツ姿の外人から「さきほど、お連れの方から頂きました」と言われた。途中で一度化粧直しに立ったときに、香折が済ませてしまったのだろう。レジに向かう私を置いて外に出た香折を慌てて追った。香折は階段の下で背中を向け、通りを歩く沢山の人々を眺めていた。

「おい、困るよ」

その肩に手をかける。財布から札を抜いて手渡そうとすると、

「駄目だよ。今日は私にぜんぶまかせるって約束でしょう」

「そういうわけにいくかよ。安月給のお前に飯食わせてもらうほど、こっちは落ちぶれてないよ」

無理やり札を香折の掌に握らせると、香折はそれをそのまま私のジャケットのポケットに突っ込んでくる。

「ちょっと勘弁してくれよ。ほんと困るよ。プレゼントだって貰ったし、飯ぐらい持たせてくれよ」

「駄目！」

香折は頬をふくらませている。

「これまでいつも浩さんにばかり奢《おご》ってもらってたんだから、今日くらいは私に奢らせなさい」

「そんなわけにはいかんよ」

ポケットの札を取り出し、今度は肩にかかったバッグの口にねじ込もうとした。彼女はこっちを向いたままバッグを背中に隠し後ずさりする。近づいて、

「おい待てよ。駄目。絶対俺にやらせてくれ」

つい大声になった。

「浩さん、こんなところでそんな変な大声出さないでよ。ほら、みんな見てるじゃない」

私は振り返る。そのあいだに香折はさっさと早足で歩き出していた。

「参ったなあ」

と言いながら彼女に並ぶと、

「浩さん、人の世話ばかりしてると自分の幸せ逃がしちゃうよ。たまには思い切り他人に頼ったり甘えた方がいいって、いつも浩さんが私に言うことじゃない。なのに浩さんは、絶対、絶対誰にも頼らないでしょ。そんなの矛盾してるよ。きっと瑠衣さんにだって甘えてあげてないでしょう」

香折は私の左腕に手を回してくる。

「甘えてあげる、って」

「だからあ、ときには女の子は男の子に甘えられたいのよ。浩さんみたいにいつも硬派一本やりじゃ、瑠衣さんもきっと寂しいし疲れると思うよ」

かつて瑠衣に言われたことと同じようなことを香折が言っている。

「もう男の子って歳でもないだろうが。いまさらそんなわけにもいくかよ」

そう言いながら、ふと足立恭子のことを思い出していた。あいつにだけは、仕事の愚痴をこぼしたり、相談を持ちかけたり、無闇に当たりちらしたり、体調が悪くなると平気で面倒を見させたり、自分のすべてを開いてみせたような気がする。だが、その結果は手ひどい裏切りでしかなかった。

「ほらほら、浩さん見てよ」

香折の言葉にその指さす方を見た。ファッションビルのディスプレイの鏡に腕を組んだ二人の姿が映っている。香折が足を止めて鏡の中の私を見ていた。組んでいる腕を引き寄せ、私の体に自分の体を密着させてくる。

「こうやって見ると、私たちって結構いい線いってるよね」

私も並んだ私と香折の姿をじっと見つめた。香折は小柄だからちょうど頭ひとつ分私の方が高い。なるほど言われてみれば、二十歳近く年齢差のある二人連れには見えないな、と思う。昨夜「りょう」のママが言っていた若手俳優に我ながら似ているような気もする。自分の顔をこんな風にちゃんと見るなんてめったにないことだった。香折は店でずいぶんワインを飲んでいたから頬が赤くなっている。

「浩さんって顔は童顔だから、タイプは甘え系のはずなんだけどねえ」

香折が呟いた。

食事を奢られプレゼントまで貰って、何となく今夜の香折とのあいだには普段と違うちぐはぐさがあるなと私は思った。

「こんなところ瑠衣さんに見られたら、浩さん超ヤバだね」

「甘え系ねえ」

鏡の中の香折が笑っている。

渋谷駅の手前の交差点まで来て、私は時計を見た。ちょうど九時になったところだった。信号が青に変わって人の大波が駅に向かって進みはじめる。なぜか私も香折も立ち止まったままだった。

「香折、もう一軒行くか」

香折が頷く。

「でも、明日会社大丈夫か」

「そんなの平気だよ」

「そうか。じゃあ、今度は俺の奢りだからな。お祝いにもう一杯だけやって帰ろう」

「うん」

私は道玄坂の店に案内した。瑠衣を一度連れて来て、さんざん酔わせ、その夜関係を結んだ例の店だった。だが、以来瑠衣とは来たことがない。この店の椅子に座るとどうしても恭子のことが甦ってくる。酒に浸れるわけでもない。そんな場所に、付き合っている人を誘うのはルール違反だと思っていた。

カウンターに腰かけ、香折はカクテルを頼み、私はタンカレーのストレートを注文した。

「そういえばお前、バーテンやってたんだよな」

香折はカクテルグラスを目線まで持ち上げ、明かりに透かしている。

「まあね」

「じゃ、おめでとう」

「ありがと、浩さん」

グラスをぶつけて乾杯する。一口含んだあと香折は私の方を向いた。

「いつか、浩さんに一度だけ、私の一番好きなカクテルを作ってあげるよ」

「一番好きなカクテル、そんなのあるのか」

「あるんだな、これが」

香折は得意そうな顔を正面に戻し、ボトルの並んだ棚に視線を送りながら、染めた髪をゆっくりと掻き上げた。

「いつかっていつさ」

そうねえ、と考える素振りになった。

「私に一番いいことがあったとき」

「一番いいことって、どんなこと」

「さあ、それはわかんないけどね」

私は舌が痺《しび》れるようなジンの香りを味わいながら、

「香折が結婚するときかな」

と言う。

「どうかなあ」

「なんだよ、そういう前触れでもあるのかと思ったよ」

「てわけでもないけどね」

「なんか意味深だな。やっぱり卓ちゃんと一緒になるんじゃないのか」

香折はグラスをカウンターに置いて、

「卓ちゃんとは、もう別れようと思ってるんだ」

実にあっさりとした調子だった。

「どうして」

「だって、ほんとうに好きなわけじゃないもん」

「またそれか」

私がうんざりした声を出すと、

「あいつ恩きせがましいんだよ」

香折がいかにも彼女らしい冷たい声色で言った。

「この前も電話が来てさ、『言っとくけど俺は女には不自由してないんだ』とか平気で言うんだよ。『それでもお前のことが気になるんだ』だって。あげくに『俺がいくらお前に近づいても、お前の方は俺に全然近づかない』とか言うし。一番頭にきたのは、『お前がどんなトラウマ抱えているかは知らないけど、お前自身が殻に閉じ籠《こ》もって自分で自分を回復させようって努力をしてない』って決めつけたんだよ。私が薬なんか飲むのが堪《たま》らないんだって。『いつも俺の目の前で薬なんか飲みやがって』って怒鳴るんだから」

私は返事をせず、ジンを啜った。卓次の言っていることも分かるような気がした。ただ、香折に急速な自己回復を求めるのは酷だ。二十年の時間をかけて傷ついた心が、たかが一年や二年で癒《いや》されるはずはない。

だが、私が卓次について知っていることは少ないし、香折は私に彼のことを語るとき決まって悪口ばかりだった。これまでで香折が卓次のことを褒めたのはわずか三回だけだった。一つは、彼らのバンドがCDを出したときに「卓ちゃんのドラムはすごいんだから」と言ったこと。二つは「卓ちゃんは、ロスに留学して英語はぺらぺらなの」と言ったこと。三つ目は「卓ちゃんは、すごいセックスが上手《うま》いんだよ」と言ったこと。それでもこの二年、香折を精神的に支えてきたのは卓次だと私は思っている。春の連休にしろ夏の休みにしろ、彼女の誕生日にしろ、クリスマスにしろ、そして寒い正月にしろ、どこにも帰る家のない香折を守ってきたのは卓次なのだ。それに比べれば、私が彼女のためにやってきたことなど高が知れている。香折もそのことを認めていないわけではあるまい。私に悪口しか言わないのは、私という安全で新しい援助者の気を引くための、いわば彼女の他愛のない便法である。香折は誰のことも心から信じたりはしない。それは卓次に対してもそうだろうし、当然私に対してもそうだった。信じないからこそ、振り払われることのないように自身でも気づかぬうちに媚《こび》も売れば科《しな》も作る。そして、ささいな嘘をつく。

私は香折の部屋にある野球のグラブと軟式用のボールのことを思い出していた。二人が付き合いはじめた最初の頃、ある晴れた日曜日の朝、卓次が突然新品のグラブ二つとボールを持って香折の駒沢のアパートを訪ねてきた。びっくりしている香折を駒沢公園に連れ出し、卓次はボールの握りから投げ方まで熱心に教えて、香折とキャッチボールをした。「すごい変なやつと思ったよ」と香折は言っていたが、私はその話を聞いて卓次のことをおもしろい男だと思った。

香折はいまでもそのグラブとボールを大切にしている。電話が来て彼女の部屋に駆けつけてみると、ボールを握りしめベッドの上で膝を抱えて嗚咽していたこともあった。

「卓ちゃんは、もっと香折に自分のことを好きになってほしいんだろう」

私は言った。

「結局そうなんだよ。みんな自分勝手ばっかり。私のことをちゃんと見てくれなくて、すぐにわがままになっちゃうんだよ」

「彼は彼なりに香折のことをちゃんと見てるんじゃないのか」

「自分の都合のいいようにね」

「誰だってそんなものさ」

「浩さんはちょっとちがうよ」

「そんなことないよ」

「ううん。私には分かるもん。浩さんは特別な人だよ。私、家族って全然分からないけど、きっと家族っていうものがあるとしたら、浩さんはそういう人のような気がする」

「家族ねえ」

そこで私は香折の方を見た。

「お前、ほんとに卓ちゃんと別れる気なのか」

「そうするつもり」

その顔は真剣だった。私は何かひっかかるものを感じた。ついこのあいだまで、あれほど落ち込んでいた香折がいやにさっぱりしている。突き抜けたような白々とした明るさを全身に滲《にじ》ませている。今夜の彼女のすべてがどうにも奇妙だった。

8

五月二日、三日とかけて、私は自分の部屋で片づけをやった。寝室のクロゼットの奥に押し込んだボックスの中にひとまとめにしていた足立恭子にまつわる品々を整理した。連休後半の四日、五日は、瑠衣が私のところに泊まりがけで訪ねてくる約束になっていた。この連休、香折の方は会社の同僚たちとシンガポールに出かけていた。久し振りに心おきなく瑠衣と馴染めると思うと嬉しかった。だから、その前に恭子との思い出の品のすべてを処分しなければならなかった。瑠衣とのあいだも、例の一件が持ち上がったからには、そのままつづけていけるとは確信できなかった。であればなおのこと、彼女のために恭子の痕跡は消し去っておきたかった。

ボックスを開いたのは別れて以来、実に七年振りのことだった。恭子のくれたさまざまなプレゼント、たとえば時計は三つあったし、ネクタイは十五本以上あった。ほかにも手編みのセーターや手袋、私のために彼女が買ったスーツやジャケット、シャツやマフラー、一緒に買い物に行って揃えた数々のもの。二人で出かけた無数のレストランのカードや旅先の土産、それに私が恭子宛に何十通と出した手紙の下書き、恭子からもらったやはり何十通の葉書や手紙の束。さらに、二人が一緒に写った膨大な写真。私が恭子を撮った半裸の寝姿。恭子が撮影した私の起き抜けのぼやけた顔。どの写真の中でも私たちは笑っていた。数え上げればキリがない品々の山だった。

私は二日の日に秋葉原まで行って家庭用の簡易シュレッダーを一台買って帰った。カードや写真はそのシュレッダーで一枚ずつ裁断していった。シュレッダーは値切ると一万円程度で気抜けするくらい安価だった。

カードや手紙、写真を一枚一枚シュレッダーの挿入口に送り込むとき、私はそれでも、その度に手の中のものをしげしげと眺め、恭子との二年間の記憶を普段酔った頭で想起するよりはるかに強い生々しさで反芻《はんすう》せざるを得ないのだった。

風邪引きの一晩仕事を手伝ってもらい、彼女の住む団地で介抱してもらった。私はきちんと礼をする気だったから、その翌週、恭子に食事を御馳走することに決めていた。五日後には麻《あざ》布《ぶ》の小さな料理屋に彼女を案内した。テーブル席で向き合って様々な話をした。会社や仕事のこと、好きな映画や音楽、お互いの子供時代、学生時代——知り合ってすぐの男と女が大方話すようなことだ。俗に二度メシ、三度メシと言うが、私の場合は大体、二度食事を共にすればその相手と寝ることができた。最初のときにキスをして、二回目でホテルに誘う。それまで断られたことは一度もなかった。違ったのは恭子だけだった。料理屋を出て、私は六本木のバーに恭子を誘った。困ったなと思ったのは、恭子がまったく酒を受けつけないことだった。

「飲めないの」

と訊くと、

「私、アルコールは全然駄目なんです」

たまに、警戒心から飲めないふりをする人もいた。それでも向こうにその気があれば、二、三軒連れ回すうちに甘いカクテルくらいは口にする。酔わせればしめたもので、キスぐらいたやすくできる。恭子に対してもそんな腹づもりだったと思う。

だが、バーでも彼女はウーロン茶やジンジャエールばかりで、私が幾ら勧めても決して酒を口にしようとはしなかった。気安く語り合ってはいたが、どこか心に固い芯《しん》があるのを感じた。その場の雰囲気にもよるが、私はむしろ多少のアルコールで神経を研ぎ澄ますことができる方だった。夕方から付き合わせ、十一時近くになると、恭子は明らかに早く引き上げたい素振りを見せ始めた。そんなことも初めての経験だった。

この女は、親切にはしてくれたが、まったく自分に興味を持っていないのだ、という気がした。なるほど好きな男が別にいるということか、と思った。そう思ったとき我ながら奇妙なほどの失望が胸にきざして、なぜか無性に腹が立った。馬鹿にされているような気がしたのだ。

「きみ、さっきから時計ばかり見て、それって感じ悪いんだけど」

私は自分の腕時計を覗きながらそう言った。多分、かなり飲んでからだったと思う。

「ごめんなさい。私、時計見るの癖だから」

「どうして」

「さあ、多分、時間が好きなんじゃないかと思うんです」

「そうです。時間って正確で、少しずつ積もっていくでしょう。自分がその流れの中でだんだんに変わっていっているって感覚が、面白いっていうか好きなんです」

「何、それ」

「だから、時間ってなんだか自分の味方のような気がするんです。いつも寄り添ってくれていて、人間とちがって決して裏切ったりしないし、どんなに厭《いや》なことでも、時間が必ず解決してくれるような気がします」

「ていうことは、こうしてぼくと一緒にいるのも厭だけど、いずれそれも終わりになるから、やり過ごせばいいって思ってるってこと」

「そんなことないです。こうやって橋田さんと一緒にいるのはとても愉《たの》しい時間です」

「ふーん、愉しい時間と厭な時間ね。足立さんはどっちの時間がいつも多いの」

「そうですね。空白の時間ってのもありますけど、やっぱり愉しい時間の方が多いと思います。橋田さんはどうですか」

「そうねえ。よくその考え方が分かんないけど、あえて言えば苦しい時間の方が多いかな。ただ、その苦しい時間が堆積《たいせき》しているうちに、何か扉が開くような、そんな一瞬があるな。時間っていうより、ぼくはそういう一瞬一瞬の堆積が好きだ。そうした一瞬っていう感覚の方が、快楽や苦しみと直結している気がするけどね」

「へぇー、一瞬ですか」

「そう、なんだって一瞬のことだよ。時間は一瞬の数学的累積に過ぎないからね」

「私は全然そうは思いませんけど」

「何で。言ってることは似たようなものじゃない」

そこで恭子は私を見て、

「橋田さんって、ぼーっとしたりすることとあんまりないでしょ。いつも仕事仕事で時間に追いかけられてるばかりじゃないんですか」

と言った。

「そんなこともないよ。ぼくだってぼーっとすることはあるさ」

「そうかなあ。私にはそうは見えませんけど」

「それってぼくがまるで独楽鼠《こま》みたいで、余裕がないってこと」

「そうですね。仕事ほんとに忙しそうだし」

「だけど、たまにはこうやってきみとデートしたりもしてるじゃない」

「これってデートなんですか」

恭子は変な顔になった。

「ぼくはデートだと思ってるんだけどね。きみはそうじゃないの」

「そうですね。デートとはちょっとちがう気がするかな」

「何、それ。じゃあ何だと思ってるわけ」

恭子は考えるような表情になって言う。

「ただ、一緒にお食事をしたっていうことじゃないですか」

「そうか。まあ、この前のお礼に食事に誘ったわけだからね」

「そうですね」

私は、なんだかげっそりした気持ちになって、その後すぐに店を出た。まだ電車があるという恭子を地下鉄の出入口まで送ってそこで別れた。雨の日だったがすっかり止んで、十一月の冬空には星の幾つかが白く光っていた。キスどころの話ではなかったし、もうこれで二度と彼女と二人になることもないような気がした。

その二日後。出社すると私のデスクに一本の傘が立てかけてあった。恭子を案内した西麻布の料理屋で忘れてしまったもので、六本木に向かうタクシーの中で気づいたのだが、取りに戻るのも面倒でそのままうっちゃっておいた傘だった。私は総務課の恭子の席に電話を入れた。訊くと、

「昨日、帰りがけにお店に寄って取ってきたんです」

恭子は言った。私は礼を言って受話器を置いた。それからしばらく彼女のことを考えた。午後になって、もう一度内線で恭子を呼び出し、今夜また食事をしないかと誘った。彼女は少し間をおいてから「いいですよ」と答えた。

今度は会社から歩いて行けるステーキ屋に連れていった。「帝劇」の地下の店で、それぞれのカウンターが衝立《ついたて》で仕切られているのが女性を誘うに好都合だった。社の人間が出入りする店でもない。まずは傘の礼を言った。

「わざわざ取りに行ってくれなくてもよかったのに」

恭子は出された赤ワインを少しだけ口に含み、笑みを浮かべている。

「なんだ、やっぱりお酒飲めるんじゃない」

「そんなことないですよ。これ全部飲んだら倒れちゃうと思います」

「ふーん」

料理人が鉄板の向こうで帆立や海老を焼いてくれている。恭子は傘のことには触れず、じっと彼の手さばきを眺めている。

「ねえ、いまは愉しい時間、厭な時間?」

私は黙っている彼女に訊いた。

「そうですね。よく分からない時間かな」

「分からないって何が」

「だって、橋田さんとこんな風に二人で食事するなんて不思議でしょ。二日前にも会ったばかりだし」

「誘って悪かったかな。デートでもあったんじゃないの」

私は、どうにも気持ちが引けてしまう自身を感じていた。普段女の子と一緒の折にはそんなことはなかった。どうしてこの足立恭子に対しては相手の心の動きばかりが気になってしまうのだろうか。恭子の方は皿に置かれたバターたっぷりの焼き物をゆっくりと口許に運んでいる。

「足立さんの彼氏ってどんな人」

恭子はナプキンで口を拭《ふ》いて私を見た。

「そんな人いませんよ」

「嘘だろ」

「ほんとです」

「じゃあ別れたんだ」

「なんでそんなこと聞くんですか」

「そうねえ」

私も料理を口にする。ワインを一息で飲み干した。

「知りたいからかな。いまきみに好きな人がいるかどうか」

「どうして」

「ちょっとね」

恭子はひどく困ったような顔になっていた。

「いろいろ世話になったからかな」

私は慌てて言い足した。

「別にそんなにお世話なんてしてないですよ、私」

「そうでもないよ。看病もしてもらったし、傘だってわざわざ取りに行ってくれたじゃない。嬉しかったよ」

「橋田さんの方こそ、彼女はどんな方なんですか」

そこで私はどういうわけか、するするとほんとうのことを喋った。

「さあ、沢山いるから、何て言っていいか分からない。学生の頃から付き合ってる人もいるし、仕事先で知り合った人もいるし、それに女子大生もいるしね。その子は銀座の店でアルバイトしてて、つい最近知り合ったんだけどね」

「へえ、そんなにいっぱいの人と付き合ってるんだ」

「まあ、付き合ってるってわけでもないけど。時々呼び出して飯食ったり、セックスしたりするってとこかな。それにしたって忙しいしね。たまに時間ができたらって感じ」

肉はどうするかと訊かれ、私はロースを頼み、恭子はフィレを注文した。

「そういう時はいつもこんな風に食事するんですか」

「まあそうだね」

「じゃあ、この前の店も、ここも誰か彼女連れてきたことあるんだ」

恭子の言い方には微かな棘《とげ》が含まれているような気がした。

「そういえばそうかな。ああ、でもここはちがうかもしれない。この前の麻布の店は何人か誘った気がするけど。ここはぼくも三度目くらいだし。最初は大学時代の友達に連れてきてもらったから」

「覚えてないんですか」

「多分、女の子は連れて来なかったと思うな。はっきりとは覚えてないけど」

私は喋りながら、自分がなぜこんなに馬鹿正直に答えているのだろう、と怪訝な気持ちになった。

「橋田さんって案外無神経ですね。付き合ってる人たちが可哀そうみたい」

私は言葉に詰まってしまった。恭子は鉄板の端に並んだ肉をぱくぱくと口に放り込んでいる。いつの間にか彼女のワインも半分くらいに減っていた。それから互いに黙り込んだまま肉を食べた。

「だけど……」

恭子が口を動かしながら言った。

「橋田さんってすっごくもてるんですよね。うちの課の女の子なんかも、しょっちゅう橋田さんの話してるし。秘書室でも人気抜群でしょ」

「そうでもないと思うけど」

「嘘ばっかり。自分でもそう思ってるでしょ」

「まあね」

「橋田さんって刹那《せつな》的人間ですよね」

「えっ」

「この前も言ってたでしょう、どんなことだって一瞬でしかないって」

「だからって刹那的ってわけでもないさ」

「そうかなあ。私、会社の女の子たちがみんな橋田さんのことかっこいいって言うの、不思議だったんです。だって橋田さんみたいな人とほんとに付き合ったらひどい目にあうに決まってるから。まあ、みんなだって外見とか、橋田さんの人当たりの良さとかで無責任に噂してるだけでしょうけど。ほら、橋田さんって頭いいじゃないですか。だから誰とでもうまくやろうと思えばできるんですよね。気もつかえるし」

　私はこの恭子の言葉に小さな怒りが芽生えるのを感じた。私は子供時代から誰に対しても怒りを覚えないように訓練していたし、少なくとも怒りの感情を表にすることはなかった。怒りはそれだけでは愚かさでしかない。その怒りを実体にしたとき初めて、それは本物になる。怒りは人間を引っ張り上げる崇高な感覚であり、つまりは怒りの対象に向かって具体的な復讐《ふくしゅう》を行なったときにのみ、怒りは怒りとして結実し、私を何事においても脅《おびや》かされることのない存在にしてくれるのだ、と考えていた。だが、なぜか恭子のその言葉に、私は自分を剝《む》き出しにしたい気がしたのだった。

「どうして、ぼくと付き合ったらひどい目にあうんだよ」

語気がきつかったのか、恭子は瞬間竦《すく》むような姿勢になった。

「だって、橋田さんって誠実さが感じられない人じゃないですか」

「誠実さ？」

「ええ。私にはそう見えます。どんな小さなことにも計算を働かせているような気がします。点描画家みたいに、緻密で繊細に人生を描いているから、遠くで見ている分には綺麗だし、あきれるほどの努力も感じられるけど、でも近くに寄ったら、薄気味悪いっていうか……」

恭子は言った。そして、

「もし間違ってたらごめんなさい」

と付け加えた。が、その顔は不躾《ぶしつけ》な台詞とは裏腹に、いたって平然としたものだった。

「間違ってるよ、それ」

私は強い調子で言った。

「たしかに何事にも計算は必要だとぼくは思っている。だけど、計算しつくしたときに初めて人間には本来有り得ない、そのきみが言うところの誠実さなんてものも生まれてくるんじゃないのか」

「誠実さは計算なんかじゃ生まれたりしませんよ」

恭子ははっきりと言い切る。

「誠実さだけじゃなくって、どんな人間的感情も、計算からは絶対生まれないと私は信じてますけど。それに、その『なんでもの』って言い方自体がそもそも変です」

「じゃあ訊くけど、きみは誠実な人間なの」

「そうだと思います。その分、かえって誤解されたりもするけど」

「誤解って」

「たとえば馬鹿にされたり」

「どんな風に」

「お人好《ひとよ》しとか、軽い女とか、そんなことです」

私はため息をついた。

「それってぼくに対する皮肉」

「皮肉じゃありません。ただ、きっと橋田さんも私のことをそう思ってるんだろうなって」

「きみの言ってる意味がよく分からないんだけど」

恭子は残っていたワインを飲み下した。

「橋田さんだって知ってるでしょう。私のこと」

ふーっと彼女は息をついた。私には恭子の言っていることがまったく呑みこめなかった。

「知ってるって何のこと」

恭子はきょとんとした目で私を見た。頬が赤く染まっている。たしかに彼女は酒は駄目なのだと思った。

「ほんとうに知らないんですか」

私は頷いた。

「そんなはずないですよ」

「いや、ほんとにぼくにはきみの言っていることが分からないよ」

「それマジですか」

「ああ。いくらぼくが計算高くて不誠実でも、そんな嘘はつかない」

「そうなんだ」

「うん」

「じゃあ、明日にでも美穂ちゃんに聞いてみてください。私が話してもいいって言ってたって。そしたら分かりますから。どうせ社内中に聞こえてる話だし」

「うーん」

私はわけが分からず困惑していた。

「橋田さんって、結構遅刻耳なんですね。知らなかったってことは私、信じてあげます。なあんだ、橋田さんも案外迂闊なところあるんですね。私、ちょっと安心しちゃいました」

それからステーキを平らげ、私はガーリックライスを食べ、みるみる顔が真っ赤になった恭子はウーロン茶を何杯もおかわりした。

外に出ると、恭子は足元も不確かなほどよろよろとしていた。肩を支えタクシーに乗せ、恭子の住む団地まで送って、私は代官山のアパートに戻った。

時刻は十二時を回っていたが、私は恭子の言葉が気になってどうにもならなかった。迷った末に、受話器を取って渡辺美穂の家に電話をかけた。突然の電話に美穂は驚いていたが、私がさきほどの恭子との経緯を説明すると、「橋田さん、恭子と付き合ってるんだ」とまず美穂は言った。私は迷ったが「そうだ」と答えた。美穂の話は意外なものだった。恭子はずっと根本というエレクトロニクス技術部の次長と不倫関係にあったのだという。根本という名前を聞いても私には顔も思い浮かばなかったが、それで二人の関係はこの春にこじれにこじれ、本社地下一階の社員食堂で五月のある日、恭子は根本に平手打ちを食わせ、食堂は騒然とした雰囲気になった。恭子は泣き叫び、根本の方はほうほうの態でその場を逃げ出したのだそうだ。

「根本さん、そのせいで七月の臨時異動で長崎の研究所に異動させられたんですよ。橋田さんほんとに知らなかったんですか。社内中その噂でしばらくはもちきりだったんですから。恭子、離婚して一緒になるって根本さんにずっと言われてて、この二年間私が見ててもいじらしいくらい尽くしてたんです。それが急に向こうから別れ話持ち出されて、ちょっとおかしくなったんです。私もできるだけ注意してたんだけど、その日、食堂で根本さんが娘さんの写真を取り出して、こんど雙葉《ふたば》に入ったんだってみんなに自慢してるのを近くで見てしまって、それであの子キレちゃったんです。だけど、その一件で恭子の方も総務課じゃ白い眼で見られてて、やっぱりすごく辛《つら》いみたい」

私は電話を切ったあと悄然《しょうぜん》とした気分になった。玄関の傘入れにさしてあった恭子の取ってきてくれた傘を持ち出し、狭い部屋の中でそれを何度も開いたり閉じたりした。

翌日、私は再び恭子を食事に誘った。その日は扇谷のお供で宴席に顔を出すことになっていたが、体調が悪いと扇谷に断って、代わりの秘書を同行させたのだった。終業時間になって、私は地下の通用口で恭子が出てくるのを待ち構え、強引に連れ出した。恭子は迷惑半分戸惑い半分の様子で、タクシーの中でも一言も口をきかなかった。根本の経歴は人事部に照会して大体を把握していた。三十八歳で娘と息子が一人ずつ。東京工業大学大学院を卒業し、主に社の製造機器部門を歩いていた。人事考課はBマイナスで、技術職としては中程度の男だった。長崎へは単身で赴任していた。

私は曙橋《あけぼのばし》のすぐ近くにある小さな飲み屋に恭子を連れていった。カウンターとテーブルが五つばかりの十五坪足らずの居酒屋だった。そこの主人は遠山といって私の学生時代の一番の親友だった。遠山は数学科の出身で、私とはモダンジャズの同好会で一緒になった。大学院に進み、特異点の解析などをやっていたが、不意に大学を辞め進学塾の講師となり、二年前、二十八の歳に居酒屋を始めたのだった。四つ歳上のこぶつきの女房をめとり、いまはすっかり居酒屋の主人におさまっていた。

この店に女性を連れていくのは初めてだった。遠山も女連れの私にびっくりした顔をしていた。

恭子に遠山を紹介した。

「お前もとうとう年貢のおさめどきってことか」

彼が言って、恭子は何のことか分からない表情になった。

「恭子さん、橋田のことよろしくお願いしますよ。こいつ変に優秀な奴だから、きっと会社でも敵をいっぱい作ってるんでしょ」

だが、私が人と出会ってただ一人、自分よりも優秀な頭脳を持っていると感じたのがこの遠山だった。

「橋田、金は溜まってるのか」

遠山が茶化す。私が「もうちょっとかな」と言うと、彼は、

「結構かかるぞ、この商売も。俺だってあっぷあっぷでさ。計算は得意なんだが、金勘定は女房の方がずっとしっかりしてやがるんだ」

私は店自慢の焼き鳥をたらふく食べ、日頃は飲まない日本酒をぐいぐいと呷った。隣の恭子とはほとんど口らしい口はきかなかった。

店を出たときは呂律が回らないくらい酔っ払っていた。恭子はずっと呆れた顔のままだった。

「俺だって、苦しい時間ばかりじゃないし、ながれゆく時間に身を浸すことだってあるよ」

私は店のたもとの大きな柳に身を凭《もた》せかけて恭子に大声で言った。

「俺の夢はさ、中年になったらさ、あいつみたいに店でも持ってゆっくり暮らすこと。でも、あんな田舎くさい店は厭だな。ちっちゃなジャズバーで、とびきり旨い酒をみんなに飲ませてやるんだ」

恭子が真正面に立っていたが、酔いで視界が霞《かす》み、白いコートがぼんやり目に映るだけだった。

「これって究極の計算だろ。俺はそう思ってるけどね」

恭子が持っていた私のコートを着せかけようとする。冷たく強い風が吹き、柳の細枝がざわざわと揺れていた。

「でもね、一瞬一瞬だってやっぱり大切なんだ。どんな一瞬だって、決して負けちゃいけない。

すべてに全力を尽くすんだ。それでも人間、負けるときは負ける。足立さん、俺、あんたが言ったみたいに刹那的になんか生きていない。ただ、一瞬一瞬を、その次の一瞬がたとえ死であっても、絶対後悔しないように生きようと思ってるだけだ。そしてもし、こんな俺でも長生きできたら、あいつみたいにちょっとさ、ちょっとだけ自分のしたいことを自分に許してやろうかなって思ってるんだ。あいつはね、もう分かっちゃったんだよ。あいつ、やってたの数学だったからさ。自分の異常な能力も、そしてその限界も。俺はあいつが羨《うらや》ましい。俺にはまだその限界が見えないんだからな。でもみんなそんなもんだろう。扇谷だってそうさ。酒井だって、倉田だって、駿河だってみんなそうさ。あんた昨日、自分は誠実に生きてるって言ったよね。だけど俺だってちゃんと誠実に生きてる。あんたの目はまるで節穴だよ。他の馬鹿な女たちとおんなじ。不倫するのも勝手だけどね、人前で好きだった男殴るなんて、クルクルパーのやることだろ。計算しないことで生まれるものが、その程度のものだったら、そんなもの糞《くそ》食らえだって、渡辺美穂からあんたのこと聞いて俺は思ったよ」

恭子にコートを着せられ、私は彼女の肩を借りて歩いた。恭子は何も反論せず、小さな体で懸命に私を支えてくれていた。私は告げた。

「悪いけど、足立さん、家を出てくれないかな」

恭子が足を止める。私のもつれた足も止まる。どうして、という顔で恭子は私の顔を覗き込んだ。

「俺、物心ついたときには親父いなかったしね。ずっと一人ぼっちだった。おふくろは三日に一日は夜勤だったろ。優しくはしてもらったけど、あんなあったかな家庭は知らないで育った。

そのおふくろだって俺が大学を卒業するときに死んだんだ。あんなあったかな家庭にいる人間に、俺、説教なんかされたくないし、不倫したくらいでくよくよなんかしてほしくないしね」

「どうして、私が家を出なくちゃいけないの」

恭子が私の頭を持ち上げ、鼻先を私の鼻先にこすりつけてきた。

「そんなの単純さ。俺がいつもきみに一緒にいてほしいからだよ」

キスはしなかった。ただ、思い切り強く彼女を抱き締めた。

「人間は裏切っても、時間だけは何でも解決してくれるって言ったよね」

肩先で恭子の頭が縦に振れる。

「でもさ、人間だってまんざら捨てたもんでもないよ」

私は恭子を引き離し、彼女の瞳を見つめた。

「俺の計算ではそう出てる。これって最後の答えだろう」

恭子の唇に唇を寄せた。二人の吐く息が白く煙って、柔らかい膜のように顔のまわりを包み込むのが分かった。


ボックスが空になった頃には部屋に西日が射し込んでいた。窓の外に大きな太陽が浮かんでいる。セーターやスーツはゴミ袋に丸めて詰め込んだ。恭子に最後に書き送った葉書のコピーをシュレッダーに突っ込む。そして三年前に届いた恭子の最後の手紙は、中から香典袋を取り出して、まず封筒を裁断した。切手に捺された薄い「長崎」という消印の文字がじりじりと飲み込まれていくのを私はぼんやりと見送った。薄墨で「根本」と記された香典袋を開くと三万円が出てきた。まず、袋を広げて挿入口に差し入れ、それから少したためらったのち、一万円札も一枚ずつ送り込んでいった。

「遠山」

私は独りごちた。

「お前、なんで死んじまったんだよ」

息を引き取るとき、膵臓《すいぞう》癌で痩せ細った遠山はふうっと大きな息を吐いた。その光景が脳裏にありありと甦ってくる。なんでも時間が解決してくれる——恭子はいまでもそう信じて根本と共に生きているのだろうか、と私は思った。

9

眼前のちっぽけな砂浜を眺め、私はこの国のことを思った。

ペリー来航によって開国を迫られた幕府は、江戸湾のあまりの無防備さに泡を食った。急遽《きゅうきょ》数門の砲を据えるべく、この現在のベイエリアに台場を築いたのだった。その台場がこんもりと松や楢《なら》の繁る公園として、いますぐそこに見える。向こうは巨大なレインボーブリッジだった。無数のケーブルを支える橋脚の先端のライトが、五月の午後の明るい太陽の下で数秒ごとにチカチカと光っていた。

それにしてもせせこましい海である。そしてさらにせせこましく、多くの人々が浜に群がっていた。背後には高層のマンション群が立ち並び、陸橋でつながった貧弱なマリンハウスのエレベーターで浜に出るとき、その狭いアスファルトの中庭でサッカーに興じる子供たちの姿が目についた。

こうした環境で育つ子供たちの未来に一体何があるのだろうか。万事規格化された蜂の巣のような家に生まれ、人工的な、慰めにもなり得ぬ海を海と信じて彼らは大きくなっていく。そんな都会の子供たちに、この国を将来にわたって繁栄させていくだけの創造性や独創性が果たして身につくものだろうか。考えると暗澹《あんたん》たる気分になってくる。

百合さんとの待ち合わせは四時だったから、まだ少し時間があった。「お台場海浜公園」駅で降りた私は、浜に出る前、しばらく臨海副都心の凍結された開発予定地を見て回った。ひどい有り様だった。土地は虫食いだらけで、百合さんが夕方から試写会があると言っていたフジテレビの新社屋の隣はがらんどうだった。世界都市博覧会のために建てられたシンボルゲートともいえるテレコムセンター、そして通産省がニューテクノロジーの開発基地として精力を傾けたタイム24ビルも、周辺の荒涼とした更地の中で縮み上がって震えていた。

こんな半端な開発に投じられた莫大な資金のことを考えると、私はこの国の都市計画、さらには国家計画というものの未熟さに呆然としてしまう。

内務官僚出身の前都知事とは、扇谷と共に何度か食事をしたことがあった。その度に彼の臨海構想を聞かされたが、理路整然、東京西部・多摩ニュータウンから始めたその都市開発は、実に三十年の一貫性を保持していた。それをろくに都市行政など知りもしない一介の芸人がぶち壊しにしてしまった。十年にも及ぶ不況を考えたとき、この臨海開発は恰好《かっこう》の景気刺激策でもあり得ただろう。それを阻んだのは、都民の浅薄な悪代官意識でしかなかった。

前都知事は身ぎれいな人物だった。統治者として徹底的訓練を積んだ人間が蓄財や私利にこだわらないのは必然である。その意味で彼は立派な統治者の一人だった。扇谷や神坂良造に通ずる国事に身をささげる潔さが彼にもあった。その後継者で、これも優秀な前内閣官房副長官をなぜ都民は支持せずに、あんな暗愚な人物を選択したのか。私には信じられない現象だった。

私は国民を愚かだと思いはしない。海外に出張するたびに日本人はまだまだ優れた民族だと再確認させられる。だが、権力は表裏を逆転させて時に国民の目に映る。それは基礎がしっかりした建物だからこそ、その内装の方に目が行ってしまうことと同じだ。が、いまこの国は土台たるべきその建築物の基盤がゆるみ始めているのだ。敗戦直後同様に強力なリーダーシップが求められている。必要なのは聖人君子ではない。「決断と実行」を宣言して五十代で総理になった男がいた。たかが五百万円の鯉を庭池に飼っているというだけで、関連企業を使って莫大な政治資金を循環させているというだけで、秘書を愛人にしているというだけで彼は総理の座から引きずり下ろされた。わずかな瑕疵《かし》ではあったが、もともと最高権力者たるには不適格な人物だっただけだ。しかし、このはるか昔の一事件が民意の歪みを生んでしまった。

統治者に厳格な倫理観が求められるのは当然だ。そして、そういう適格者は今現在も常に存在するのである。ところがこの宰相のスキャンダルで商業的利潤を大いに得たマスメディアは、いまもって真の統治者の登場を阻《はば》みつづけている。無責任に世論を煽《あお》り、ついには数年前、底意地の悪い芸者の痴話をダシにして、一国の総理を解任にまで追いやったのだから。

消費を中心にした経済が陥るのは、より優秀な人間の感性を塗り潰《つぶ》し、俗で平凡な意識の集団に見合った生産物を大量に生産するという誤りである。そうした大量消費中心の生産方式が曲がり角に来て、もはや二世代は過ぎている。にもかかわらず、このちんけな人工海浜、そしてそこに群れる人々、それらを抱きかかえる荒廃した土地の広がり——私は、こんな風景ひとつとっても、この国の伝統も文化もそして文明も、成熟や爛熟《らんじゅく》を迎えることなしに、緩慢に無様に衰えていくような気がする。

四時五分前に待ち合わせ場所に指定されたボードストアの浜側の入口に立った。百合さんはまだ来ておらず、人で埋まったデッキ、ほとんど子供たちしかいない砂浜、白波ひとつない池のようなライトブルーの海面に浮かぶ緑や赤や黄色のブイ、その近辺を台場公園に向かって緩慢なスピードで辷《すべ》っている何人かのウィンドサーファーなどを眺めていた。浜には大きな看板がつっ立って、「花火　遊泳　ボート　釣り　バーベキューは禁止　お台場海浜公園」と下手くそな文字で書かれている。これだけの人垣とこの狭い浜では花火でもバーベキューでもあるまいに、と思う。

それでも平日ということもあって、日祭日よりは人の出ははるかに少ないのだろう。デッキに犇《ひし》めく親子連れやカップルの食べこぼしを狙ってか、さかんに鳩がやってくる。まるでどこかの住宅地の小公園のようだ。海上を舞うカモメよりも鳩の数の方がずっと多かった。

百合さんとはゴールデンウィーク中に会おうかとも思っていたのだが、結局瑠衣が泊まりがけで来て、世田谷公園を日中散歩したり、公園のそばのキムタクがよく利用するというレストランで一度食事をした以外は丸二日ベッドの上でじゃれ合っていたので、つい連絡しそびれてしまった。

瑠衣とは互いの体液がまざりあって酸っぱい匂いが部屋中に立ち込めるほど数多く交わった。

「あなたとこうなるまでの半年間、私はほんとうに辛《つら》かったわ」

瑠衣は、

「自慢じゃないけど、こんなに焦《じ》らされたのはあなたが初めてだった。だんだん自分に自信がなくなってきて、これまでちやほやされてばかりきたけど、案外私って魅力がないのかもしれないって思った。きっと、私なんかよりあなたの方が数段うわてなんだろうって。でも、付き合ってみたらそうでもなさそうだから、嬉しかった」

と言った。体がつながって初めて聞く言葉だった。

「それって、自分が健気《けなげ》っていいたいわけ」

私がからかうと、

「きっとそうね。何だか分からないけど最近あなた冷たかったし。会ってもくれないし。変な言い方だけど、捨てられちゃうのかなって怖かった。怖いとどんどんあなたのことばかり考えてしまって、視界がせばまっていくのが自分でも分かるの。嫌な女になっていくみたいで。だから、こうやってまた二人になれて、最初はちょっとびくびくしてた」

瑠衣は玉川の高島屋で揃えた食材を車に山と積んでやってきた。黒いパンツにベロアのシャツ、薄革のジャケットを羽織って、裸足《はだし》にスウェードのサンダルをひっかけていた。着替えは着物用の縮緬《ちりめん》の大きな巾着《きんちゃく》に詰め込んで手にぶら下げていた。その姿はほんとうにファッション雑誌から抜け出てきたようだ。車はスカーレット・レッドのプジョー306だった。荷物の積み下ろしを手伝うとき、後部座席に体をつっこんで大きな紙袋を取り出しているその丸い尻を見ながら、私は欲望が途端に強くきざすのを覚えた。部屋に上げるとすぐにベッドルームに抱きかかえていって、二時間以上、彼女の体を堪能《たんのう》した。久し振りだったが、一度馴染んでしまった女の体はすぐに湿り気を帯び、官能は深まることはあっても薄く間延びすることはない。瑠衣の上げる声はいつになく大きく、昼日中ということもあって、壁の向こうが少し心配になるほどだった。

二日目の昼、何度かの交わりが終わったあと、不意に瑠衣は生理になった。バスルームで後背位で交わり、ベッドの上では使い古しのバスタオルを敷いて交わった。生理一日目ということもあったのだろうが、瑠衣の感覚はさらに深く鋭くなり、一度など洗面所に立とうとして腰が抜けベッドから転げ落ち、したたかに尻を打ちつけて悲鳴をあげた。結局股《また》を開かせ、股間《こかん》をきれいに拭いて私がタンポンを挿入してやった。「なんだか、おしめ替えられてる赤ちゃんみたい」と瑠衣は恥ずかしがったが、「狭いトイレで中腰になってコレ入れるのって、人が見たらすっごい無様だといつも思ってた」と笑った。

「これからは俺がやってやるよ」

と言うと、瑠衣は「うん」と頷き、

「なんだかあなたには全部見られちゃったね」

はにかむようだったが、その瞳は波打つように私を見ていた。やはり度重なるセックスが彼女にそんな解放感を与えているのだろう、と私は思った。女性にはみんなそういうところがある。日頃、隠さなければならない場所が多いだけに、特定の男に開示してしまうと歯止めがきかない性癖があって、それは女の可愛らしさでもあり、お人好しの無用心さにも通ずるものだった。

六日の日、瑠衣とのセックスぼけを引きずって出社すると、駿河が寄ってきて「例の件はどうなったんだよ。もう一週間だぞ」と執拗な感じでせっつかれた。仕方なく、その夕方百合さんに連絡した。馴染み客に貰った試写券があって八日の六時からフジテレビで試写があるから、その前だったら時間が取れるということだった。その応対はいつになくそっけないものだった。ちょうど四時きっかりに彼女はやってきた。ボードストアの反対側の入口から入ってきたらしく、背中を不意に叩かれびっくりして振り返ると、百合さんのいつものきりっとした笑顔があった。

マリンハウスの広めのデッキには白いテーブルが置かれ、その脇の椅子に座って私は生ビールを飲み、百合さんはアイスコーヒーだった。

「こんな時間に呼び出して悪かったかな」

コーヒーを一口啜って百合さんは言う。

「平気ですよ。ぼくのいまの仕事はあってないようなものだから。二年ぶりくらいでここに来て、いろいろ参考になりました」

「そう」

百合さんは今日は洋服だった。最近は座敷の着物姿しか見ていなかったから新鮮だった。白いシャツにカシュクール風のニットを羽織って、伸縮素材のパンツを穿《は》いている。とても今年で四十一とは思えない。腹のあたりをそれとなく窺《うかが》ったが、妊娠の兆候は摑めなかった。

百合さんはデッキの先の芝生に寝転がって弁当を広げている家族連れや、ブルーのシャツに半ズボンの男がベージュ色のベビー服の赤ん坊を抱き、それをグレーのTシャツにジーンズの母親らしき若い女性がオートフォーカス一眼レフでさかんに撮影している様などをじっと眺めている。

私もしばらく黙って彼女の視線の先に目をやっていた。いつの間にかビールグラスは空になっていた。

「あの人に頼まれて来たんでしょ」

百合さんは若い夫婦から視線を逸《そ》らさずに言った。私は下を向いた。

「橋田君、私たちもなんだか歳取っちゃったね」

ほとんど口をつけていないコーヒーグラスをテーブルに置き、百合さんは私の方に顔を向ける。

「私もう四十。橋田君だって三十八だもんね」

「そうですね」

「あの頃は楽しかったね。ほら、一緒に四谷の英語学校に通ったりしてた頃」

「ええ」

「あれって幾つのときだっけ」

「ぼくが二十七で、百合さんが二十九」

「そっか。もう一昔も前の話なんだ」

「あんまり長続きしなかったですけどね」

「そうね」

百合さんは海を見やる。

「そういえばさ、橋田君と一緒に何度かドライブに行ったね」

「はい。鎌倉とか房総とか」

「そうそう。館山の方まで行って、おいしいお寿司《すし》おごってもらった。あのとき、橋田君、恭子ちゃんのことでしょげかえっていたのよね。へえ、橋田君でもこんなときがあるんだって、私、内心見直したんだよ」

「布良《めら》の港が見えて、大トロのあぶり寿司ってのを食いましたよ。高かったけど旨かった」

「相変わらずよく覚えてるね。私、忘れてた。そういえばそうだったかもしれない」

「百合さんには随分なぐさめられました」

「そんなことないよ」

私たちはその房総をドライブしたとき、帰りの車の中で一度だけキスをしたことがあった。

「橋田君」

「はい」

「私たちって友達だよね。同じ世代の同志。そう思わない」

「そう思いますよ」

「私、あなたとはこれからもずっと友達でいたいな」

百合さんが何を言おうとしているか私にはよく分かった。

「でも、駿河さん、ほんとに百合さんのこと好きなんだと思いますよ。それは信じてあげてもいいんじゃないですか」

百合さんがコーヒーのグラスを持ち上げ口に運ぶ。

「あなた、それ本気で言ってる」

私は迷った。私には演ずるべき役割がある。百合さんに「友達」と言われ、少し気が緩《ゆる》んでしまった。たしかに彼女は友達かもしれないと思った。だが、駿河は私にとってより重要な存在でもある。

「本気ですよ。もちろん」

　そこで百合さんは深いため息をついてみせた。

「それ、嘘だよ橋田君。きみだって長いあいだ私たちを見てきたんだから、そのくらいのことは十分わかってるはずでしょ」

　私は黙った。

「あの人、いまは怖いだけ。それだけよ」

「怖い？」

「そう。自分が扇谷ファミリーから離れてしまうことが。子供まで産ませた私を捨てて、社長の心証を悪くするのが、ただ怖くて怖くて仕方がないの。あの人昔からいつも言ってたわ。十年前に社長が社長になるとき、俺の他にも倉田さんだとか前島さんとか、自分よりずっと社長に近い人間がいっぱいいたって。それでも俺が生き残ったのは全部お前のおかげだって。分かるでしょう、その意味」

　その話は私もかつて駿河から聞いていた。「オヤジさんがほんとうに俺を信用するようになったのは百合と出来てからだからな」と彼はぽつんと洩らしたことがあった。

「あの人も馬鹿じゃないから。社長の性格はよく分かってるのよ。偉くなった人って可哀そうね。どんどん人を信用できなくなるんだから。社長だって、いまじゃ酒井さんとあの人、それにあなたくらいでしょ、本当に信用してるの。倉田さんも前島さんもいつの間にか外されたもの。倉田さんなんて叔母や私から見ても頭が下がるくらい社長に尽くしてたと思うわ。でも、もう社長も歳なのよ、身内しか信用できなくなってる。叔母もよくそう言ってるわ。昔、彼にあった鋭さみたいなものが段々なくなっているって。涙もろくて情に流されるようになってしまったって。叔母はそれでも、そういう社長がやっぱり好きで仕方がないみたいだけど」

なおも私が黙っていると百合さんは、

「あなたどう思う」

と訊いてきた。

「さあ、ぼくは身内じゃないですから。それに酒井さんもそうでしょう」

百合さんはほくそ笑むような表情になった。

「だって、酒井さんはずっと社長の金庫番だもの手放せないわよ。それに、あなただって付き合ってるんでしょう、社長の姪ごさんと」

「どうして百合さん知ってるんですか」

「社長がいつも叔母に言ってるんだって。橋田は本物の俺の身内にするって」

「そうですか」

私はその言葉を聞いて、嬉しいというより何か自分が一つの駒として取り扱われているような理不尽なものを感じてしまった。

「結局、たしかに最後は身内よね。私だって父と母を失って、この人だけはって思った男にあっけなく棄《す》てられて、でもそんな私を叔母は救ってくれたんだもの。あの人は要するに社長の身内になりたかったのよ。だから私とも付き合った。付き合ってずるずると引っ張ってきた。愛情なんかもうとっくになかったのよ。残ったのは打算だけ」

「それは、百合さん、ちょっと言い過ぎですよ」

私はそこまで駿河を計算高い男と思ったことはない。彼は彼なりに苦しみながら百合さんとの関係をつづけてきたことを私は知っている。

「そんなことないわ。結論はそう。言っとくけど、彼、あなたが藤山家の令嬢と付き合ってるって知ってものすごく嫉妬してたわよ。あなたのことをいつだって『隙のない油断のできない奴だ』って私には言ってたもの」

「男だったら、好きな女にはそのくらいのことは誰だって言いますよ。だからってそれだけが本当とは限らない。駿河さんはうちの会社では珍しいくらい線の太い人です。ぼくなんかとてもかなわないと思ってついてきました」

はあ、と百合さんはまたため息をついた。

「昔はそういうところもあったかもね。だから私も好きになったんだし。でもいまはもうちがうわ。彼は擦り減ってるだけ。まるで鉛筆の芯みたいに。臆病でそのくせずうずうしくなってるだけよ」

百合さんはますます遠くを見るような目になっていた。

「でもね、その臆病さも最初は純粋だった。私とのことだって奥さんにいつ見つかるかって怯《おび》えてて、そのうち、その日その日をぎりぎりで生きてる凄味《すごみ》が彼には出てきたわ。お互い会いたくて会いたくてどうしようもないわけでしょう。でも彼には妻もあれば家庭もある。だけどそれでも何とか時間を作って私のところへ来るのよ、びくびくしながら。そんないじらしい姿が女にはたまらないのよね。けどそれもマンネリになると、ただ厚かましいだけ。自分勝手で都合よくって。そういう彼が私にははっきり見えるようになってしまったの。そうなってから私思った。せめて彼の子供だけでも産もうって。叔母を見ててね、一つ不思議に思うのは、叔母が社長の子供を作らなかったこと。やっぱりあの世代の女は古風なのね。でも私たちはちがうでしょ。子供は私の子供。私一人の子として育てていくし、あの人に迷惑なんかかけるもんですか」

私はふと二年前にも話した父親のいない子供のことを話そうかと思った。だが、どうしてもその言葉が出てこない。長いあいだ百合さんと付き合ってきて、彼女が一時的な興奮や意地でそんなことを言っているのでないことはよく理解できた。

「歳になってくるとさ、男も女もどんどん簡単になっていくのね。退屈で扁平《へんぺい》になっていくの。私だって四十年生きてきて、なあんにも残っちゃいないの。あの人だってそうよ。もうあの人には出世しか残ってない。もともと大した才能があった人じゃないでしょ。あなたもそうかも知れないけど、頭が良くて体力があって、あとは偶然にうまくレールに乗れてるだけなんじゃないの。それだって終着駅がどこか分からないでしょ。たとえ終点まで行ったとしても、ありふれた幾つものレースにただ勝ちつづけたっていうだけよ」

そう言って百合さんは私の顔をじっと見つめる。

「ねえ、橋田君。男ってどうしてそんなに偉くなりたいの。一体その先に何が待ってるの。私、社長を見てってもそう思う。叔母がいなかったら、あの人きっとおかしくなってたわよ。二十七歳の一人息子を自殺までさせて。あの人の人生ってそれだけで取り返しのつかない失敗だと思わない。なのに、ああやって権力にしがみついている。私なんかには理解できない」

百合さんは腕時計を見て立ち上がった。私もつられて時計を見る。いつの間にか一時間近くが過ぎていた。ようやく浜の陽はかげり、涼しい風が海から吹きつけ始めていた。

「今日は、あんまり橋田君の役に立たなかったね」

百合さんが笑った。

私も立ち上がる。予想通り彼女に言うべきことなどなかったのだ、と私は思った。もはや駿河が別れると宣言しようが、悪し様に彼女を罵ろうが、彼女の決心は変わらないだろう。ほんとうに心を固めているのは駿河ではなく、彼女の方なのだから。

「じゃあ、私、試写会があるからそろそろ行くね」

「はい」

百合さんはそこで少し哀し気な眼差しになった。

「橋田君、あなたもあんな風になるのかな。あの人とか社長とか」

私は小さく笑う。

「私、こんなこと言ったら失礼かもしれないけど、あなたにはそんな風な男になってほしくないな。同じ世代として」

「さあ、分からないですが」

「あなたは、どこか違うような気がする。私の勝手な思い込みかもしれないけど。あなたはきっと他のことがちゃんとできる人のような気がするわ」

「そんなことないですよ。ぼくは駿河さん以上に平凡で退屈な男です」

「つまらないわね、男って」

「そうですね」

「そう。女もつまらないけど」

それから百合さんは不意に表情を硬くした。

「橋田君、私、いまがぎりぎりなの。どうしても子供産みたいの」

私は黙っているしかなかった。

「そんな『自分のことばっかりこの女は考えて』って顔しないで。私だって気が弱ってるんだよ。橋田君が恭子ちゃんに振られたとき、励ましてやったじゃん」

「そうでしたね」

そこで私は、初めて素直な自分の気持ちを言おうと思った。

「百合さん、なんにも怖がることなんかないですよ。きっと世界一いい子が産まれるから」

百合さんの瞳が幽かに潤むのが分かった。彼女はもう一度時計を見て、

「じゃあ、橋田君、フジテレビまで送って」

そう言って私の腕に手をからませてきた。

「はい」

それから高架橋を渡りフジテレビ本社前まで来て、別れる段になったとき、強い風に髪を気にしていた百合さんがふと思い出したように言った。

「そういえば、来週、宇佐見さんが来るわよ」

「え」

私は声を高くしてしまった。

「そのことは駿河さんには言いましたか」

「言うわけないじゃない。もうあの人とは逢《あ》う気もしないわ」

「社長は知ってるんですか」

「さあ、叔母から聞いているんじゃない。でもどういう風の吹き回しかしらね。もう三年も御無沙汰してたのよ」

「相手は誰だか分かります」

「それは分からないわ。ただ、わざわざ本人が電話してきて三人分の予約を入れたんですって」

「来るのはいつですか」

「来週の水曜日、十三日の日かな」

「その晩、ぼく『鶴来』に行っていいですか。彼らが帰った頃を見計らって行きますから。誰と一緒だったか、悪いけれど確認して教えてください」

百合さんは私のにわかに慌てた様子に不審そうな顔をしたが、

「いいわよ、それくらい」

「じゃあ十時前には行きます。水曜日」

「ええ」

「じゃ。今日はすみませんでした」

「ううん」

私は手を振る百合さんに手を振り返しながら、こんな風に彼女と会うことももう二度とないのだろうという気がした。そういえばいま何ヵ月目かも訊かなかったな、と思った。いずれにしろ年内に彼女は子供を産み、ひとりの人間の親となる。さきほど狭いマンションの中庭でサッカーをしていた少年たちのことを思い出した。百合さんの子供は父を知らず、神楽坂のあの「鶴来」の五階で育っていく。それでも、きっと折り目正しい立派な子供になるだろうと私は思った。なんといっても母親が百合さんなのだから。

帰りの「ゆりかもめ」の中で、私は百合さんが最後に言った宇佐見の件を考えた。なぜ宇佐見が扇谷の牙城《がじょう》ともいえる「鶴来」にわざわざやって来るのか。三年前といってもそれは宇佐見も参加した宴席でしかなく、以来彼が「鶴来」を訪れることはなかったし、また現在の両者の関係からしてそんなことを宇佐見がする理由が知れない。他愛のない話のようであるが、これは異様なことだと私には思えた。一体、宇佐見は何を目論《もくろ》んでいるのか。一緒に来るというあとの二人は誰なのか。私はかねてから気になっているメモのこともあって釈然としなかった。とにかく六月半ばの株主総会を乗り切れば、宇佐見派は一掃される。四月末の扇谷を交えた四者会談のあと、これといった動きは見えなかった。だが、まだ何かが底流で蠢《うごめ》いているらしき厭な予感が、私の胸中に泡立つように湧き上がってくる。

10

微かな音が鳴っている。ゆっくりと水の中を浮上していくような感覚があって、水面に達したところで目が開いた。闇の中で音ははっきりと高く、せかすように鳴り響いていた。私はそれでもぼやけた意識で、おかしいな、と思う。すぐそばで何かが動く気配がして、はっと我に返った。電子音はつづいている。ベッドから起き出しそのまま立ち上がると、窓の外の薄明かりをたよりにクロゼットを開いた。紺の上着の胸ポケットから携帯を取り出して通話ボタンを押す。

瑠衣がシャワーを使っているとき、一度は電源をオフにしておこうと考えたのだった。それを、大丈夫だと思い直した。その記憶がくっきりと甦る。もともと今夜瑠衣を泊める予定ではなかった。やはりどんなことにでも気を抜いてはいけない。

寝室から居間に出て、すでに回線の繋《つな》がっている電話機を耳にあてた。居間の掛け時計の針は午前一時を回っている。

「もしもし、橋田ですが」

「もしもし」

香折の声だった。先月の二十九日に会ってからこの十日間、一度の連絡もなかった。初めての給料を貰って香折は昂揚《こうよう》していた。その浮かれぶりが胸に引っかかったのだが、以来何の連絡もないので、私自身も気持ちの片面をふくらませ、彼女もうまくやっているのだと思い込もいのだから。

うとした。が、それは案の定、甘い観測だったようだ。香折がそうそううまくいくはずなどな

「どうしたんだ」

背中の寝室のドアに気を配る。

「浩さん、また何か送りつけてきたみたい。どうしよう。怖いよ。私どうしたらいいか分から

ない、怖いよ、浩さんどうしよう」

香折の方は相当に取り乱しているようで、受話口からきんきんと声が響いてくる。

「とにかくまあ落ち着くんだ」

私は声を落とし、居間のソファへ移動した。ソファに腰をおろし腹に少し力を込める。

「荷物が届いていたのか。それとも不在通知でも入っていたのか」

「荷物は来てない。私だって今帰ってきたところだから。そしたら不在通知が一階の郵便受け

に挟み込んであったの」

「差出人の名前は」

「中平って書いてある。親にきまってる」

「そうか……」

私は憂鬱《ゆううつ》な気分になった。また香折の母が何か送りつけてきたのだろう。もう二度と香折と

は接触しないよう、クリニックの分析医を通じて両親には伝えたはずだ。今年一月のことだっ

た。その時は、医師が直接香折の両親と面談し、娘との一切の交渉を当分のあいだ絶つように、

もし緊急に伝えたいことがあった場合でも医師を通じて連絡するようにと十分に説得し、両親

も同意したはずだった。当然ながら電話や郵便も禁じられている。

私は再び時計を見た。午前一時二十分。泊めている瑠衣のことが気になる。やはり瑠衣は家に帰すべきだった。だが、香折のところに行かないわけにもいくまい。仕方ないな、と内心で呟く。

「分かった。いまから車でそっちに行く。それまでじっとしてろ」

私が言うと、香折はすこし安心したような声になった。

「うん、お願い、早く来て」

「ああ」

了解して電話を切った。ソファから立ち上がり寝室のドアを開けた。ベッドサイドに立って瑠衣を見下ろす。よく眠っている。その肩を揺すって声をかけた。居間の明かりが枕元まで届いて、瑠衣は少しまぶしそうに目を細めた。

「電話が入ってね。情報提供者からで、どうしても今から会いたいと言ってきた。新宿なんだけどちょっと行ってくる。たぶん朝方までには戻れると思う。悪いね」

瑠衣は寝ぼけ顔だったが、

「うん。でも気をつけてね」

と言う。

「大丈夫。別に変な相手じゃないから」

私がクロゼットから背広を取り出していると、瑠衣は「エイヤッ」と一声出して起きてきた。寝室の明かりを灯《とも》し、着替えを手伝ってくれる。ネクタイも選んでくれた。ほんとうはスーツで出かける必要もないのだが、と私は思う。髪の乱れた瑠衣の寝起きの顔を眺め、気が咎《とが》めるのを感じた。

「コーヒーでも淹《い》れようか」

「いや。ちょっと急ぐから」

「そう……」

「すまない」

「そんなことない。お仕事なんだから。でも、あなたの体のことが心配」

「大丈夫だよ。それにすぐ戻れると思うから。もうひと眠りするさ」

そう言って私は瑠衣のおでこにキスをした。瑠衣が私に抱きついてくる。すぐに自分から体を離すと、

「朝御飯、一緒に食べようね。私、おいしいの作るから」

「ああ」

白いパイピングのあるベージュ色のシルクのパジャマ姿が可愛らしかった。玄関まで送ってもらい、私は部屋を出た。時計を見る。一時半だった。駐車場で車に乗り込みエンジンをスタートさせる。計器パネルのデジタル時計をまた見ている。午前一時三十二分。私はひとつため息をついた。香折との関係をうっとうしく思う。そんなことは初めてだった。あいつとの付き合いは、いつもこんな風に追い立てられてばかりだ、という気がした。それでも高円寺まで時間にして約三十分、何とか二時までには着きたい。アクセルを強く踏み込んで車を発進させた。日曜日明けの深夜ということもあって道はがらがらだった。加速をつづけながら、私は瑠衣

や香折について考えていた。昨日の朝、瑠衣が突然電話してきた。土日は仕事だと言っていたのだが、日曜日の予定が消えたから訪ねてもいいかという連絡だった。香折のことが少し気にかかったが私は承諾した。香折にはこの部屋の鍵を預けているから、瑠衣を部屋に入れるとい
つ何時、二人が鉢合わせしないとも限らない。それでも瑠衣の声を聞いた瞬間、私は無性に彼女に会いたくなってしまったのだ。瑠衣は昼前には着いて、ミートパイを焼きサラダを作ってくれ、ワインで乾杯した。彼女は料理が得意のようだった。その前の連休も手料理を食べさせてくれたが、どれも抜群に旨かった。食事をすませ自然にベッドに入った。瑠衣の反応は回数を重ねるたびにますます深まっていくようだ。

「なんだか、あなたとは離れられないような気がする」

ベッドの中で瑠衣は呟き、それから不意に、

「私、家を出て部屋を借りようと思ってるの」

と言い出した。

「どうして」

瑠衣は私の胸に顔をのせてくる。

「そうしたら、いつでもこうやってあなたと会えるでしょう。どこかあなたの会社の近くに小さなマンションでも見つける。それだったらあなたも便利だし、私の会社だって近いし」

瑠衣の家は瀬田にある。彼女は兄二人のあとの末娘で、兄たちはすでに結婚し独立していると聞いていた。

「だけど、きみが家を出てしまったらお父さんとお母さんがさびしくなるだろう」

「いいのよ。もうこの歳まで十分親孝行はしたんだから。それよりあなたと少しでも一緒にいたいもの」

私は、足立恭子のことを思い出していた。恭子も私が家を出るように頼むと、すぐに親を捨てた。

「実は、もう幾つか物件をあたってるの。一つとてもいいところがあって、お茶の水なんだけど、あなたの会社になら地下鉄で一駅なの。案外静かだし、部屋も新しいの。すぐにでも入れるって言ってるから、それにしようかと思ってるの」

「家賃はどのくらい」

「管理費入れて十七万くらい」

「結構高いじゃないか」

「でも、お部屋も広いし、十二階で眺めもいいのよ」

私は困った気分になった。瑠衣ともこれからどのくらい付き合うか分からない。三日前に会った百合さんの言葉が浮かんでくる。扇谷が「本物の俺の身内にする」と言っていた話だ。あのときの妙な違和感が戻ってくる。彼女は所詮、扇谷の姪なのだと思う。私が黙ったままでいると、

「ねえ、今度一緒にお部屋見に行ってくれないかな。あなたが気に入らなかったらまた別の探すし」

恋は女のために用意された特殊な情熱である——という誰かの言葉が胸をよぎった。同時に、そういえば俺は毎月、香折の部屋代に四万円の出費をしているのだ、とも思った。

「なんだか、俺のためだと思うと悪いような気がするね」

「あなたのためじゃない。私のため」

瑠衣はすがりつくように私に体を重ねてきた。

結局、私は部屋を借りてくれとも、借りるなとも言わなかった。ただ、その話を聞いて夕食の後、瑠衣に帰ってほしいと言えなくなってしまったのだった。

環七を真っ直ぐに進み、方南町の交差点を越えた。まだ一時四十五分だった。この分なら香折の部屋に確実に二時前には着ける。それにしても、と今度は香折のことを考えた。どこまで愚かな親たちなのだろう。自分たちがわずかでも接触することが、あれほどの恐怖と怯えを娘に招いてしまうことを彼らはどうして理解できないのか。まあそんな親だからこそ娘を虐待し、また兄の妹への異常な暴力を十年近くにわたって放置してきたのだろうが。

母親からの手紙や小荷物が香折のもとに届いたのは、私が香折を知ってからのこの十ヵ月で例の商品券の一件も含めてこれで四度目だった。

去年、香折が東高円寺のマンションに引っ越して二週間くらい経った頃だったろうか、やはりいま同様に私は深夜の電話でそれを知らされた。

その時の香折は電話の向こうで泣きじゃくり、まともに口がきける状態ではなかった。彼女の部屋に出向くと、ドアが開いたとたん真っ赤に目を腫《は》らした香折がしがみついてきた。郵便物は引っ越し前の駒沢のアパートから転送されてきたものだったが、母親の便箋《びんせん》二枚の手紙、それに現金で五万円が速達の印の押された白い封筒に入っていた。文面は変哲もないもので、経営している塾に生徒があまり集まらないから、もしかしたらやめてしまうかもしれないだとか、自分も更年期なのか一日中頭痛がして困っているだとか、祖母が心臓発作で先日入院したが、ようやく退院できただとか、そういう内容だった。ただ、一ヵ所、

「あなたには本当に迷惑をかけたと思っています。隆則は、この前病院を替えて診断を受けたら、分裂症ではなく鬱《うつ》病だと言われました。いまはリチウムをずっと飲んで、とても穏やかにしています。早く正しい診断をしてくれていたら、と思います。あなたには一番の迷惑をかけ、取り返しのつかないことをして、ほんとうに申しわけないと思うのですが、良い面も悪い面も、先祖から受け継いだものとあきらめるより仕方ないのかもしれません」

という部分があって、ここを読んで尚更《なおさら》香折は感情を制御できなくなってしまったのだった。香折の口からいままでさまざまな話を聞いてきたが、母親美沙子の幼児期の香折に対する虐待も相当のものだったようだ。父親の隆一は海外赴任が長く、女性関係もあって、家庭を顧みる余裕をまったく失っていた。

「私が、母や兄にどれだけひどい目にあってきたか、あの人が気づいたのは私がやっと高校生になってからだよ。それまでの十五年間、あの人はそんなことに何の関心も払わなければ、母と話し合ったこともなかったと思う」

香折は一度聞いた同じ話を私に繰り返した。手紙は結局、私が預かることにした。しかし、このときの香折の反応は深刻だった。彼女は私の目の前で一万円札五枚をびりびりに引き裂き、しかもゴミ箱に入れるのは汚らわしいと言って、台所のシンクの中に千切った紙幣を積むと、サラダ油を垂らして火を点け、燃やし尽くしてしまったのだ。

「ああ消えてしまいたい」

香折はそう何度も叫ぶようにして、

「橋田さん、私を殺してください。私なんかこの世の中にいない方がずっといいに決まってるんだから」

紙幣を燃やしたあと向き合うとそう言った。表情からするとある程度冷静さを取り戻していたが、それでも言っていることは尋常ではなかった。部屋にはベッドのほかには引き出しが沢山嵌《は》まった背の低いテーブルが置かれているきりで、私たちはその白いテーブルを挟んで腰を下ろした。

私が煙草を取り出すと、香折は立ち上がって黄色い硝子の灰皿をテーブルに置いた。「殺してくれ」とまで言いながら、香折のそうした気の回し方はいつも通りだった。それが逆に私を不安にさせた。香折は話しながら右手でさかんに左手首の裏を引っ搔いたり、短いスパッツからでた白い股《もも》をつねったりしていた。私が煙草を吹かすと自分にも一本くれとせがみ、渡すと火を点け、一口二口煙を吐き出し、

「ほらっ」

といっていきなり左の手の甲に煙草を押しつけてみせた。私は慌てて払いのけた。

「ぜんぜん熱くなんかないよ」

ケラケラと香折は笑った。そして不意に長袖のシャツの左袖を捲くり上げ、腕の裏を私の鼻先に突き出してきた。

「よおく見て」

私がさらに目を近づけると、ひじのところどころに小さな窪《くぼ》みのような傷が点々とあった。

遠目にはわからない程度の薄い痕跡だった。

「小さい頃から母は機嫌が悪くなると、こうやってよく煙草の火を私の腕や足の裏に押し当てたの。熱さなんて覚えてないけど、母はきまってそんなことをしたあと人が変わったようにやさしくなって、水で冷やしたり、薬を塗ってくれたりするの。それだけはよく覚えてるわ。すごく嬉《うれ》しかったってことも。でも、しばらく経つとまた同じことをするのよ。中学になったら、今度は兄からも徹底的にやられたし」

そして今度は短いスパッツの右股のあたりを見せた。そこもよく観察すると小さな丸いひきつれのようなものが幾つも散っていた。

「ねっ。兄には中・高とこんなことを四六時中されてた」

私は煙草を灰皿でもみ消した。

「だから、根性焼きなんて全然大したことないよ」

香折は微笑んでみせた。私はただ黙っていた。

「だけどね、ほんとうは、そうでもないんだよね」

「何が」

喉が渇いて自分の声がしゃがれていると私は思った。

「橋田さん」

香折はさらにはっきりとした笑顔を浮かべた。

「知ってますか。暴力って慣れないんですよ。いくら殴られても、殴られるたびに痛いの。ほんとにそうなの。だから、母や兄からめちゃくちゃ殴りつけられるたびに、私、土下座してどうか許してくださいって泣き叫んでた。顔や頭を殴られると学校に行けないから、お願いですから腕とか背中とかを殴ってくださいって、自分から取りすがって頼むんだよ。なのに母も兄もそんな私を見て薄笑いを浮かべて、私が嫌がるところを集中的に殴りつけてくるの」

それから香折の表情が一変した。目つきが何か一点を見つめているように尖《とが》り、急にまくしたて始めた。

「何がいまになって迷惑かけただって、笑っちゃうよ。この前も言ったけど、『お兄ちゃん絶対ヘンだよ。病院に行って診てもらった方がいいよ』って私が何べん言ったと思ってるんだよ。でもアイツらは全然知らんぷりで、自分の兄のことをそんな風に言うあんたこそヘンだって、私を精神科に連れていったんだ。分裂じゃなくて鬱病、馬っ鹿じゃないの。あれだけ放ってれば治る病気だって治るはずないじゃん。大体、アイツを病院に連れて行ったんだってつい最近なんだから。畜生、どいつもこいつもふざけやがって」

香折は不意にテーブルの灰皿を摑むと、思い切り床に投げつけた。灰皿は鈍い音を立てて転がり、吸い差し二本と灰が飛び散った。私は黙ってティッシュを箱ごと取って、何枚か抜くとそれらをきれいに拭《ぬぐ》い取った。

じっと私の手元を見ていた香折は、一度深く息をついて、

「ごめんなさい」

と呟き、ゆっくりとした口調で、「私が家を出たきっかけは、兄に首を絞められて失神してしまったからなんです」と自分の過去を詳しく語り始めたのだった。

その夜の香折の話で記憶に焼きついたものは多かったが、殊《こと》に私を驚かせたのは次のような

ものだった。

高校二年生だったある秋の日の深夜、香折は庭で隆則が何かを燃やしていることに気づいた。庭に下りてみると、それは自分のセーラー服だった。その光景にはさすがに香折も逆上し、兄に掴みかかっていった。隆則は香折を押し倒し馬乗りになって彼女の首を絞めた。香折の悲鳴に、その日たまたま帰宅していた父親が慌てて隆則を制止したが、香折は失禁し、すでに意識を失っていた。信じられないことだが、この事件で初めて父親の隆一は長男による娘への暴行の事実を知ったのだという。

「翌日、私服で学校に行って、父が学校まで迎えに来ていて、もうお前は家には帰るなと言われて、それでその日のうちに私、父が勝手に探してきたアパートに移ったんです」

香折は物心ついてから、母親に抱かれた記憶が一度もないという。お風呂にも一緒に入った覚えがないと。兄が苛《いじ》めを受けたのをきっかけに不登校となり、妹に暴力を振るうようになってからは、学校から帰ると彼女の部屋はいつもめちゃくちゃにされていた。「毎日泥棒に荒らされてるみたいだった」と香折は言った。

「でもね」

そこで妙な含み笑いがその顔に浮かんだ。

「私、兄がほんとうに気が小さな人だなあって思ったのは、ある日、部屋を荒らされたとき、当時、私二千ピースのジグソーパズルをやっていて、モナリザのパズルだったんですけど、千ピースくらいまで仕上げてあったんです。そしたら兄はそのパズルだけは触っていなかったんです。引き出しも箪笥もぐちゃぐちゃになった部屋で、そのジグソーパズルだけ何事もなかったようにポツンと置かれていて、それを見て、ああ、この人はほんとうに気が小さな人なんだなあって思いました」

こんなことも香折は言っていた。

「毎日、兄に部屋を覗かれてたから、カバンでも机の引き出しでも、元あったところに物がないと、私、覗かれてるってすぐ気づくんです。元あった場所とちょっとでもズレてるだけで分かってしまうんです。ずっと自分の部屋に鍵がなくて、何もかも全部、母と兄に見られていたんです。男の子とかから貰った手紙でも自分の書いた作文でも、全部覗かれてた。引き出しを抜いて、その奥によく物とかみんな隠すじゃないですか。でもそこも全部見られているんです。だから、私が見つけた場所は天井裏。天井板を上げて、屋根板との境目の狭くて暑苦しい場所が私の唯一の隠し場所でした。学校から帰ってくると兄が私の机を漁《あさ》っているでしょう。ある日早く帰ったらたまたま兄を見つけて、そしたら見つけられた兄がきちがいみたいになって、逆にめちゃくちゃ殴られました。結局、その天井裏も一週間で見つかって、それからは兄の煙草置き場にされてしまった。悔しくて復讐《ふくしゅう》したくて、私、兄が一番ショックを受ける言葉を探したんです。そしてそれを書いた紙を、その煙草置き場に置いてやったんです。

『童貞野郎！』

って。兄は紙を見つけて、またきちがいのように私を殴ったけど、殴られながら『やったね』って思ってました」

和田堀橋を越えたあたりでにわかに渋滞しはじめた。香折のマンションまで残り一キロ足らずだろう。ゆっくりと進む車窓から道の両脇に並ぶ商店やビルを眺め、今度は昨年十二月のことを思い出していた。あの時も母親が荷物を送りつけてきたのだった。転居したことは実家に知らせないように私が勧めたので、香折もそうしていた。しかし、香折の母親はどういう手段でか香折の新住所をつきとめていた。おそらく就職先であるサントリーにでも照会したのだろう。さすがに会社にまで所在を伏せておくわけにもいかず、香折は引っ越しと同時に新住所を届け出ていた。自分の居所を知られてしまったことで、この時の香折の受けた打撃は七月以上だった。自分からカウンセリングが受けたいと言いだした直接のきっかけもこの一件だった。

十二月に母親が送りつけてきたのは小荷物で、香折が学校から戻ると郵便局の配達通知書が郵便受けに入っていた。彼女から会社に電話があって、私は仕事を早々に切り上げ、南阿佐ヶ谷駅出口横のミスタードーナツで香折と落ち合った。通知書を見るとたしかに差出人が「中平」となっていた。二人で阿佐ヶ谷郵便局に荷物を取りに行った。

香折の顔は過度の不安と緊張に青ざめきっていた。荷物を受け取り、その場で開封した。大きな紙の手提げ袋だった。ガムテープでとめてあった口を開くと、膨らんだ黒いビニール包みとチョコレートらしき小箱が入っていた。ビニール包みの中からは真っ白なセーターが出てきた。「MADE IN NEWZEALAND」というタグがついたアンゴラのセーターだった。手紙が添えてあり、最近塾の仲間たちとニュージーランドへ旅行した時に買ってきたもので、早めのクリスマスプレゼントだと思ってほしい、と書かれていた。香折に読むかと手紙を差し出すと、私の語った内容で分かったから自分は母の筆跡も見たくないと言った。ほんとうは他にも大切なことが記されていたが、私はあえてそれは教えなかった。この手紙も現在私の手元にある。香折には伝えなかったが、手紙には以下のような一節があった。

「香折さん、病気のことについて知らせておきます。私の父は四十歳の頃、重いノイローゼになり、ずっと寝ていました。心を病むと身体も参ってしまうそうです。ちょうど大学が夏休みの二ヵ月で治ったのですが、私が幼稚園くらいで、突然大声で怒鳴ったり、暴れたり、夜外へ飛び出したりして、とても恐かったのを覚えています。虎の門病院で治療を受け快癒しました。ただ、その後も自分で変になりそうと思うと、トランキライザーをのんでいました。最近知ったのですが、父の叔父が若くして妻子を残し、鉄道自殺したそうです。病は一代おきに出る、ともいうそうで、三代さかのぼればどの家にもあると言われていますが、だから隆則に出たのかもしれません」

この手紙で、私は香折の祖父が大学の教師であったこと、また隆則につながるある種の血脈が香折の母方に流れていることを知ったのだった。

郵便局を出てからは二人で阿佐ヶ谷駅まで歩き、近くの小さな釜飯《かまめし》屋に入った。焼き鳥と釜飯を食べたあと、私がトイレに立っているあいだに香折は包みを開き、セーターを膝の上で広げていた。

「着てみるか」

そう言うと香折は首を振った。

店を出て、南阿佐ヶ谷駅まで引き返す途中、香折はゴミ捨て場に母からの送り物を紙袋ごと放り投げた。

「ちょっと勿体《もったい》ない気がしないでもないな」

私の言葉に、香折は厭な顔をした。

「ヤギさんも気の毒だな」

「えっ」

「だってせっかく刈られた毛で出来上がったセーターなのに、即ゴミ箱行きじゃあね」

「アンゴラって山羊《やぎ》なの」

香折が「私は羊とばかり思ってた」と言った。

「アンゴラは山羊だよ。兎にもアンゴラうさぎってのがあるけど、あのセーターは長毛の山羊の毛だ。モヘアとも言って珍重される」

「へー、そうなんだ」

師走《しわす》の夜風はさすがに冷たく、歩きながら香折は私の腕に自分の腕をからめ身を寄せてきた。

「浩さんってほんと物知りだね。何でも知ってるし、こうやって郵便局にもついて来てくれるし。卓ちゃんとは大違いね」

「俺さ、小学生のとき計ったIQが百九十もあったんだ。山口県で一番でさ、ジョン・スチュアート・ミルと同じIQだって担任の先生に褒められたよ」

「ジョン、何？」

「スチュアート・ミル。イギリスの経済学者でマルクス主義に対抗する改良主義哲学を考えた人だ。まあ知能指数なんてその程度のものさ。いくら高くたって、年月を経ればいずれは誰にしろ人々の記憶から忘れられていく」

「ふーん」

香折は「浩さんて何でも知ってるね」と繰り返した。

「でも、今日は付き合ってくれて本当に嬉しかった。私一人だったら、どうかなってたと思う」

南阿佐ヶ谷で地下鉄線に入り、私は香折と同じ新宿方向の電車に乗ることにした。南阿佐ヶ谷から東高円寺まではわずか二駅だったが、香折とすこしでも一緒にいてやりたかった。

「卓ちゃんとは上手くいってるの」

「そうね、まあまあ。最近は二人で私の部屋でファミコンばっかやってるの。この前、思い切ってプレステも買っちゃった」

「そうか」

東高円寺に着くと、香折は「どうもありがとうございました」と相変わらずの他人行儀な挨拶をして電車を降りていった。このときも一度も振り返らなかった。きっとこれから卓次が部屋に来るのだろう、と思いながら、私は彼女の背中を見送ったのだった。

11

二度チャイムを鳴らしても出てこないので、多分そうではないかと思っていたら、やはり香折はベッドの上でぐったりと横になっていた。私が入ってきたのに気がつくや、焦点の定まらない目つきで睨《にら》んでくる。どうせまた薬を大量に飲んだのだろう。分析医には内々で、致死量に達する薬剤は出さないよう依頼しておいたから心配はないとは思うが、それでも頭のいい香折のことだ、医師をうまく騙《だま》して薬を溜め込んでしまっている可能性もある。

それ以上に不安なのは刃物を使った自殺だった。香折は以前こんなことを言ったことがあった。

「手首なんか切ったって死ねないから、首を切ればいいんだよ。お風呂に入って体をあっためて、血行を良くしてから頸動脈《けいどうみゃく》を切ったら、あっという間にきっと死ねるよ」

そして、私の手を取って自分の首筋に導き、「ほらね」と脈打っている頸動脈を触らせたのだった。そのときの彼女の細い首のなめらかさと、とくとくと血の流れている感触は、いまもこの指先にはっきりと残っていた。

付き合い始めて最初の頃は、こんなことも言っていた。

「とにかく、自分が消えてなくなりたいって思うんです。橋田さん、そんな風に思ったことありません？　どこか知らない土地に行って、新しい自分になって生きようなんて絶対思わない。自分のことがほんとうに厭だから死にたくなるんです。そんなときって、死ぬのが素晴らしい楽園に行くことのような気になるんです。ずっと昔、中学くらいの頃から、いつもどうやって死のうかなあって考えてて、ほら、スズランの花って毒があるっていうでしょう。スズランにはほんのちょびっと毒があって、だから部屋中にスズランの鉢を敷きつめて、それで部屋を閉め切ったら死んじゃうって——そういうのキレイでいいと思いません？　この話、高校の頃に友達から聞いて、ずっとそうやって死にたいなあって憧《あこが》れてきたんです。でも、このあいだ大学の図書室で植物図鑑を眺めてたら、スズランの毒は根っこにあるって書いてあって、すごいがっかりしちゃいました」

私は、すっかり薬に酔っている香折に不在通知の伝票を出すように言った。香折は仕方なさそうに立ち上がり、隣の部屋に行って伝票を持ってきた。化粧も落とさず服装も紺のプルオーバーのシャツの上に襟の大きな麻地の白いジャケットを羽織ったままで、その上着が皺だらけになっている。伝票を受け取って確認すると、デパートの高島屋からの配送物で、たしかに差出人が「中平」となっていた。荷物の種類は書いていなかった。香折は再びベッドに倒れ込むようにして横になった。

「とりあえず、この伝票は俺が預かるよ。悪いけど免許証も明日一日貸してくれないか。そしたら、俺が荷物は回収しておくから。中村先生の方にも荷物を確認した段階で俺から電話を入れておく。もし差出人がきみの両親だったら、これはルール違反だからね。先生からきみの両親に連絡してもらって、もう二度とこんなことをしないようにきつく言ってもらうようにするから」

中村というのは九段のクリニックで香折のカウンセリングを行なっている医師の名前だった。

「とにかくこの件は俺がやる。もうきみは忘れてくれ。結果はちゃんと明日報告するからね」

香折はベッドに横たわって返事ひとつしなかった。私は立ったままその顔を覗き込む。感情の消えたうつろな顔だった。

「分かった？」

強い調子で念を押すと香折はこくりと頭を動かした。

「どのくらい飲んだんだ」

「睡眠剤を三つと安定剤を四つくらい」

「飲み過ぎじゃないのか」

香折は答えもせず、眠そうに欠伸《あくび》をひとつした。

「しょうがないな」

私は上着を脱がせ、首飾りやイヤリングを取って、体にタオルケットをかけてやる。

「ごめんね、浩さん」

掠《かす》れた声で香折は言った。寝室を見回し五個の目覚まし時計のアラームをそれぞれオンに切り替える。香折は薬のせいで遅刻することを恐れ、入社以来、時計を五つも揃えて部屋のいたるところに置いていた。赤い針はどれも七時半をさしている。もう二時過ぎだ。これからだと五時間程度しか眠れない。不眠は人間の精神を破壊する最もてっとり早い手段である。香折は現在軽度の鬱《うつ》病と睡眠障害と診断されているが、問題なのは睡眠障害の方だった。

目を閉じて静かにしていた香折が不意に口をきいた。

「卓ちゃんとは別れちゃった」

「そうか……」

「よかったんだよね、それで」

「どうかな」

「だって好きじゃなかったんだもん、仕方ないよね」

この前会った時そう言ってはいたが、私は香折が卓次とほんとうに別れるとは思っていなかった。たとえ愛していなかったとしても、香折は孤独を癒し、自らの精神の平衡を維持するために誰かを必要としている。である以上、新しい男でも現れない限りは卓次と切れることはあるまいと考えていた。

「私には浩さんがいてくれるもんね」

香折が目を開いた。目尻から小さな涙がこぼれる。私は上着のポケットからハンカチを出して涙を拭ってやった。この子はまだ人を心から好きになったりはできないのだ、と思う。

私は一度、香折に訊いたことがあった。きみが一番やりたいことって何かな、と。もしそういうものがあれば、それを一生かけて追い求めていくこともできる。そのことによって自分の自我を改めて作りだすことだってできる、と私は考えたのだった。しかし香折はしばらく思案して、予想もしなかったような答えを口にした。

「自分がやりたいことっていうと、『愛されたい』っていうことかな。それだけだな。愛されるっていっても、別に誰かに深く愛されることじゃなくてもいいんだ。そうじゃなくてみんなに愛されるってことでいい。好きだって思われるみたいな……。結婚してないといろんな人が好きだって言ってくれるから、いいよね。結婚するともうそんな風に誰も言ってくれなくなっちゃうだろうし」

この香折の言葉に私は一瞬鼻白んでしまった。

「でもね、『愛される』っていうのは、自分が能動的にやることとはちがうだろう。誰かから貰うものであって、そのためにはまず誰かを真剣に『愛する』ことが必要じゃないのか。何かしたいことって言うことなら、『誰かを深く愛したい』って考えないといけないんじゃないか」

そう言うと、香折は笑って、「だけどそんな人どこにもいないし、私なんかを深く愛してくれるような人なんているわけないじゃない」と言った。

香折はまた目を閉じた。しばらくすると、濁った寝息が聞こえ、胸が苦しそうに上下動を始めた。薬のせいだろう。ベッドサイドで寝顔を見ながら、こいつはこれからずっと生きていけるんだろうか、といつもながら不安になる。

「私、いま死んだら、お墓はやっぱり中平のお墓に入ってしまうんでしょう」

あるとき訊かれて「たぶんそうなるね。まだきみは結婚していないんだから」と答えると、香折が唇を嚙み締めて「それだけは絶対に厭だ」と言い切ったことがあった。香折が自殺を思い止まっている大きな理由の一つはこの墓の問題だった。

「遺書には『決して同じ中平の墓に入れないでください』って書いておくつもり。そのために一生懸命バイトして貯金もしてるんだし」

繰り返し彼女はそんなことを言ってきた。その度に、

「いま死んでしまったら確実に同じ墓に入れられる。そうならないためにも、好きな男を早く見つけてその人の家に入らないとね」

と私は答えてきたが、生きつづける理由がそんなことでしかない香折の現実に、どうにもならない無力感を覚えることも再々だった。昨年十二月に届いた荷物に添えられた手紙の中で、彼女の母親はこう書いていた。

「早く結婚してくれて、その男性にあなたを任せられると安心です。一緒にいて本当にくつろげ、安心できる男性を早く見つけて結婚して欲しいと思います。親が子を愛するように、欠点も全部ひっくるめてあなたを愛してくれる相手が現れればいいのですが」

私もさすがに、この「親が子を愛するように、欠点も全部ひっくるめてあなたを愛してくれ

る相手」という一行には唖然としたものだ。年中ヒステリーを起こし、香折に数限りない虐待を行ってきた女が、いまさら何を言っているのだと思った。そのために香折がどれほど傷つき、疲労困憊《こんぱい》してしまっていることか。どれほど人間不信に悩んでいることか。

香折は小学校時代も中学時代も遠足や修学旅行にはほとんど行かせてもらえなかったという。母親が許さなかったのだ。その口実はひどいものだった。たとえば小学生時代は、

「部屋が汚い」

というのが理由だった。部屋が汚いのならそれを片づければいいのだ、と香折は遠足の前日徹夜で自分の部屋の掃除をした。一睡もしないまま、きれいになった部屋を母親に見せて、

「これで遠足に行ってもいいでしょう」と問うと、母親は本棚の本の並べ方が悪い、窓が汚れているなどと偏執的な目で隅々を点検し、

「どうして、あなたは自分の部屋ひとつ満足に片づけられないの！」

と怒鳴りつけた。

「それが小学校三年生のときだった」

と香折は言った。それでもその日は、遠足に行くことができた。

「そしたら、お弁当の中に私が嫌いなうずらの卵が沢山入っていたの。それでどうしても全部は食べられなくって、何個か残して家に持ち帰ったら、母がうずらの卵だけ残った弁当箱を私の目の前に持ってきて、『なんで私がせっかく作ってやった弁当を残すんだ』って、私の口許を引っ張って無理やり食べさせようとするの。泣いて逃げ回ったら凄い顔で追っかけてきて、体中めちゃめちゃに叩かれて死んでしまうかと思った」

幼児の頃から始終「お前は臭い」、「きたない」と母親にののしられ、幼稚園児のときは一日中水風呂に漬けられたことが何度もあった。食事が済むたびに歯が汚れていると言われ、目覚まし時計を洗面所に持ち込まれて、一時間きっちり毎晩歯磨きをつづけさせられた時期もあった。

どうして母親にこんな仕打ちを受けたり、殴られたり蹴られたりするのか理由が分からなかったが、きっと自分は母が許せないほどに生まれついてだらしないのだ、と香折はずっと思っていたという。その後も、様々な母親のいいがかりで彼女は遠足にも修学旅行にも結局それ以来、ただの一度も行くことができなかった。

「とにかく、母にとっては何でもいいんです。いつも勝手に私の部屋に私がいないときに入って、引き出しでも簞笥でも全部引っ繰り返して、たとえばティーンズ雑誌なんか見つけたら、『これは何だ！　お前はなんて下劣なんだ。お前の目つきはいやらしい。お前の父親とそっくりだ！』って殴りつけてくる。後で分かったのは、ちょうどその頃、父に最初の愛人ができてて、滅多に家に帰って来なかったからかもしれないけれど。ほんとに何でもいいの。夜おなかが空《す》いて、カップ麵《めん》なんか食べて、それをそのまま自分の部屋の机の上に残しておいたりすると、朝、母が見つけて、頰とか顔の真ん中とか思いっきり殴られた。学校に行く途中、鼻血がひどくなって保健室でずっと寝てたことも何度もあったし、『その痣どうしたの』とか担任の先生に聞かれて答えの仕様がなかった。そのときは小学校五年で、担任の先生がとても優しくて、女の先生で、巻田先生って名前いまでも覚えてるけど、さすがに変に思って、一度母を学校に呼んだんです。でも当時、母は有名な私立女子高校の英語教師だったから、結局巻田先生も母の言いぐさに丸めこまれてしまって、その晩遅く帰ってきた母は、私をつかまえると『この裏切り者、お前は親を売るような娘だ』って、おなかとか背中とか、服を着たら分からないところばかりを集中的にものすごくぶたれて、体中痣だらけになってしまいました。でもそのことがあってからは、母は世間体とかすごく気にするから、あんまりひどく私を殴りつけたりしなくはなったんです。母って東女で首席だったのが唯一の自慢の人で、ずっと教師をやっていたけど、父の浮気のことがあったから、それでいつも家にいられる塾を開くことにしたんだと思います。だけど、私にとっては、母が巻田先生のおかげでひどい暴行を加えなくなった小五から小六くらいのあいだが、いま思うと一番幸せだったような気もする。中学に入ったら、今度は高校生になっていた兄が急におかしくなって、とても口では言えないようなことされたりして。

でも、こんなのっていまだから喋ったり、考えられるのかもしれなくて、当時はやっぱりどうして自分がこんな目にあうのか、いつどんな悪いことを自分はしたのか、って何度も何度も思って、『あなたは悪い子だ』と母に言われるたびに悲しくて悲しくて、毎日布団に入って泣いてばかりいて、ほんとに自分みたいな人間は死んだ方がいいんだって本気でずっと思っていたんです」

香折は深い眠りに入ったようだった。もう寝息も澄んで、胸の上下動もなくなっていた。薬を沢山飲んでいるから、七時半に起きるのは大変だろう。時計を見ると午前三時を過ぎていた。私はポケットに入れた伝票をもう一度確認すると、ベッドの脇から立ち上がり、寝室の明かりを消して部屋を出た。瑠衣はきっと起きて待ってくれているだろう。そろそろ引きあげた方がい。

狭い玄関で靴を履いているときだった。

目先のドアの鍵穴がガチャガチャと音を立て、私が靴を履き終わって立ち上がった途端に扉が開いた。不意に現れたスーツ姿の若い男と面と向かって、私は自然に身構え、両の拳《こぶし》を握りしめていた。瞬間、その男が隆則ではないか、と思ったからだった。男の方も面食らった表情で私を見つめ、体が固まっていた。色白でふっくらとした頬、黒縁の眼鏡をかけ、青いボタンダウンのシャツの上に濃紺のスーツを着ている。キリンの絵柄が散った黄色いネクタイを締めていた。右の手に白いビニール袋を提げている。二十七、八といった年齢か。だが、攻撃的な匂いはその男からは嗅《か》ぎ取れなかった。

「あの……」

先に口を開いたのは男の方だった。じっとその場からみじろぎせずに言った。

「橋田さん……ですか」

私が首肯すると、急に男は表情を緩め白い頬に少し赤みがさした。

袋を下に置き、やはりその位置のまま上着のポケットから名刺入れを取ると、一枚抜いて差し出してくる。

「香折さんと同じ会社で働いている柳原《やなぎはら》といいます。橋田さんのお噂はかねがね香折さんから聞いております」

受け取った名刺には、「サントリー株式会社　首都圏営業本部　企画業務課　柳原慎太郎」

とあった。私も名刺を出して彼に渡した。渡しながら足元のビニール袋の口を覗く。パンやソーセージ、牛乳といった幾つかの品物が見える。

「入ってもいいですか」

柳原に言われ、私は彼と入れ替わる形で玄関に降り、彼の方はそそくさと部屋に上がった。身長は百六十五センチくらいか。私よりずいぶん低かったが、よく見るとがっちりとした体軀《たいく》をしている。

「きみのことは香折さんからは聞いてないんだけど」

互いの目線が同じ高さになって、私は柳原の顔を正面から見た。うっすらと顎から頬にかけて髭がのびている。彼のスーツ姿といい、香折の服装といい、二人は昨日曜日、一緒にいたのだろうと私は思った。柳原が合鍵を持っていたことからして、その関係は容易に想像がついた。なるほど、と納得できる。香折が卓次と別れたのはこの同僚と付き合い始めたせいなのだ。

「香折さんとは課は違うんですが、研修のときにぼくが彼女についたもので、それで知り合いになって。橋田さんにはまだぼくのことは話してないって、さっき会ってたときも彼女言ってましたから。急に現れてきっとびっくりなさったでしょうね」

口調といい言葉づかいといい、なかなか如才がなかった。

「彼女から一時間くらい前に自宅に電話貰ってね。荷物の件で興奮してたから心配になってやって来た。きみがいるんなら別に来ることもなかったんだが、彼女、何にも言わなかったものでね」

そこで柳原は頭を下げた。

「すみません。ご心配おかけしてしまって。ちょっとその荷物のことでぼくが彼女を怒らせて、それでここを出たもんですから。いったん自分のマンションに戻ったんですがやっぱり気になって、電話も繋《つな》がらないし、こうやって出直して来たんです」

母親から荷物が届いた以上、彼女は親からの連絡が恐くて当然電話線を抜いただろう。が、入社する前に購入した携帯の方はオンにしてあるはずだ。私への電話も携帯を使ったにちがいない。柳原はちょうど私と香折が話している最中に電話したのかもしれない。それで慌てて戻って来たとも思えた。私の姿を見て余り動じた風に見えなかったのは、私が来ていることをある程度察していたせいではないか。

「香折さん、ちょうど眠ったところなんだが、きみには悪いけど、やっぱり彼女本人に確かめておくよ。名刺一枚ではどうもね。きみには事情が分からないかもしれないけど」

「いえ、その方がいいと思います」

柳原はいとも簡単にそう言った。私は、あらためて靴を脱ぎ部屋に上がった。柳原の脇を抜け寝室に向かう。隆則でないことは多分間違いないが、それでも一抹の不安が残る。なにしろ私は隆則の姿を見たことがない。名刺にしろ合鍵にしろ多少の無理をすれば誰だって拵《こしら》えることはできる。

すっかり眠り込んでいる香折の肩を揺すった。なかなか目を醒《さ》まさない。私は無性に自分が苛《いら》つくのを覚えた。

「香折、柳原という人が訪ねてきてるぞ。上げていいのか」

その言葉に、香折は目を開き、すぐに半身を起こした。

ぼんやり私の顔を眺め、それからはっとした面相になった。

「いま？」

「ああ。もう玄関にいるよ。何か朝飯の材料でも買ってきたみたいだけど、そういうことでいいわけだな。俺は何もお前から聞いてなかったからな」

自分でもうんざりした口調になっている。何が「私には浩さんがいてくれるもんね」だ、と思う。卓次と別れたのは案の定、次の男が現れたからではないか。

「俺はもう帰っていいな」

香折は戸惑った様子のままではある。

「こういうことは、事前にちゃんと言っておいてくれ。まあ、俺の話は彼にもしていたようだけど、急に名前を言われて面食らった。荷物の件は、とりあえず明日俺がやっておく。今晩はあの眼鏡にまかせていいんだな」

寝室の外では物音ひとつしない。柳原は居間にも入らず玄関で待っているのだろう。やけに落ち着いた男だ、と私は思った。香折のこういうくだらない隠し事に辟易《へきえき》する。ポケットからキイ・ホルダーを取り出した。この部屋の鍵を抜いて香折に突き出す。

「これ、返しておくよ。あいつにも渡してるんだろう」

香折はかつて卓次には合鍵は渡していないと言っていた。そのこともこうなると信用できない気になってくる。無理矢理、彼女の掌に鍵を握らせた。

「男ができたんなら、そう言えよな」

香折は黙り込んでいる。その態度がまた私にはどうにも苛立たしかった。

「俺の鍵も返してくれないかな」

香折はベッドに座ったままだ。

「とにかく返してくれ。連絡はお互い携帯で取れるんだから。また困ったことがあったらいつでも来てやるよ」

ゆるゆると立ち上がり、香折は隣の部屋に行って私のマンションの鍵を持ってきた。受け取るとポケットに放り込み、

「じゃあな」

と言って部屋を出た。やはり柳原はそのまま玄関で待っていた。

「どうも、ご迷惑かけました」

律儀にふたたび頭を下げる。

「ぼくと彼女のことは少しは聞いてるんだね」

「はい。さっき喧嘩したときも、橋田さんの名前が出ましたし。ずっと彼女の面倒を見てくれていたそうで、申し訳ありません」

「別にそんなことはいいんだけどさ」

私はこの柳原という歳に似合わず慇懃《いんぎん》な男にも気持ちが尖《とが》ってくるのを感じた。

「じゃあ、あとはきみに頼むよ。例の荷物の件は俺の方で処理しておくから。分かってるよね」

「はい」

「彼女の家庭のことも多少は聞いてるの」

「はい。橋田さんにそのことでこの半年以上ずっとお世話になってきたって、彼女すごく感謝していました」

「そうか。だったら、結構大変だってことはきみは承知してるわけね」

「そのつもりです」

「いつからなの」

「は？」

「だから、彼女とはいつから付き合ってるの」

「三月の入社前研修が最初だったんですが、本当にお付き合いをはじめたのは、四月に入ってからです」

「あ、そう。悪かったね、ぼくはきみのこと知らなかった。まあ、彼女が言わないんじゃ分かるわけもないけどね」

「気にしないでください。ぼくからも謝ります。ぼくも一度、橋田さんとはお目にかかってちゃんと話をさせていただきたいと思っていたんです」

「そうだね。ま、今日はこんな時間だから、とりあえず俺は引き上げるよ。こんどあらためて二人だけで話をしよう。分かった」

「はい。分かりました」

「彼女だいぶ薬飲んでるから、朝はちゃんと起こしてやってくれ」

「そうします」

「よろしく頼むよ」

私は靴を履きなおし、玄関のドアを開けた。香折は寝室から出てこようともしない。それも内心で腹が立っていた。

「じゃあ」

そう言ってドアを締めようとしたとき、

「橋田さん」

と柳原が声をかけてきた。

「これまでいろいろとお世話になりました。もうご心配かけないように努力します」

お世話になりました——その言葉を頭の中で反芻した。おいおいと思った。

「きみさあ」

私は腹に力がこもるのを止められなかった。

「いま幾つさ」

「二十八ですが」

「そう」

「どうしてそんなことを」

柳原が初めてわずかに感情を露《あらわ》にした。

「いや、ずいぶん落ち着いてると思ってさ。ちょっと感心したもんでね」

「どうもありがとうございます」

腕時計を見る。三時半になろうとしていた。

「じゃ、また」

マンションの玄関を出ると、私の車の横に、来たときにはなかった青いローバーが一台駐《と》まっていることに気づいた。柳原の車なのだろう。私がいま乗っているのはベンツCクラスの220だ。二年前まで使っていたEの190をちょうど下取り価格が一番高値だった時期に買い換えたので、軽い出費で手に入れた二台目のベンツだが、私はこのCも気に入っていた。色はアズライトブルー。隣のローバーと同じだった。そんなことさえいまは不愉快に思えた。私は乗り込むとシートベルトもせずに車を急発進させた。

12

差出人が「中平」となっていた配送物は、受け取ってみると香折の会社の上司からの香典返しだった。彼女の上司は小暮という名前だったが、亡くなったのはその上司の妻の父親で、その姓が偶然にも「中平」だったのだ。香折は葬儀には参列せず、香典だけ同僚に託したから、そのことを知らなかった。香折の部屋を訪ねた当日、早速大森にある高島屋の配送センターで荷物を受け取って中身を確認すると、私はすぐに会社にいる香折に連絡した。香典返しのお茶のセットだったよ、と告げると、香折は電話口でも分かるほどの安堵の吐息を洩らした。

翌々日の五月十三日水曜日は、瑠衣と二人でマンションを見に行った。新御茶ノ水の駅を出て五分とかからない背の高いビルの十二階で、窓から淡路公園の小さな緑が見下ろせた。周囲はホテルや企業の本社ビルばかりだが、こんな都心にしては部屋の中は物音ひとつしなかった。十五畳ほどのリビング・ダイニングがあって、それに十畳の寝室がついている。三畳くらいの衣装部屋もあった。内装も新しく、瑠衣によると、もともと二年前に事務所ビルとして建ったのが、この不況で借り手がつかず、急いで上層階を住居用に改築したのだそうだ。駿河台の学園地区や神田の書店街も目と鼻の先で、ビルの隙間からニコライ堂の尖った屋根がわずかに見えた。

「これで十七万なら、掘り出し物だね」

昼時の明るい日差しが部屋を照らし、日当たりもよかった。

「でしょう」

「ああ」

瑠衣は窓を全部開け放ち、温《ぬく》もった床に足を伸ばして座った。手招きされて私も隣に腰を下ろす。

「ここにしてもいい？」

瑠衣が私の肩に頭をのせてきた。

「何かプレゼントしなくちゃね」

これからしばらくはこの部屋に通うのか、と思う。夜景はなかなかに見事だろう。会社にも近い。夜を過ごして、ここから出社したりもするのだろうか。

「いつから」

「早ければ来週の半ばには引っ越ししようと思ってるの。いまの仕事も今週で一段落つくし、一日休暇を取って移ってこようかなって」

「ずいぶん急だね。お父さんやお母さんには話してあるの」

「母には、先週話はしたの。父にはこれから」

「お父さん、反対するんじゃないのか。大事な末娘だし、一人暮らしは心配だろう」

「大丈夫。父は結局は折れるんだから。留学だって最初はすっごく反対してたけど、私、押し切ったし。今度だってそう。あなたのことは叔父を通じて知っているから、むしろ喜ぶかもしれない。父の会社だって、ここなら歩いても十五分程度の距離だから、たまには帰りに遊びにきたりするんじゃないの」

風が出てきて瑠衣は立ち上がると窓を閉めた。外光を背負って長い髪が透け、まるで赤い柔らかな輪郭で半身が包み込まれたように見える。

「気に入った？」

私は瑠衣を見上げて頷いた。瑠衣が隣に戻ってくる。私は彼女の肩を引き寄せ口づけした。

「これで一緒にいられる」

唇を離すと瑠衣は私の胸に体をおさめてそう言った。

「息がつけなくなるくらい、ずっとずっとあなたと一緒にいたい。こんな気持ちになったの生まれて初めて」

髪を撫で、もう一度キスをした。

「そうなればいいね」

私は言った。

瑠衣と別れ、会社に戻った。今夜は「鶴来」で宇佐見たちが密会することになっている。彼が誰と来たかを確かめるために、十時過ぎに百合さんを訪ねることにしていた。宇佐見がなぜわざわざ扇谷の本拠地に乗り込んで来るのか、その意図が連れの二人の顔ぶれで分かるような気がする。怪文書に関わる一応の調査が終わってからは、これといった仕事はなかった。駿河によれば、六月の総会後すぐに私は特車部門に回ることになる。経営企画室に保存されているこの二十年ほどの特車関係の取引資料などを引っ張り出し、自分なりにデータ化したりしながら最近は時間を潰していた。夜は、防衛予算担当の大蔵省主計の連中を誘ったり、防衛庁の内局にいる同期を呼んで、銀座あたりで飲み食いさせて、六月以降の仕事に備えている。駿河からは百合さんの件がどうなったか、しきりに訊かれたが、まだ会えないのだとはぐらかしつづけていた。

夕方パソコンに向かっていると、内線コールが鳴った。受話器を持ち上げる。

「橋田さん、お久し振りです」

「やあ、どうしたんだい」

私は多少警戒しながら、たしかに久し振りに聞く竹井の声に耳を傾ける。マニラから戻ってきたのか。知らなかった。

「いつ戻って来たの」

「今日です。ちょっと本社で打ち合わせしなきゃならない大きな取引がありまして」

「そう。で、どのくらいいるの」

「とんぼ返りですよ。明後日にはマニラに戻ります」

「そうか」

竹井の口調はことのほか明るかった。

「橋田さん、今晩あたりどうですか」

「悪いね。今夜は入ってるんだ。明日も一杯でね」

「そうですか。実はどうしてもお話ししたいことがあるんですが。時間は取らせません。今夜か明日にでも、一時間もあれば済むんですけど」

「何の話」

「それは電話ではちょっと」

「そうか」

「お願いしますよ。せっかくぼくも戻ってきたんだし、お耳に入れておきたい話なんですよ」

竹井の言葉が妙なねちっこさを帯びてきていた。話の内容は何であれ、私は会ってみることにした。

「だったら、六時半に通用口でどう。そのあと入ってるから、九時くらいまでしか時間はないけどね」

「ありがとうございます。一緒に食事でもさせてください。それで充分ですから」

「いいよ。じゃあ」

受話器を置き腕時計を見た。五時ちょうどだった。

竹井と一緒に八重洲の小さな料理屋に入った。ときどき夕飯を食べに行く店で、女将《おかみ》は私と同郷の山口出身だった。カウンターの奥の一つきりの部屋を空けてくれ、竹井と狭い座敷で向かい合った。ビールで乾杯する。

「どうだ、あっちは暑いだろう」

すっかり日灼《ひや》けした竹井の顔に言った。竹井はビールを旨そうに飲み干し、

「いまが一番暑い季節なんです。そろそろ雨期ですから雨も降りだしていて、蒸し暑いったらないですよ」

ビールを注いでやりながら、

「まあ、それでも英語が通じるから、言葉には苦労しなくてすむし、飯だってそこそこだろう」

「それはそうですけどね」

それからしばらくは竹井のマニラ話を聞いた。目下、ニノイ・アキノ国際空港の拡張工事に私の会社は参加しており、竹井を飛ばすとき、その工事のための補充要員として出したのだった。互いにビールを二本ずつ空けたところで、不意に竹井が崩していた足をたたみ正座の姿勢になった。両手を両膝に載せてテーブル越しに身を乗り出している。

「橋田さん、今日はどうしても橋田さんにお願いしたいことがあって、こうやって時間をいただいたんです」

私もグラスを卓に戻した。

「どうしたんだよ。急にあらたまって」

竹井は思い詰めたような表情になっている。

「今度の六月異動で、ぼくを本社に戻してください。聞くところでは駿河室長が取締役になって人事に移るとか。橋田さんも、人事課長復帰って説もあるそうですね。どっちにしても駿河さんと橋田さんの関係だったら、ぼく一人くらいは何とでもなるはずです。お願いします。ぼ

くを戻してやってください」

正座のまま竹井は深々と頭を下げた。

「だけど、ぼくももう人事じゃないしね。そう言われても約束はできないよ。そもそも、きみは今度のプロジェクトにどうしても必要な人材と見込まれてマニラに派遣されたんだ。それをすぐに戻すというわけにもいかないんじゃないか」

なおも竹井は頭を下げつづけている。頭頂の地肌まで黒く日に灼けていた。

「どうしても駄目でしょうか」

「駄目とか駄目じゃないってことじゃないけどね。でも、難しいとは思うよ」

「そうですか」

ゆっくりと竹井は顔を上げると、鋭く光る目で私を見据えてきた。

「ぼく、知ってるんですよ。橋田さんがぼくを飛ばしたんだって」

「そんなことはない」

「嘘をつかないでください。そうでなきゃあんな年明け早々にぼく一人だけ異動させるなんて、あるわけないじゃないですか。そんな芸当は橋田さんにしかできやしない」

「まさか」

私は苦笑した。

「内山さんが言ってたんですよ。橋田君がどうしてもって言うから仕方がなかったって」

そんなはずはなかった。竹井の人事は私自身が扇谷に進言し一気に片づけたのだ。草野のときとはちがい、人事担当専務の大月にも、部長の内山にも介入する余地は一切与えなかった。

「根も葉もない話だな」

「そうですか」

竹井は空いたグラスに手酌でビールを注ぎ一息で呷った。

「橋田さん」

全身を硬くさせ、睨みつけるように私を見た。

「あなた、いま社長の姪ごさんと付き合っておられるそうですね。藤山コンツェルンの一人娘で、藤山瑠衣という人ですよね」

急に瑠衣の名前が出て、私は少しおどろいてしまった。竹井が何を言いたいのか分からない。

「誰から聞いたの」

「そんなことどうでもいいじゃないですか。社内じゃ、大抵の人間は知ってることですよ」

「そう。でも、それときみと何か関係あるの」

「ぼくは別に関係ないですよ。だけど、橋田さんの方はおおありなんじゃないですか」

突っかかるような言いぶりだった。どうやら、竹井は私と瑠衣とのことで脅しでもかけるつもりらしい。

「それ、どういうこと」

「ぼくはマニラに飛ばされてこの五ヵ月、どうして橋田さんがぼくを突然、こんなドサ回りに出したのか必死で考えました。ぼくには理由が分からなかった。いくら考えてもぼくが橋田さんの不利益になるようなことをした覚えはない。何が橋田さんの怒りを買ったのか、どう考えてみてもその訳が見つからなかった。でもね、二ヵ月前に、ようやく分かったんですよ。橋田さんが藤山家の令嬢と付き合っていて、結婚するって話を聞いて。橋田さん、覚えてますか、もう一年近く前に、ぼくがカオリって女のことで意見したのを。それで謎が解けたんです。もしかしたら、橋田さんはその女のことを知っているぼくが邪魔になったんじゃないかって」

竹井は話しながら薄笑いを浮かべていた。意気軒昂《けんこう》そうに見えた顔が歪《ゆが》み、狡猾《こうかつ》な一面が滲み出ていた。

「お前の言っている意味がよく分からないな」

「また嘘を言って。あの頃の橋田さんは普通じゃなかった。カオリって子に入れあげてる感じでしたからね。ぼくの友人をぶん殴ったり、採用決定会議をシカトしたり。明らかに変だった」

「だから、お前は何が言いたいんだよ」

「橋田さんは、藤山瑠衣と付き合うようになって、ぼくが目障りになったんだ。なぜならあなたはカオリという女とも出来ているから。その女の存在は、せっかくの結婚のためにはどうしても隠さなくてはならない。何しろ、扇谷ファミリーの一員になれば、あなたの将来は約束されたようなものですからね。こんなまたとない話はない。社長は側近政治でこの十年君臨してきた。藤山瑠衣と一緒になれば、あなたは名実共に扇谷政権の最側近ということでしょう。ただ、それにはひとつ障害がある。それが中平香折という女性の存在なんですよ」

竹井が香折の姓名を口にして、私はなるほどと思った。

「で、お前は俺の身辺を調べたってわけだ」

「ぼくはあのとき言ったはずです。橋田さんと香折って子がどうだろうとぼくには関係ないって。たとえ藤山家のご令嬢と付き合っていようが、香折って子と出来ててもそんなことどうでもいいですよ。結婚するまでにしっかり片をつけちゃえばいいんだから。だけど、橋田さんは、扇谷社長の手前、社長の姪ごさんと香折とを二股《ふたまた》かけてるって知れるのはまずかった。だから、その予防措置として彼女のことを知っているぼくを本社から外した。いくら考えても分からなかった理由が、ぼくにもようやく分かりましたよ」

「で、何がどう分かったのさ」

「申し訳ないですが、お察しの通り、この二ヵ月、池上に頼んで橋田さんの生活を調査してもらいましたよ。そしたら何のことはない、橋田さんはご令嬢と付き合いながら、相変わらず中平香折ともつづいている。彼女のマンションにも出入りしている。彼女を自分のマンションに泊めたりもしている。証拠は全部手に入ってます」

「まだあの屑《くず》野郎とお前は親友づきあいしてるってわけだ」

「屑野郎ってどういうことですか」

「だから、あの池上って野郎のことだよ。お前が一緒に釣りに行ったりゴルフに行ったりしてるって言ってた、あの髭面の糞野郎だよ」

竹井は一瞬怯《ひる》むような顔になっていた。

「竹井、俺がお前を飛ばしたのは事実だよ。だけど、俺は別に内山なんかに相談しちゃいない。俺の力をみくびるんじゃない。お前を飛ばしたのは、会社の最高トップの意志だ。もうお前はこの会社では要らないという話になったってわけさ。どうして俺がお前を飛ばしたか分かるか、それは、お前に人を見る目がないからさ。あんな屑野郎と親友づきあいしているお前のぼんくらさが、俺には我慢ならなかったってことだ。別に香折のことをお前が知ってるからって、そんなの俺にしてみれば痛くも痒《かゆ》くもないんだよ。お前はいま俺を脅しているつもりだろうが、たとえお前が香折と俺とのことを扇谷にバラそうが瑠衣にバラそうが、別にどうでもいいよ、そんなことは」

私は残っていたビールを飲み干し、

「まあ、お前も案の定、あの屑野郎と同じだけの屑野郎だったってわけだ。そのことが今日、はっきりと確認できたよ。どうせ写真か何か持ってるんだろうが、せいぜい誰となり送りつければいいさ。だが、その前に一つだけ忠告しておくよ。お前の親友が、香折と彼女の彼氏とが揉《も》めた晩、店が引けたあとで一体何をやったか、そのことをもう一度しっかり池上から聞いておくことだな。そうすりゃお前たちの友情ごっこも底が透けてくるさ」

竹井は茫然とした顔で黙り込んで私の顔を見ていた。私は時計を見た。八時半を過ぎたところだ。まだ神楽坂に行くには早いが、こんなくだらない男と一緒にいるのはもう御免だった。立ち上がって竹井を見下ろす。

「ま、好きにしろよ、竹井」

竹井は憎悪のこもった眼差しで見返してくる。私はさっさと靴を履いて、座敷に残っている彼の方を振り返った。

「竹井」

もう一度声をかけた。

竹井が顔を向ける。

「お前、うちの会社辞めた方がいいよ」

ぎょっとした表情になっている。

「今日のことで、もう金輪際お前の目はなくなったよ。お前が会社にいるかぎり、一生ドサ回りさせてやるよ。マニラの次はどこにするか、明日にでも決めておく。今度は寒いところにでも行ってもらうか。英語なんか通じないようなさ。だが、覚えておけよ。俺がお前の息の根を止めたんじゃない。お前が自分で自分の首を絞めちまったんだ。じゃあ、ま、元気で帰ってくれ。もう二度とお前と顔を合わすこともないだろうがな」

私は店の外に出て煙草に火を点けると、ふかしながらゆっくりと東京駅の方へと歩いた。むなしい気がした。この前百合さんと会ったときに、扇谷が身内しか信用できなくなっていると言っていたのを思い出した。そして、駿河について「もうあの人には出世しか残ってない」と言っていたことも。

百合さんは私に真剣な目で訊《き》いた。

「ねえ、橋田君。男ってどうしてそんなに偉くなりたいの。一体その先に何が待ってるの」

あのとき私は曖昧に笑っただけだった。だが、百合さんの言うことが分からなかったわけではない。たしかに、出世したところでどうなると問われれば、答えようがない。ただ女性には決して実感できはしないが、手元の小さな競争を勝ち抜く、それだけのことでも男には我を忘れるほどの力が必要なのだ。そうやって小さな勝ちを積み重ねていった末に、一人のみが座る椅子が待っている。その椅子を目指して走りつづけてはいるが、さて辿《たど》り着いたときに自分が果たして幸福かどうか、その確信はない。しかし、一つだけ言えるのは、敗北は人間を卑しくしてしまうということだ。負けるということは、人の品性までも歪めてしまう。さきほどの竹井を見ても痛感する。自分を維持し、微かな誇りと夢を失わない、たったそのためだけでも、男は常に勝ち続けていかなくてはならない。

南青山のダイニングバーで香折と卓次が大喧嘩をし、卓次が店を飛び出したあと、マスターの池上は甘いカクテルを何杯も香折に飲ませた。すっかり酔った香折を池上は自分のマンションに連れ込み、両腕を縛り上げ、泣き叫ぶ香折を一晩中強姦しつづけたのだった。それでも、香折が池上の店で働くようになったのは、そのあと池上の態度が優しくなったからだ、と香折は言っていた。香折は高校時代にも一度強姦されている。父親が探してきたアパートで一人暮らしをするようになって、そのときに知り合った大学生にやられていた。その大学生とも、彼女はしばらく付き合っている。私は香折からそんな話を聞いて、驚きを隠せなかった。

「どうして、自分を強姦したような相手と付き合ったり、その相手と一緒に働いたりできるんだ」

そう言うと、香折は、

「男なんてどうせそんなものだし。それまでも母や兄にさんざん殴られたり蹴られたりしてて、そんなことされてもあんまり傷つかなかったから。私、その二人には自分の家庭のことを少しだけ話したんです。こんなひどいことをする奴になら、厭な話でも聞かせてやって平気だって思って。そしたら、二人とも『俺もひどいことをしたが、それにしてもお前の親や兄貴は異常だな』って言ってくれて、すごく親身に話を聞いてくれたんです。そんなの初めてだったから、けっこう嬉しかった。大体、やられてしまったのも、私の方が油断してたのが一番いけなかったんだから」

と、信じられないような言葉を口にしたのだった。

13

週末、瑠衣に誘われて買い物につきあった。土曜日は渋谷や銀座のデパートを回ってソファやテーブル、ベッド、カーテン、台所用具、バス用品などを買った。瑠衣は寸法が入った部屋の図面を持ってきて、その図にはすでにそれぞれの家具が置かれる場所がきちんと書き込まれていた。どれも質の良いものを選んだ。その日だけで百万ほどの出費になったが、瑠衣は気にする風はなかった。私は二十五万円のダイニングテーブルをプレゼントすることにした。

「なんでもかんでも新調してたら、予算が底をついちまうんじゃないの」

私が言うと、

「大丈夫。父の諒解《りようかい》も取ったし、ちょっぴりボーナスも貰ったから」

「幾ら」

瑠衣は人差し指と中指を立てて頬笑んだ。

「二百万?」

頷く。

「やっぱり実家が金持ちだとすごいね」

娘が部屋を借りるというだけでぽんと二百万円を与える藤山という家のことを私は考えた。

やはり私と彼女とでは育ちが違い過ぎる気がした。日がなデパートを巡って私はほとほと疲れてしまったが、瑠衣の方はまるで浮かれたみたいに楽しそうだった。

一日目の買い物を終え、青山で食事をしているとき、

「お店の人、みんなあなたのこと御主人様って言ってたね」

瑠衣が言った。

「きみのことも奥さんって呼んでたよ」

「私たちって、もうそんな風に見えちゃうのかな」

「かもね」

「面白いね」

「ああ」

私は生返事をしながら、こうやって後戻りのできない道へ踏み込んでいく自分の背中が見えるような気がした。先月、香折から食事を御馳走になった折、ビルのディスプレイの鏡に映った二人の姿を見て、香折が「こうやって見ると、私たちって結構いい線いってるよね」と言っていたのをふと思い出した。荷物の一件で電話して以来、彼女からは連絡がない。一体どうしているのだろう。あの柳原とかいう男とうまくやっているのだろうか。

「ねえ」

瑠衣が少し声を高くして、私は顔を上げた。

「どうしたの、ぼうっとして」

「いや、ちょっと考えごと」

「そう」

「それより何」

「ううん」

今度は瑠衣が屈託のある面持ちになっている。

「どうしたの」

「うん。なんでもないんだけど、あのね」

「なんだよ」

握っていたフォークを置き、瑠衣はワインを一口含んでから言った。

「これからは、私、あなたのこと浩介さんって呼んでいいかな」

私は思わず笑って頷く。

「あのね、あのね、それから私のことも瑠衣って呼び捨てにしてほしい」

「いいよ、瑠衣さん。じゃなかった瑠衣」

「ありがとう浩介さん」

「なんだか、急に思い詰めたような顔するから、別れ話でも切り出されるのかと思ったよ」

そう言いながら私は、「浩介さん」に「浩さん」か、と何となく考えた。

八時頃店を出ると、てっきり私の部屋に来ると思っていた瑠衣が「今夜は家に帰る」と言った。酒も軽く入ってすっかりその気になっていたから、肩透かしを食ったような感じがした。

「泊まっていったら。どうせ明日も一緒にお買い物だろう」

明日は秋葉原《あきはばら》に二人で電気製品を買いに行く予定だった。

「今日は帰る。もう来週から家を出るんだし、少しは親孝行しとかないとね」

結局、明朝十時に駅で待ち合わせることにして別れた。地下鉄の階段を降りていく瑠衣の横顔が何かしら物憂げに見えた。

　青山通りをしばらく歩いた。土曜の夜だ。大勢の若者たちが舗道を埋めている。五月も半ばとなり、街路樹も青々とした葉を繁らせていた。風もあたたかで空も澄んでいる。表参道の交差点を越え、三和銀行の前まで来て、ふとデジタル時計に目をやった。八時二十三分と表示している。この時計だった、と思った。あの日はたしか午前四時五分を指していた。ちょうど十ヵ月が過ぎた。十ヵ月前、この場所で私は香折を知り、一緒にタクシーに乗って駒沢の彼女のアパートまで送った。

　路地を左に折れ、私は歩いた。あの時は震える香折を抱いていたからか、ずいぶん長い距離に思えたが、意外なほど早く駐車場に着いた。いまは沢山の車が駐《と》まっていた。入口の青桐の木はそのままだった。大きな葉が微かな風に揺らいでいた。私は青桐の木のたもとまで行き、そっとそのざらついた木肌を撫でた。マスターの池上を蹴り上げて興奮していた私の背中に、香折はこの木の陰から声をかけてきたのだった。

　白いノースリーブのワンピースから突き出した腕はか細く、鳥肌が立っていた。

　私は駐車場のポールに腰をあずけ、夜空を見上げた。煙草を一本抜いて火を点けた。白い煙が星の散った薄い闇の中に吸い込まれていく。

　あの夜も、酔った竹井を車に押し込んで帰し、こうやって空を見上げていた。自分が一体何のために働いているのだろう、と空を眺めながら思いやった。一年近くが過ぎて、変わったものがあるだろうか。もう人事課長ではなくなった。竹井はいまや安手の恐喝者に成り下がってしまった。藤山瑠衣と深い関係を持った。百合さんが駿河の子を身籠《みご》もった。そして中平香折との出会いは不思議な縁となっていまもつづいている。

とりたてて何が変わったわけではないとも言えた。ただ一方で何かが決定的に変わってしまったような気もした。十三日の日、「鶴来」に宇佐見が連れてきた二人のうちの一人は内山だった。が、もう一人は、私が予想もしなかった人物だった。その人物の名前を百合さんから聞き出したとき、私は自分が漠然と予感していたことがほぼ真実であろうと知った。扇谷に限ってまさか、と私は自らの疑念をこれまで抑え込んできた。しかし、宇佐見は何らかの証拠物を握ったにちがいない。そのことを扇谷に見せつけるために、彼は「鶴来」に現れたのだ。

扇谷のために働いてきたのだ、と十ヵ月前、思った。だが、もし予感が当たっていたとすれば、私は扇谷に裏切られていたことになる。そして近いうちに彼はさらに大きく私を裏切ることになるだろう。

つまらん話だ、と声に出して呟いた。

すべてに全力を尽くす。それでも人間、負けるときは負ける——かつて恭子に言った言葉が思い出されてくる。

負けるときは負ける、ただし潔く負ける、それだけだ、と私は思った。

それでも、これはどうしようもなく哀しい話だ、とも思った。

吸い差しを路上に叩きつけ、道を引き返した。

速達の判が捺された封筒には瑠衣の会社の住所と部署名、そして彼女の姓名がワープロ文字で印字されていた。裏返すと、差出人の記載はない。カーテンを閉め切っていたので部屋の中は仄暗《ほのぐら》かったが、まだ夕暮れには時間がある頃合いだろう。午前中で秋葉原での買い物は終わり、軽い食事のあと、二人で私の部屋に帰った。シャワーを浴び、すぐにベッドに入った。二時間近く睦《むつ》み合って、瑠衣がもう一度シャワーを使って寝室に戻って来たとき、その手紙を差し出されたのだった。

私はガウンを羽織って立ち上がると、カーテンを開き、ベッドに戻って、すでに開封済みの封筒から中身を取り出した。瑠衣は隣に腰掛けて私の手元を見ていた。

B5判の白い一枚紙だった。文面はごく短かった。

「藤山瑠衣　殿

あなたが付き合っている橋田浩介氏には、あなた以外に親密な関係を結んでいる女性が存在します。扇谷社長の姪であるあなたとの結婚話を進めながら、同時に愛人とも情交を重ねているのです。橋田浩介氏にとって、あなたは出世のための道具にしか過ぎません。愛人の名前は中平香折といいます。現在、サントリー（株）首都圏営業本部に勤める、まだ二十歳のOLです。橋田氏とは昨年の七月に知り合い、以来、いまも二人の関係は継続しています。橋田氏は中平嬢のマンション（杉並区某所）の鍵も所有しているのです。要ご確認下さい。

老婆心ながら、あなたが橋田氏の狡猾《こうかつ》なる罠《わな》にはまらないよう、この事実をお伝えしておくことにします」

私は紙を畳み直して封筒に戻すと、瑠衣の方を向いて訊いた。

「これ、いつ届いたの」

「先週の金曜日」

瑠衣はまっすぐに私の目を見つめている。

「びっくりしただろう。こんなものが急に届いて」

瑠衣が小さく頷く。

「これからきちんと話すけど、ちょっと込み入った事情があってね。こういうことになるんじゃないかと予想はしていた」

瑠衣の瞳が微かに光り、するすると涙が頬を伝っていった。唇を嚙み締め、それでも視線は逸らさない。私は彼女を抱き寄せ、柔らかな髪を撫でた。

「もっと早く見せてくれればよかったのに。心配かけて悪かったね」

瑠衣は私の胸に顔を擦りつけ、一度首を振った。そして嗚咽し始めた。

しばらく泣くにまかせ、それから瑠衣の腕を取ってリビングルームに連れていった。ソファに座らせると瑠衣は自分のガウンの袖で涙を拭っている。

「コーヒーでも飲もうか」

私はダイニングに行ってやかんを火にかけ、コーヒーを淹れる支度をした。

向かい合ってコーヒーを飲んだ。熱いコーヒーを瑠衣はぐいぐいと飲み干す。私はカップを口許にかざしながら、湯気の向こうの彼女を見る。大柄な体がひと回り縮んでしまったような気がした。そのいじらしさに隣に行ってもう一度きつく抱き締めたくなる。硝子テーブルにぽつんとある封筒を眺め、私は一口すすってカップを置いた。

「この手紙の差出人は、竹井というぼくの会社の同僚だ。いまはマニラにいる。今年の一月までは部下だった男だ。内容は半分は本当のことだが、あとの半分はまったくのでたらめだ」

私は香折とのこれまでを、ゆっくりと話し始めた。

14

夕方、外から戻ってみると机の上にメモが一枚置かれていた。人事部長の内山からで、席に電話が欲しいとの伝言だった。私のデスクは窓側にあって、大きな硝子越しに日比谷通りを隔てて外苑《がいえん》の緑の芝生、そして坂下門の向こうに広がる皇居の森が見通せる。立夏を過ぎ、日は急速に長くなりはじめているが、それでもこの時刻になるとさすがに西に傾き、塗り上げたような芝の一面の緑を濃い朱の色で染めていた。時計の針は午後六時を回ったところだ。太陽が、中天のときの倍ほどにも膨れ、私の目の前にあった。背景の空は紫に滲み、畳み込まれていた夜が羽を広げようとする気配を彼方に漂わせていた。

しばらくその落日の光景に見とれてから、私は内山の席に電話をかけた。

人事部の第一会議室に入ると、沈みかけた日を背負って、内山は悠然と座っていた。

「やあ、呼び出して悪かったね」

軽く手を振って、斜向《はすむ》かいの椅子をすすめる。会釈しながら腰をおろし、「お久し振りです」と言った。

「いや、ほんとだね。急にきみがいなくなって、しばらくてんてこ舞だったよ。高井君もなかなかできる男だが、なんといってもきみは特別だったからね」

高井は私の後任でこの二月、人事課長になった男だ。私より七期上の人物だった。

「お話というのは何でしょうか」

西日を受けて内山の白髪が光を帯びて見える。

「いや、別に大したことじゃないんだが、近いうちに一度、飯でもどうかなと思ってね」

内山は灼《や》けた面上に笑みを浮かべていた。その黒々とした顔を眺め、そういえば彼は大学時代にテニスで鳴らし、学生チャンピオンになったこともあったのだ、と思い出した。いまでも休みの日にはラケットを握っているのだろう。内山は宇佐見と同じく慶応出身で、彼らの一派は慶応閥であった。扇谷をはじめとする私たちはそれからすると東大閥ということになる。

「どうしたんですか、急に」

私も笑って問い返す。内山の目からすうっと笑みが引いていくのが分かった。

「いやね、そろそろ人事の季節だし、この前は社長の要請であんな形で経企室に行ってもらったが、今後のきみの処遇のこともあるからね。それに、他の若い連中の情報も仕入れておきたいしね」

粘ついた捩《ね》じり込むような彼一流の口調になっている。

「ぼくの処遇、ですか」

私は一瞬呆れた顔を作ってみせた。あっさり言い放ったが、内山の台詞は意味深長なものだった。すでに子会社への転出が内定している内山が六月人事の采配《さいはい》を振るえるはずもなかったし、ましてこの私の処遇をどうにかできるわけもない。先般の扇谷の人事を「あんな形」などと形容したのも驚きである。が、いま内山は自信満々の態度で私を見下していた。

「来週早々にでもどうかな。きみさえよければ、二十六日の火曜日にセットしようかと思ってるんだが」

「内山さん、ちょっと待ってくださいよ」

苦笑して、右手で彼を制止する。内山はとぼけたような顔で私を見た。なかなかの余裕だと思う。すこし間を置いて言った。

「いいですか内山さん。ぼくはもう人事課長ではないし、従ってあなたの部下でもない。この際ですから本音ベースで話すことにしましょう。あなたたちがこの数ヵ月、妙な動きをしていることはわれわれも察知している。馬鹿なことをやってくれたもんだと扇谷社長もおっしゃっています。ものには自ずから道理がある。やっていいことと悪いことがある。しかし、あなたたちのやり方は、誰に聞いても常軌を逸しているとしか判断できないような手口です。ぼくだって、正直、頭にきている。もはや、われわれとあなたたちのあいだに話し合いの余地などどこにもない。何を言ってもどうせあなたたちには理解できないのですから、どうぞお好きに、と言うしかないでしょう。ただ、ひとつ言えることは、これであなたたちももう終わりだということです。それ以外の結論はない。どういう意図でぼくを誘い出すのかは知らないけれど、ぼくにはあなたと話すことなどこれっぽちもないわけです。他に誰を連れてくるのか、そんなことはどうでもいいが、あなたのボスにもきちんと、こちら側の意志だけは伝えておいてください。すでに答えは出ているということです。ぼくが言いたいのはそれだけです」

話の途中から内山の顔がどす黒く変わっていった。それでも口許の笑みは絶えない。

「相変わらず、ハッキリ言う男だな」

「ほんとうのことを申し上げているだけです」

「まあ、真実は一つと限らないのがこの世の常なんだがね。きみのような特殊な教育を受けてきた人間には、その辺の機微は分からんだろう」

「怪文書をタレ流すような人間に真実などひとかけらもない、とぼくは思いますけどね」

内山はほくそ笑むような表情になっていた。

「こちらは、それほど事を荒立てようと思ってるわけじゃないんだがね」

組んでいた手をほどき、右の掌を左の指で揉んでいる。

「もう十分に荒立ってますよ」

「ほんとにそうかな」

そこで内山は私の目を覗き込むような仕種をした。私は黙って見返す。なるほどな、という気がした。扇谷の顔が頭に浮かんだ。老け込んだ精気のない顔だった。私が立ち上がると内山は、

「しかし、『鶴来』の女将《おかみ》は相変わらず若いね。全然歳を取ってないんだから、羨ましいかぎりだ」

と口にし、上目づかいにつけ加えた。

「俺は、きみなんか片づけちまえばいいって言ってるんだけどね、宇佐見さんが妙に頑固でね。きみに一度はチャンスをやりたいと言うんだ。火曜日は向島の『花田』で二人で飲んでいる。きみもこの週末ゆっくり休んで、自分の身の振り方を考えてみるんだな。せっかく宇佐見さん

が時間を作るとおっしゃってるんだしね」

私は返事もせずに会議室を後にした。部屋を出ると、窓の外でいましも太陽は皇居の森に沈み込もうとしていた。


内山の呼び出しのせいで約束の時間よりも三十分ほど遅れて瑠衣の新居に着いた。一昨日の水曜日、引っ越し当日にもシャンパンを持って顔を出したが、そこらじゅう荷物であふれ、瑠衣も整理でおおわらわの様子だったので、二人で乾杯だけして引きあげたのだった。

部屋はすっかり片づいていた。リビングの真ん中に私が贈ったテーブルがおさまり、その上には沢山の料理が並べてある。買ってきた花束を渡す。瑠衣はさっそく花瓶に活《い》けてテーブルの中央に飾ってくれる。

上着を脱いで椅子の背に掛けると、瑠衣はそれを摑んで寝室の方へ持っていく。代わりにバスタオルとバスローブ、黒のインナーウェアを一式抱えて戻ってきた。

「今日暑かったし、食事の前にシャワーでも浴びたら」

「どうしようかな」

「浴びてらっしゃいよ。そのあいだにお料理あたためなおしておくから」

私は頷いて、バスルームに向かった。浴室は私のマンションのそれよりも広く真新しかった。洗面化粧台のラックには瑠衣のものに混じって新品のシェービングキットや男性用の整髪料が並んでいる。どれも私が自分の部屋で使っているものと同じ製品が揃えられていた。歯ブラシも私用のがささっている。まるで夫婦気取りだな、と思う。鏡の中の自分の顔を見た。さきほどの内山の態度からして、形勢はすでに宇佐見側に傾き、私や駿河は窮地に陥ってしまったようだ。大体の想像はつく。しかしそれにしてもなぜ宇佐見が私に会いたいと言ってきたのか、その理由が分からなかった。私のことなど内山も言ったように、左遷すればそれで簡単に処理できるはずだ。

前髪に白いものが見えた。両手で選《よ》り分け、注意しながらよじれた白髪を抜く。この一年ほどで急に白髪が増えた。生え際も心なし後退しはじめているような気がする。映った顔も精彩がなかった。

「そういえば、浩さんってきれいな顔してたんだね」

香折の言った言葉がふと頭に浮かんだ。そうかなあ、と独りごち、香折はいまごろ何をしているのだろうか、と思う。瑠衣は私が左遷されたらどうするのだろう。藤山の家にしても、うだつのあがらない男に娘を嫁がせはしまい。私はすでに三十八歳だ。おいそれとやり直しのきく年齢ではなかった。いままで、扇谷の引きで出世の階段を上ってきた。その扇谷に裏切られてしまえば、会社人としての将来は完全に失われる。

シャワーを浴びて居間に戻ると、食事の準備がすっかりできていた。今夜はこのままここに泊まるのだろう。そう思うと気持ちが安らいでくる。テーブルに差し向かいでワインを開け、乾杯した。

「引っ越しおめでとう」

「ありがとう、浩介さん」

改めて部屋を見回すと、カーテンも壁紙の色も落ち着いたグレーで統一され、スウェーデン製の革張りのソファも薄鼠色だった。デスクトップのマックが壁の隅に置かれ、AVのコンポーネントは黒いオーディオラックに収容されていた。照明はロックウェルの絵が掛かった壁に向かって五つのライトが当てられ、天井のそれは光量は十分だったが小さなランプだった。シェードもグレーだ。テーブルだけが白かった。

瑠衣の料理は旨かった。ワインの後、私はバーボンソーダを飲み、瑠衣はティオペペを飲んだ。それから私が持ってきたバランタインの15年の封を切った。ソファに並んで腰かけ、水割りを啜りながらテレビを眺めていると、瑠衣が立ち上がってビデオテープを一本取ってきた。

「これ、一緒に観ない」

タイトルを見ると「ニュー・シネマ・パラダイス」だった。

「観たことある？」

私は首を振った。

「すっごくいい映画だよ」

「聞いたことはあるけど、映画館が舞台の少年物だろう。あんまり食指は動かないけどね。説教臭そうだし」

「それが、実はそうでもないんだな、これが」

「長いんだろ」

「うん」

私は面倒だった。もう十時を過ぎていた。酒も適量入ったし、早くベッドに入って瑠衣を抱きたかった。

「明日も仕事?」

「いや」

「だったらつきあってほしいな。あなたにも絶対一度は観てほしい」

仕方なく承知した。瑠衣がいそいそとビデオデッキにテープを挿入する。ソファに戻ってきて私の腕に手を回してきた。私が来る前に彼女もシャワーを浴びたのだろう、うっすらとコロンの香りがする。

「なんだか、私、ほんとうに愉しいな。こうやって自分の部屋で、自分が一番好きな人と、自分が一番好きな映画を一緒に観られるなんて。まるで夢みたい」

そう言ったかと思うと、瑠衣はまた立ち上がり、ブラインドを下ろし部屋の明かりを消した。その足音さえ軽やかに感じられる。私は暗闇の中で小さく苦笑する。

この人と一緒になれば毎日こんな生活がつづくのだ、と思う。悪くはないという気がした。

中盤に入った頃には私は隣の瑠衣を抱き寄せていた。長い映画が終わったあと、最後のキスシーンの連続を再生しようと言うと瑠衣が変な顔をする。

「どうして」

「いいから」

巻き戻し、数々の昔の映画のキスシーンがつづくあいだ、私は横目で映像を見やりながら、同じ回数分のキスをした。急に始めたので最初は戸惑っていた瑠衣も、終わりの方では舌をからめて応《こた》えてきた。唇を離し、

「さて何回?」

「えー、わかんないよ」

「四十三回」

「すごい、数えてたの」

「ああ。もう一度確かめてみる」

「いい。あなたが間違ってるわけないもの」

「だったら、次はぼくたちの分だ」

私は瑠衣の顔を引き寄せ、今度は本気で口づけた。何度も何度も唇を重ねる。

そのままソファの上で瑠衣を抱いた。瑠衣の体は脂が乗って、すべるような滑らかさを備えてきている。幾度も達し、そのたびに切ない声を洩らした。

一緒にシャワーを浴び、テーブルで向かい合って缶ビールを開けた。瑠衣はビールを一口飲むと缶をテーブルに戻し、温まって上気した顔で私を静かに見つめた。

「ねえ」

私はビールを喉に流し込む。冷たい感触が心地よかった。

「何」

「香折さんのことだけど」

「うん」

一度言葉を止め、瑠衣は目を落とし、それからまた視線を起こす。

「浩介さんは、これからどうするつもりなの」

「考えているんだ」

と私は言った。

「彼女のことではきみにも迷惑をかけてしまったしね。いまになって思うと、もっと早く打ち明けて、相談に乗ってもらえばよかったような気もするんだ。何度か言い出そうかと迷ったときもあったんだけど、妙な話だしね、誤解されるのが恐かった。結果的には、余計にきみを傷つけてしまったわけだけど」

瑠衣は不思議そうな顔つきになっていた。

「誤解されるって何が」

「いや、香折とのことをきみが勘繰《かんぐ》るような気がしたんだ」

「そんなはずないじゃない。浩介さんがちゃんと説明してくれたら、私、浩介さんのこと疑ったり絶対しなかったよ」

「そうか」

「うん。だって私、浩介さんのこと信じてるから。信じたから好きになったんだから」

「悪かったね。ずっと隠してて」

瑠衣の瞳に不意に涙が滲んできた。

「そうだよ。どうして私に話してくれなかったの。私、浩介さんのことならどんなことでも知りたかったのに。あの手紙が届いたときだって、私、疑ったりしなかったよ。あなたはそんな人じゃないって、私、分かってたから。でも、あなたから香折さんのことを聞いて、すごく悲しかった。どうして教えてくれなかったんだろうって。いろんなことを思い出した。あなたの携帯に電話が入って、私が誰からって聞いたら、あなたが友人の姪ごさんで就職の相談に乗っているんだって言ったこととか、今年の二月になって急にあなたが私から遠ざかっていくように感じたこととか、この前の日曜日、私には仕事だと言って香折さんのところに行っていたこととか。私は何にも知らなくって、そのあいだにあなたは香折さんのことで、たくさん大変なことがあったんだなって。そして私は何にもあなたを助けてあげることができなかったんだなって」

「別にそんなこと気にしなくっていいよ。あいつは誰のことも信用してないからね。ぼくのことだって心からは信じちゃいない。それでも、彼女を放っておくわけにはいかないんだ。また新しい彼氏ができたようだし、その彼とうまくいけばそれでいいんだけどね。なにしろ香折は若いしね、彼氏の方がちゃんと香折を理解し、覚悟を決めて付き合ってくれたらいいけど、ぼくが一度会った印象だと、そんなに上手くいくって感じでもなかった。香折だって、まだまだ精神的には全然落ち着いていると言えないし、じきに新しい彼氏との間にもトラブルは起きると思うんだ。そうなったら、やっぱり多少のことはしてやらないとね」

私がビールを飲み干すと、瑠衣は新しい缶を持って来た。それからキッチンに立って一枚の大皿を運んで来て、テーブルの上に置いた。皿の上には何種類かのチーズがのったクラッカーがたくさん盛りつけてあった。私は一つつまんで口に放り込む。瑠衣も一つ取った。カリカリという互いの口音が静かな部屋に響いた。

「なんだかしーんとしてるね」

「静かでいいな」

瑠衣は頷く。しばらく二人とも黙っていた。そのうち瑠衣がまた台所に行って、今度はスープをカップに注いで持ってきた。ミネストローネで、「明日の朝、あなたに飲んでもらおうって思って作っておいたの。でも、こんな時間だし、きっと起きるのはお昼になっちゃうね」と言う。

掛け時計の針は午前二時を過ぎていた。

「美味《お》しいものを口にすると、心がなごむよね」

瑠衣が微笑んでいる。

「そうだね」

「浩介さんは香折さんの手料理とか食べたことあるの」

「そんなの一度もないよ。俺がカレーとか作って食わせたことはあったけど」

「そうなんだ」

「ああ」

「ねえ浩介さん」

「何」

「ほんとにこれから香折さんのことどうするつもりなの」

「そうだな。まだ一人立ちは無理だろうから、当分はこっちのできる範囲で面倒を見なきゃいけないだろうね」

そこで瑠衣は少し身を乗り出してきた。

「でも、どうして浩介さんがそんなことしてあげなきゃいけないの」

私は思わずカップをテーブルに置いて瑠衣の顔を見た。

「それどういうこと」

「だってそうでしょう。浩介さんは香折さんの恋人でもなければ肉親でもないのよ。できる範囲って言うけど、浩介さんの話を聞いていたら、この一年近く、まるで肉親以上に香折さんの世話をしてるんじゃないの。香折さんの住む家を見つけ、香折さんが不安になる度に面倒を見て、病院を紹介して、何度も彼女の部屋に行ったり、自分の部屋の鍵を渡したり」

「鍵はもう返してもらったよ」

「だけど、私が聞くかぎり、浩介さんがいままでやってきたことって恋人や肉親でもなかなかできないことだよ。多少のことはするって、結局、浩介さんはこれまでと同じように香折さんの世話をするんでしょう。そんなの、私はやっぱり何か変だと思う。香折さんは浩介さんに甘えすぎてるよ。恋人でも兄妹でもない人に、そこまでやってもらうなんて、ちょっとおかしいよ」

食い入るような視線を寄越す瑠衣に、私は怪訝な気分になった。香折ほど誰かに甘えるのが不器用な人間はいない。それを甘えすぎているとは一体どういうことだ、と思う。

「香折のことをそんな風に言うのはやめてくれないか。きみは彼女を知らないんだから」

つい言葉がきつくなっていた。

瑠衣が少し呆れたように唇を開く。

「浩介さん、一体どういうつもりなの」

「どういうつもりって何がさ」

「だから、これからもずっと香折さんとの関係をつづけていくつもりなの」

「関係って、そういう言い方はよしてくれよ」

私が笑うと瑠衣の表情は真剣さを増してくる。

「お願いだからはぐらかさないで」

「はぐらかしたりしてないよ」

「香折さん、彼氏だっているわけでしょう。だったら彼氏が彼女をきちんと見てあげればいいのよ。なにも身内でもないあなたが一生懸命になることなんてない。この一年、頑張ってきたんだから、もうそれでたくさんじゃない。これ以上は却って香折さんにとっても、彼氏にとっても迷惑かもしれない。香折さんだっていつまでも他人のあなたに頼っていたら、彼氏のことを本当に愛したりできない。私の言ってる意味分かる？」

「ぼくがお節介を焼いて、香折は困ってるとでも言いたいわけ」

「そんなこと言ってない」

「瑠衣さん、きみは彼女のことを知らないからそんな風に言うのも当然だけど、香折は毎日ぎりぎりのところで生きてるんだよ。彼氏がちゃんと見ればいいって言うけど、話はそう単純じゃない。ましていまの彼氏は、この前、香折宛に荷物が届いたときだって、喧嘩して彼女を放っぽり出したくらいなんだよ。まだ二十八の青二才で調子のよさそうな男だったよ。あんな奴が香折の支えになれるとはぼくには思えないね。要するに、香折には誰もいないんだよ。両親にも兄にも虐待され、自分の鬱屈《うっくつ》を吐き出せる友達もなくて、ずっとずっと独りぼっちで生きてきた。行く場所もなければ帰る家も彼女にはないんだ。そんな人間を見て、いくら他人だからって見過ごすわけにはいかないだろう。目をちょっと離せば、いつ死んでもおかしくないんだよ。きみはまるでぼくが余分なことをしているように言うけどね、ほんとうに香折には誰もいないんだよ。ぼくが突き放してしまえば、香折には摑まる物がなにもなくなる。目の前で溺《おぼ》れている人間に差し出した手をきみは引いてしまえって言うのか。そんなことができるはずがないだろう。少なくともいまの香折にはぼくしかいないんだ。当分はこれまでのようにやるしか方法はないんだよ。それにしたってそんなに長い間のことじゃきっとない」

私は言葉を区切って、つけ加える。

「それにいままでだって大したことをしてやったわけじゃない。ほんのちょっと手を貸したにすぎないよ」

瑠衣は黙り込んで俯いた。小さな吐息が洩れた。

「じゃあ……」

肩先が微妙に震えている。顔を上げて再び私を見る。

「じゃあ、私には誰がいるの。香折さんにあなたしかいないのなら、私には誰がいるの」

瑠衣の瞳が強い光を放っている。

「私にはあなたしかいない」

「それとこれとは別だろう。きみにはぼくがいるじゃないか」

「違う。全然別なんかじゃない。どんなことでも本当のことは一つきりなんだから」

「本当のことなんて幾つもあるさ」

私はそう口にしながら、なぜか内山が夕方言っていた「真実は一つと限らないのがこの世の常なんだがね」という一語を思い出していた。ちらりと時計を見る。もう三時になろうとしていた。自分は疲れている、と感じた。仕事の上でいま決定的な岐路を迎えている。もはや瑠衣にふさわしい立場ではなくなるかもしれない。そして、そうなったとき、それでも会社にしがみつくようなみっともない真似だけはしたくない。瑠衣の言いたいことは分かっていた。彼女には香折の存在が気になって仕方がないのだ。それは瑠衣からすれば当り前のことだろう。

瑠衣は目に涙を溜め、下を向いて唇を嚙みしめている。だが、そんな反応を見ると、私は何かが違うような気がしてくる。どうしてこの人はこれほどに思い詰めるのだろうかと思ってしまう。彼女の感情の波形に自分の気持ちを合わせていけないもどかしさがあった。

「瑠衣さん、泣かないでくれないか。ぼくにどうしてほしいか言ってくれ。そしたらその通りにするから」

頰を伝った涙を拭って瑠衣は、不意に静まった表情になった。

「どうしてそんな言い方しかしないの」

「何が」

「だって、私があなたにこうしてほしいなんて言えるはずがないでしょう。そしたらその通りにするなんて、あんまり無責任すぎる」

「無責任ってどういうことだよ」

自分の声に苛立《いらだ》ちが混じってくるのを止められなかった。

「きみの方こそ身勝手すぎやしないか。香折のことが気になるのは分かるけど、きちんと説明はしたはずだ。違う次元の話を混同して、まるでさっきからきみは、香折と自分のどっちを取るのかって迫ってるみたいじゃないか。きみの方こそどうかしてるよ」

「そんなこと言ってるんじゃない」

「じゃあ、何が言いたいんだよ」

「私は、ただあなたに考えて欲しいの」

「だから何を」

「これからの私たちのこと」

「そんなこと言われなくたって考えている。きみや香折のことだけじゃない、仕事だっていろいろなことがある。そのどれもぼくはぼくなりに真剣に考えてやってきたつもりだ。こんな言い方はしたくないけど、きみは黙ってぼくを信じてついてきてほしい。ぼくは決して無責任ではないし、きみを裏切ったりしていない。きみのことを誰よりもかけがえがないと思っている。そんなことも分からないのなら、ぼくにはきみに言うべきことはもう何もないよ」

瑠衣は黙って私のことを見ていた。その濡れた瞳の中に瞬間、臆《おく》するような色合いが浮かんだ。

「ごめんなさい。無責任だなんて言って」

「いや、いいんだ。ぼくもすこし言いすぎた。瑠衣さんが香折のことで……」

「その瑠衣さんっていうのやめてほしい」

私はひとつため息をついた。

「ごめん。瑠衣が香折のことで気に障《さわ》る気持ちもよく分かる。この一週間、どうすればいいかずっと考えてきた。それで思いついたんだが、もしよかったら香折と会ってくれないか。彼女と会えば、ぼくと彼女とのことだってよく分かるし、これからはきみにも香折のことで手伝ってもらえる。香折の彼氏と一緒に会ってもいい。駄目だろうか」

瑠衣の表情がにわかに柔らかくなった。

「実は、私もずっと同じこと考えてた。私、浩介さんを責めようなんて気持ちは全然なかったの。でも、やっぱりどうしても気になって。それでわがままなことも言ったけど、ほんとうはこれからは私が香折さんと向き合っていかなきゃいけないのよね。あなたの負担を軽くするためにも、これからは私が香折さんの手助けをしなくちゃいけないのよね。私、香折さんと会いたい。私の方からお願いしたい」

私は、頭の中で、瑠衣という女の像が会うたび話すたび鮮明になり、その部分部分がどんどん整っていくような気がする。彼女の優しさ、女性らしさ、賢さ、どれもが私には親密であたたかなものに思えた。いとおしくかけがえのない、そういうものに思えた。だが、それが思考や体には伝わっても、なぜか足立恭子のときのように心に響いてこない気もするのだった。それは私がもう若くないせいかもしれないが。

「香折さんってどんな人。きれいな人」

瑠衣はさきほどとは別人のように明るい表情になっている。

「そうでもないよ」

「会うのが楽しみだね」

「よかったら、この日曜日にでも会わないか。きみさえよければ、明日電話してそう伝えるけど」

「そんなに急で大丈夫かな。向こうの都合とか気持ちもあるだろうし。香折さんは嫌がるかもしれないよ」

「そんなことないよ。きみのことは香折も知ってるし、いつも、『瑠衣さんだけは手放しちゃ駄目だ』ってぼくは説教食ってるんだから」

「そう……」

瑠衣は曖昧な笑みを浮かべて呟いた。

15

三軒茶屋の駅前のリカーショップでシャンパンとワインを買って車に戻り、フロントガラス越しに交差点を行き交う大勢の人波を眺めながら、しばしぼんやりとしてしまった。五月も早や最後の週を迎え、日差しは日に日に逞《たくま》しさを増している。その一方で景気の翳《かげ》りは月ごとに深刻化していた。円安、株安は止まらず、企業倒産も相次いでいる。政府は今年に入ってから大幅な法人税、所得税の減税をはじめ景気刺激策にやっきだが、どれも有効な手立てとはなっていない。月例経済報告による先月の経済成長率は、前年同月比でマイナス一・三パーセント。このまま事態が推移すると日本は戦後初の大幅なマイナス成長を記録する、と昨日の新聞でも報じられていた。

しかし、こうやって人々の顔を見ていると、そうした経済危機に見舞われているのは一体どこの国の話だろうか、という気になってくる。家族連れ、若いカップル、誰もがうららかな陽光を浴び、暢気《のんき》そうに楽しげに歩いている。神坂良造がかつてこんなことを言っていた。

「国家の活力がもっとも漲《みなぎ》るのは、一人当たりの国民所得が千五百ドルに達した時点だ。このとき国家国民は豊かでもなく、さりとて貧しくもないという平衡感を獲得する。過去は彼方へと走り去り、遠い未来には夢と希望が満ちている。人々は自らの力で成してきたものに愛着と誇りを持ち、より良き明日を目指して、すべてを新しくする気概に胸を膨らませる。国にとっても国民にとってもまさに黄金の時代だ。わが国で言えば一九七〇年代初頭がそういう時代だった。橋田君、きみも覚えているだろう、大阪で万国博覧会が開かれ、三Cが急速に普及していったあの頃の活力感を。私は、ちょうどその前の年の十二月総選挙で国会に出たばかりだった。佐藤さんの第三次内閣が成立し、世界も日本も元気だった。アポロは月面に初めて降り立ち、政府は沖縄返還めがけてまっしぐらだ。ほんとうにいい時代だった。創意と自信でむせかえるような、素晴らしい時代だった」

大阪万国博覧会の頃といえば私は小学校の五年生だった。母と二人、小さな借家住まいだったが、学校の帰りによく母の勤める市民病院に顔を出し、夕方一緒に家路についたものだ。家の周辺は畑や草ぼうぼうの空き地で、春先になると蛙の声がかまびすしく、秋には無数のトンボが群れ飛んでいた。カレーやトンカツが一番の御馳走で、近所の子供たちと日が暮れるまで缶蹴りや助け鬼をやって遊び回った。田舎だったこともあって、誰もが贅沢《ぜいたく》など知らなかった。男子も女子も皆、つぎの当たったトレパンで学校に来ていたし、自家用車を持っている家などほとんどなかった。それでも神坂が言ったように、あの時代には何か晴れやかで横溢《おういつ》するものがこの国にはあった。いま目の前で行き過ぎる人々の、一見満ち足りた表情にわずかに欠けているのは、そういった晴れやかさであるように私には感じられる。

やり直すにはむずかしい時代になってしまった、と思う。数学に見切りをつけた遠山が曙橋で居酒屋を始めた十年前にくらべても、人ひとりが生き方を改めることの困難さは倍、三倍になっているのではないか。

エンジンをかけ車をスタートさせる。助手席のビニール袋が揺れて、瓶の触れ合う音が聞こえた。ブレーキを踏んで袋を取り上げ、後部座席に置き直した。そのときバックミラーに自分の顔が映り、間の抜けた表情に舌打ちが出る。まったく何をやっているんだ、という気がした。長年骨身を削った仕事をいま失おうとしている。のめり込んで働いてきただけに、いざ道を塞《ふさ》がれてしまうと他に行き場がない。昨日も瑠衣の部屋から戻り、香折に電話して今日の約束を取りつけたあとで、茫然としてしまった。親兄弟も妻子もなく、どうせ我が身ひとつと高を括《くく》ってはいるが、現実に会社を辞めるとなると、これまでの日々がすべて徒労と化してしまう。では、自分にとってこの十五年という歳月はどんな意味を持つものだったのか。そう考えると、胸のあたりに予想外に重苦しい圧迫感が生じてくるのだった。

結局、昨夜はほとんど眠れなかった。内山や宇佐見の姿が脳裏に浮かび、ふつふつと怒りが込み上げてきた。それ以上に次々と甦る扇谷との思い出が、私の気分を落ち着かなくさせた。宇佐見一派など、詰まるところは取るにたらぬ存在でしかない。だが、扇谷はそうではなかった。彼は私にとって、この十五年のすべてと言っても過言ではない。

師とも頼み、父とも頼んできた——実の父親を知らない私にとって、扇谷は大袈裟ではなしにそういう対象だった。やすやすと憎めるような相手ではないのだ。身内に粟立《あわだ》つような焦燥感があった。それは怒りとも憤りとも悔悟ともつかぬ、私がいままで経験したことのない感情である。コールタールのようにねっとりと重く張りついて、私の中の撓《たわ》められた力を封じ込めてしまうような、じりじりと不快で憂鬱な感触のものだ。

信じた者に裏切られるのはこれで二度目か、とアクセルを踏み込みながら呟いてみる。足立恭子のときもなすすべがなかった。そして今回もそうだろう。

結婚式まで二ヵ月足らずとなったあの晩、私は恭子の口から根本という名前が出ても、最初、彼女が一体誰のことを言っているのか分からなかった。そもそも、恭子が婚約した直後からずっと根本と私とのあいだで心を揺らし、深く思い悩んでいたことにすらまったく気づいてはいなかった。自分の気持ちを冷静に淡々と語る恭子の姿を、私はただ呆気《あっけ》に取られ見つめるだけだった。

「あの人には私しかいないから」

恭子は言った。

「もう私しか残っていないから」

もしあのとき、私が根本と恭子とのあいだをいささかでも疑っていたとしたら、私は恭子の言葉をそのまま受け取ることはしなかったと思う。長崎の根本を訪ね、きっちりとケリをつけたのではないか。恭子自身も決意の裏側では、私がそうすることを望んでいたのかもしれない。だが、私には何もできなかった。手も足も出ないほどに恭子のことを信じきっていた。

翌日、恭子は会社に辞表を提出し、その一週間後には長崎に発《た》った。根本は長崎に左遷されると妻子と別れ、小さな会社を作って独立していた。私たちの婚約を知って彼はすぐに上京し、恭子と会った。結果、恭子は私ではなく根本を選んだのだった。

「あなたは、私がいなくても大丈夫だから」

そう言われたとき、私は、二年間の付き合いで彼女と自分とがまったく違う方角に歩んでいたのだと知った。私が恭子を必要だと思い固める同じ時間を使って、彼女は自身が私にとって必要ではないと確信するに至ったのだ。

玉川通りは思った以上に空《す》いている。時計を見ながら、この分だと約束の時間よりずいぶん前に瑠衣の部屋に着いてしまうな、と思う。後ろの座席では相変わらず二本のボトルがぶつかりあってカタカタいっていた。

竹井との経緯をかいつまんで喋り、瑠衣と会ってほしいと頼むと、香折は意外なほどあっさり承諾した。「だったら、彼も一緒の方が浩さん都合いいよね」と自分から言い出した。さっそく今日の午後六時から瑠衣の部屋で四人で食事をすることになった。

「腕によりをかけて御馳走するわ」

私はどこか外で一緒に食事をしようと言ったが、瑠衣が「香折さん、家族がいなかったんだから、私たちが家族がわりになってあげなきゃ」と、自室に招くことにこだわったのだった。

「家族がわり」という言葉が私にはひっかかった。機嫌が悪いときの香折なら、

「家族にかわりなんているわけないじゃん。その人、馬っ鹿じゃない」

と一蹴《いっしゅう》するだろう。

仕方のない成り行きで、瑠衣と香折を会わせることになってしまったが、内心気がすすまない。瑠衣に香折のことが理解できるとは思えなかったし、香折の方も瑠衣のような人間は苦手にちがいなかった。

ドアが開くと、出てきたのは香折だった。私は一瞬面食らって玄関先で立ち止まってしまう。

「いらっしゃい」

「どうしたんだ。もう来てたのか」

まだ三時を過ぎたところだ。香折はエプロン姿で白いボタンダウンのシャツの袖を腕捲くりしている。下は細身のジーンズだ。

「お久し振り。まあ上がってよ」

まるで自分の家のような言いぐさだ。

「元気だったか」

「うん」

半月見ていなかったが、顔色も良く、たしかに元気そうだ。香折が揃えてくれたスリッパを履いて部屋に上がる。

「彼女は」

「食事の支度してる。私も手伝ってたところ」

「そうか。彼ももう来てるの」

「それがね、急な仕事が入っちゃって、少し遅れるの。それで昼過ぎに瑠衣さんに電話したら、だったら私だけでもお先にどうぞって言われて。ひまだったから来ちゃった」

「ふーん」

香折は私が提げていたワインとシャンパンの袋を引き取ると、中を見て、

「わあドンペリだ。何だかお祝いみたいだね」

　と声を上げる。両脇にバスと洗面所、トイレがある細長い廊下を先に立って行こうとしたら、リビングに入るドアの手前で香折が袖を引いてきた。

「ねえねえ、浩さん、瑠衣さんすごいね」

　声をひそめて言う。にこにこ顔だった。

「何が」

「私びっくりだったよ。めちゃ美人じゃん。想像以上だよ。それに料理も上手そうだし、感じもいいし、いっぺんでファンになっちゃった」

「そうか」

「そうだよ。浩さんにはほんともったいないよ」

「馬鹿」

　部屋に入るといい匂いがした。キッチンに立っていた瑠衣が、エプロンを外して近づいてくる。

「早かったね」

「うん。意外に道が空いてた」

「お昼はすませたの」

「朝、軽く食べたから」

「じゃあ、おなかすいてるでしょ」

「そうでもない」

「パスタでも茹《ゆ》でようか。いま夜の準備はしてるんだけど、柳原さんが少し遅れるみたいだし」

香折はテーブルの向かいでワインとシャンパンを取り出して、代わりばんこにラベルを眺めていた。

「おい、柳原君、何時くらいになるんだよ」

「さあ、七時半くらいには来れると思うよ。終わったら携帯に電話くれることになってるけど」

「七時半か」

私は時計を見た。三時半になろうとしていた。

「お前、昼飯食ったのか」

香折が首を振る。

「あら、香折ちゃん、食べてきたんじゃなかったの」

瑠衣が言う。

「ごめんなさい。さっきはおなかへってなかったから」

「なあんだ、遠慮してたのね」

「ごめんなさい」

「いつもそうなんだ。こいつ放っといたら、ぜんぜん食わないんだよ」

「じゃあ、三人で先にちょっと食べておきましょうか。七時半だとまだだいぶ時間あるし、私もおなかすいちゃった」

「そうするか」

「ええ」

「じゃあ、香折ちゃん、悪いけど手伝って」

「はーい」

香折は瑠衣の背中を追ってキッチンの方へ行った。私は椅子に座って、流しに立った二人を眺める。瑠衣は真っ青なVネックのゲージニットに白いデニムを穿《は》いている。こうやって並んだ後ろ姿を見ると、背の低い香折はまるで子供のようだ。しっとりと丸みのある瑠衣と比べ、体型もどこか尖って幼げだった。瑠衣はやはり一人前の女なんだな、と思う。

そのうち眠気がさしてきた。二人の話し声が聞こえる。

「瑠衣さん、からすみってこれですか」

「そうそれ」

「何なんですか、これ」

「ぼらの卵の燻製《くんせい》かな」

「ぼらって」

「魚の名前」

「へー、じゃあ明太子《めんたいこ》みたいなものなんですね」

「まあそうね」

「これどうするんですか」

「そこにかかってる網で、軽く焙《あぶ》ってちょうだい」

「はーい」

私は椅子から立って、テレビの前のソファに移動した。背もたれにうなじを預けると急速に視界がぼやけていくのが分かった。


「橋田さん、橋田さん」

名前を呼ぶ声に目を開けた。眩《まぶ》しい光が射し込んで、光の中に若い女の顔が浮かんでいる。香折だ。昨夜はちゃんと眠れたろうか。あんなひどい痣《あざ》で、きっと痛みはつづいているにちがいない。あの程度の湿布ではどうしようもない。とにかく早く病院に連れていかなくては。

「香折……」

私は呟いて、香折の全身を眺める。彼女の右手が私の肩にかかっている。いつの間に包帯をほどいたのだろう。傷はもう大丈夫なのか。

「浩さんったら」

不意に香折の声が低くなった。ようやく意識がくっきりしてきた。

「食事できたよ」

「そうか」

一度腕をあげて伸びをする。大きなあくびが出た。

「やだね、オジンくさーい」

「うるさい」

「さ、行こう。御馳走だよ、浩さん」

「ああ」

テーブルに戻ると、瑠衣が皿を運んでくる。

「浩介さん、ビールにする」

「いいね」

寝起きで声が掠《かす》れた。

「なんだか疲れてるわね。昨日はちゃんと眠れたの」

金曜日の晩、この部屋で明け方まで瑠衣と交わり、そのまま家に戻った。昨夜もろくに眠っていないので、たしかに寝不足だった。

「ちょっと、うとうとしてしまった」

「大丈夫？　食べ終わったらベッドですこし寝《やす》むといいわ」

「そうだね」

そこでまたあくびが出た。

ビールを取りに行っていた香折が戻ってきて、

「いやだ、またあくびしちゃって」

「あんまり眠ってないんだって」

瑠衣が言うと、

「眠らないのって、橋田さんの趣味なんですよね」

私の座っている側に来てグラスを二つ置きながら香折が笑う。瑠衣が不思議な顔になった。

「橋田さんは、人が眠っているときに同じように眠っていたら、人間どうしようもないってのがポリシーなんです」

そしてビールの栓を抜きながら、

「ねっ」

と相槌《あいづち》を求める。

「まあね」

「そうなんですよ。橋田さんは好きで眠らないんだから、瑠衣さんそんなに心配しなくっていいんです。このオジさん、実はすごいタフなんだから」

「お前だって、不眠症のくせに、よく言うよ」

「あたしは眠らないんじゃなくって、眠れないだけです」

私が隣の椅子を香折にすすめると、香折はテーブルを回って瑠衣の立っている方へ行った。ビールを私のグラスに注ぎ、隣のグラスにも注いで、自分は私の正面に腰掛けた。瑠衣はすこし香折を見たあとで、私の横にやってきて座る。

卓にはパスタ、コンソメスープ、それにマグロの赤身のカルパッチョとトマトのサラダが並んでいた。ビールの瓶を取って、私が香折のグラスにも注いでやる。

「えーと、もう紹介でもないけど、こちらが中平香折さん。で、彼女が藤山瑠衣さん。じゃあ、とにかく乾杯」

香折はグラスを持ち上げたまま神妙な顔を作った。

「えー、今日はお招きいただいてありがとうございました。ずっと橋田さんには親切にしていただいていて、いままで延々お惚気《のろけ》に付き合ってきたんですけど、実際に瑠衣さんにお目にかかって、橋田さんがあれだけ言ってたのも無理ないかなって思っちゃいました。瑠衣さん、橋田さんって、変なところもあるけど、まあ大目に見てやって末永くよろしくお願いします」

ぺこりと頭を下げる。

「私も香折ちゃんと会えるの楽しみにしてたの。これからは浩介さん同様、私とも仲良くしてね」

「そんなあ。私みたいなのが瑠衣さんと仲良くするなんて、なんだかおこがましいです」

「何言ってるのよ」

瑠衣が吹き出す。香折は真面目な顔になった。

「ほんとです。私、お二人の邪魔にならないようにします。頑張ってそうします」

香折はビールを半分くらい一気に飲み干した。

「そんなことないよ。何か困ったことがあったら、今日からは浩介さんだけじゃなくて、私にも気軽に相談してね」

だが、香折はその言葉には曖昧に頷いただけだった。

「じゃあ、堅苦しい挨拶はこのくらいにして、食べようか」

私はフォークを手に取る。

「そうね」

瑠衣も応じた。

パスタはウニのクリーム仕立てで、チーズのかわりに千切りのからすみがまぶしてある。一口食べるとウニの香りが広がってまろやかだ。トマトのサラダは厚い輪切りにエシャロットを刻み込んだクリームチーズがたっぷりと載って、これもとろけるような味だ。

「このパスタすごく美味しいです」

香折が言う。

「ありがとう」

「瑠衣さんってお料理お上手なんですね」

「そうかな。ただ、料理をするのは大好きなの。仕事で、たとえば取引先の人と話なんかしても、急にお料理のことが頭に浮かんだりするの」

「えっ、それってどういうことですか」

「だからね、クライアントのおじさんなんかがガチャガチャ目の前で喋ったりしてるじゃない。そういう時、真面目な顔とかして聞きながら、心の中では不意に『そうだ、今夜帰ったら白菜と肉団子の煮込みを作ろう』とか思いつくのよ。そしたら、冷蔵庫の中身を思い浮かべて、挽《ひ》き肉と春雨はあったかなとか、出汁《だし》は干し貝柱と椎茸《しいたけ》でとればいいな、とか手順を考えて、そうすると何だかすごく幸せな気持ちになっちゃうのよね」

「すごいなあ」

「香折ちゃんは食事はどうしてるの。いつも外食ばっかり」

「そうですね。部屋に戻っても、一人きりだと何だか料理を作っても味気ないし。瑠衣さんは毎日自分で御飯作ってるんですか」

「私も仕事で遅くなるときが多いし、ずっと実家だったから。でも、これからはちゃんと作ろうと思ってるの。実家でも土、日は私が作ってたし」

「そうですよね。これからは一緒に食べてくれる人もいるし。いいですね、瑠衣さん」

「まあね」

瑠衣が大皿に盛りつけたカルパッチョを小皿に取り分けて私の前に置いてくれる。口をつけると香折が身を乗り出して言う。

「黙って食べてるばかりじゃなくて、ありがとうくらい言いなさいよ。こんなに美味しいもの、毎日食べさせてもらえるようになるんだから」

「お前こそ、喋ってばかりいないで食えよ。どうせ日頃ろくなもん食ってないんだろう」

「わかってるわよ」

瑠衣が笑顔になって私たちを見ていた。

「なんだか歳の離れた兄妹みたいね、二人」

「歳が離れたは余計だろう」

「だって、浩介さんと香折ちゃんは十八も差があるんだよ。親子に近いくらいじゃない」

「そうですよね」

女二人顔を見合わせてくすくす笑っている。

16

柳原は先日会ったときとは印象を一変させていた。くたびれたジーンズに洗い晒《ざら》しの水色の半袖シャツ姿で、香折に案内されて居間に入ってくると、

「遅くなってすみませんでした」

と丁寧に頭を下げ、その顔や腕は真っ黒に灼け、汗の匂いが漂ってくる。こうやって見ると二十八の年齢に似つかわしい若々しさを全身から発散させていた。

「慎太郎さん、すごい汗くさいよ」

香折が言う。

「すみません。一日力仕事してたもんで」

私が瑠衣を紹介すると、彼は手に持っていたSUNTORYと印刷された大きな紙袋からクラッチバッグを取り上げ、柳原慎太郎といいます。今日はお招きいただいてありがとうございます」

「はじめまして、柳原慎太郎といいます。今日はお招きいただいてありがとうございます」

「ねえ、シャワーでも借りたら。瑠衣さん、いいですか」

「どうぞどうぞ。下着も新しいのがあるから。柳原さんにはちょっと大きいかもしれないけど、とりあえずは何とかなるでしょう」

瑠衣は引っ越しと同時に、私の着替えを幾つも揃えてくれていた。

「ねえ、浩介さん、いいよね」

「ああ」

「すみません、迷惑かけちゃって」

柳原が照れたようにまた頭を下げる。着替えやタオル一式を持って二人でバスルームに行き、香折だけ帰ってくると、

「今日、うちの会社の志木倉庫で在庫チェックがあったんです。ほんとは、もう営業主任だか

らそんな の立ち会う必要ないのに、下の人間だけ行かせるんじゃ気が引けるからって、昨日急に出かけるって言い出しちゃって。なんか、あの人会社でもいまいち要領悪い感じなんですよね」

と言う。

十五分ほどで柳原は戻ってきた。髪が濡れてぼさぼさだったが、さっぱりした顔になっている。

「とても気持ち良かったです。ありがとうございました」

テーブルの上には瑠衣がこしらえた料理が幾品も並んでいた。私がグラスにビールを注いで渡してやると、柳原は立ったまま一息で飲み干し、

「あー、旨いなあ」

と声を上げた。

椅子をすすめると私の向かい、香折の隣に腰掛けた。

「倉庫の在庫チェックだったんだって」

「はい。朝七時半から、みんなで手分けしてやるんです。主に輸入ワインなんですけど、一応、抜き取りで製品検査もするんで、荷箱を一個ずつ棚から下ろさなくちゃいけなくて、それはフォークリフトなんですけど、釘抜《くぎぬ》きは全部手作業なもんですから。さっきまでみんな汗だくで」

「大変だね」

「でも、ぼくは力仕事好きなんです。今日もいい汗かいてきました」

時刻はちょうど七時半になったところだった。

「この前はあんな夜中に鉢合わせしちゃって、ろくろく挨拶もせずじまいで悪かったね」

「そんなとんでもない。ぼくの方こそ失礼しました」

キッチンとのあいだを行き来していた瑠衣も私の横に着席し、四人が揃った。冷蔵庫で冷やしておいたドンペリの栓を私が抜いて、まず乾杯した。

「瑠衣さんとぼく、多分同級生だと思いますよ」

柳原が言う。

「柳原さん、何年生まれ」

「ぼく、六九年の六月です」

「えーっ、私も六九年の六月」

「何日ですか」

「私は七日」

「ぼくは六日」

「じゃあ、たった一日ちがいなんだ」

瑠衣がほんとにびっくりした顔を作って私の方を見る。

「そうですね。ぼくが一日だけお兄さんです」

柳原は人懐こい笑みを浮かべて言った。

それから柳原はよく食べた。上背はないが、肩も胸も思いのほか分厚い。聞けば高校、大学とずっとラグビーをやっていたという。彼は高校が桐朋《とうほう》で、瑠衣の大学は一橋だったから、同じ国立《くにたち》のことをよく知っていて、瑠衣と国立の街についていろいろ話していた。

「じゃあ、サントリーもラグビーで入ったの？　サントリーすごく強いじゃない」

瑠衣はすっかり打ち解けている。柳原は慶応ラグビー部でレギュラー選手だったらしい。

「いや、そういう誘われ方もしたんですけど、そうじゃないんです。ぼくは会社に入ってまでラグビーする気は全然なかったから。でも、いまの会社に入ったのはコネはコネなんですけどね」

「慎太郎さんは銀座の『辻清《つじせい》』の跡取りなんだよ」

香折が口をはさんだ。

「辻清って、あの懐石の辻清のこと」

私がおどろいて訊くと、柳原は頷いた。

「跡取りといっても、大したことないんですけど」

「だけど、あそこは裏千家出入りの真正茶懐石の老舗《しにせ》じゃない。すごいじゃないか」

私も「辻清」は、何度か接待で使ったことがあった。京風懐石料理の名店中の名店で、日本でもトップランクの料理屋である。

「でも、もう跡継ぎにはなれないんだよね」

「うん」

隣の瑠衣も見直すような表情になっている。

「中学を卒業するときと高校を卒業するときに、じいさんから呼ばれて、板前修業しないかとは誘われたんです。でも、うちは親父がもともと板前で、それで一人娘だったお袋と駆け落ちなんかして、じいさんの店とはずっと絶縁みたいになってたし、ぼくも料理は嫌いじゃなかったんですが、やっぱりいまさら店を継ぐってわけにもいかなかったもんで、結局断ったんです」

「料理人って、始めるには十八歳が限度なんだって。だからもう慎太郎さんは後は継げないのよね」

「ほんとは酒の商売もあんまり気がすすまなかったんですけどね。ラグビーばっかでろくに勉強もしてなかったし、じいさんも関西の出身だし、店にもうちの会社の幹部がよく出入りしてたんで、なんとなくサントリーに入ってしまったんですよ」

「どうしてお酒の商売は気がすすまなかったの。いい仕事だと私は思うけどな」

瑠衣が言った。柳原はすこし考えるそぶりになって、

「ぼくの親父がアル中で、結局、それがもとでぼくが小学校六年のときに精神病院で死んだんです。だからお袋もぼくも酒にはさんざん厭な思い出があって、小さい頃からこの世の中に酒なんかなきゃいいのにってずっと思ってました。それが今じゃ酒売って給料貰ってるんですから、何だか不思議な気がしますよ」

「そうなんだ……」

瑠衣と私が声を揃えた。

「お父様、アルコール中毒で亡くなったの」

瑠衣がおそるおそるという感じで訊く。柳原の方は別に頓着《とんちゃく》した様子でもなく素直に答える。

「ひどいもんでした。最後は意識障害のせいでぼくの顔だって見分けつかなくなって、まるで

酒を置かないようにしておくんです。とにかく親父が酒飲まないように、家の中に絶対

廃人同然だったですから。面白いんですよ。もう最後の方は、おちょこ一杯でべろんべろんになっちゃうんですから。それでも、親父はこっそり酒を買ってきて、お袋が見つけられない場所に隠しておくんです。ぼくの部屋の本棚の裏なんかが隠し場所で、それで、一度ぼくも頭にきたから、その瓶を夜中に取り出して、酒を全部捨てて、かわりに小便入れておいたんです。そしたら翌朝、親父が何にも知らないでそれ呷って、すごい笑いましたよ。『誰だー、小便入れたのは』とか怒鳴りまくっちゃって」

香折が隣で笑っていた。

「ほかにも面白いことといっぱいあるよね」

と柳原に言う。

「なんかね、水とそっくりの、お酒やめる薬があるんだって。ほんとに味も色も水と同じなんだけど、それを飲むと、お酒を一口飲んだ途端にすごく気分が悪くなるんだって」

柳原が後を引き取る。

「そうなんです。抗酒剤って言うんですがとにかく水と同じじゃないですか。だからこっちも水なのか薬なのか分かんないわけですよ。そしたら親父のやつ、その薬と水を入れ替えておくんです。毎朝、ぼくとお袋に薬飲むかどうか監視されてるから、どうしても目の前で飲まないといけないでしょう。だけど水と替えられてたら、ぼくたちも判別できないんですよ。それで、薬飲んだから出かけるって外に行って、ぐでんぐでんになって帰ってくるんです。だから、毎毎日、親父とぼくたちでいたちごっこなんです。向こうが水に入れ替えてたら、またこっちが

とすり替えて。てっきり水だと思って薬飲んで、それで親父が外に出て、あんまり苦しくて飲み屋で救急車呼ぶ騒ぎになったりとか。そんなのしょっちゅうって感じでしたよ」

柳原はグラスのワインを飲み干し、

「だけど、親父が死んだときはほんとにほっとしましたね。最後はめちゃくちゃ痩せ細って餓死みたいだったんですけど、でも、死に顔見て、これで親父もやっと楽になれたんだなあって思いました。アル中になったら、もう本人の力じゃどうしようもないんです。一番哀れなのは本人ですからね」

あっさり言う。

「ぼくは父親の顔も知らないから、何とも言えないけど。そりゃ大変だったろうね」

「浩さんってお父さんいなかったの」

香折が意外そうな顔になった。

「ああ。俺が三つのときに癌で死んじゃったからね。お袋も大学の四年のときに死んだし、いまじゃ天涯孤独の身の上だよ。まあその分、気楽だけどね。お前みたいに、厭な親や兄貴がいるよりずっとましだろう」

「へえ、そうなんだ。そういえば私、浩さんのこと全然知らないんだ」

香折も酒が入って、さきほどから「橋田さん」が「浩さん」になってしまっていた。

「親によりますよね。いない方がいい親だっていますよ。香折の両親なんかそうですよね」

柳原も相槌を打った。

私は柳原の話を聞きながら、香折が卓次ではなくこの柳原を選んだ理由が分かった気がした。

彼ならば香折の抱えているものを多少とも理解できるかもしれない。

「みんな大変だったんだね」

瑠衣がしんみりした口調で言った。

「瑠衣は、何不自由なく育ってるから。でも、それが当たり前なんじゃないか。ぼくだって香折や柳原君と比べたらろくに苦労なんかしてやしないもの」

「そうですよ。瑠衣さんは幸せで羨ましいです。立派なお家に生まれて、そんなにきれいで、それに浩さんみたいな彼氏がいるんだもの。さっきは変なとこもあるとか言ったけど、ほんとはそんなことないです。浩さんは、私がいままで会った中で、一番やさしくて頼もしい人だったし、肝心なときに絶対外さない人です。瑠衣さん、ほんと浩さんみたいな男ってそうそう出てきやしないから、絶対絶対手放さないほうがいいです。私、自分のことは自信ないけど、でも浩さんのことなら自信あるんです。浩さんは、すごいいい男だって自慢できる滅多にいない人です」

香折は赤い顔になっている。結構酔っているようだった。

「おいおい、どうしたんだよ急に」

私が茶化すと、

「私だって、たまには素直なことも言うんです」

そう言って頬をふくらませる。隣の柳原も笑っていた。

「橋田さんには、彼女のことでずっとお世話にばかりなってきて、ほんとに二人とも感謝してるんです」

「大したこともしてないよ。これが彼女とかだったらもっと沢山してあげられるんだろうけど、そういうわけでもないしね」

「でも、兄妹みたいなんだよね、私たち」

香折はにこにこ笑っていた。

あ、そうそう、と言って柳原が立ち上がった。隅に置いてあった紙袋を持ってくる。中から大きな箱が出てきた。

「これ、お二人にと思って」

「何かしら」

瑠衣が受け取る。

「どうぞ開けて下さい」

包みをほどくと、茶色の革張りの箱が出てきた。蓋《ふた》を上げる。ペアのワイングラスだ。

「わー、きれい」

瑠衣が声を上げた。

「どうもありがとう」

バカラのクリスタルだった。

「よかったら使ってください」

瑠衣が取り出して卓の上に並べて置いた。ライトの光に二つのグラスがきらきらと輝いている。

「悪いね、気をつかわせて」

「いいんです。実は商売柄、安く手に入るんです。でもきれいだし、きっとお二人にはいいと思って」

「すごく嬉しいわ」

「気にいってもらえるとぼくも嬉しいです」

そう言いながら柳原は瑠衣の顔をじっと見ていた。来たときから、時折、まるで見惚《みと》れるように彼は瑠衣に視線を送っていた。

「でも、ペアグラスなんて、何だかまるで結婚のお祝いみたいじゃない」

香折がグラスをひとつ手に取って明かりに透かしながらぽつりと言った。瑠衣の笑みが一瞬引いていくのが分かった。

「あっ、そうか。それでもいいんだよね」

香折も慌てたようにつけ加える。そして、

「橋田さん、もう瑠衣さんにはプロポーズしたんですか」

と訊いてきた。

「そんな不躾《ぶしつけ》なこと訊くもんじゃないよ」

柳原がすかさず釘《くぎ》をさす。

「どうして、どこが失礼なの」

「だって、それはお二人の間のことだろう」

私は何も言えなかった。すると瑠衣が、私に顔を向けて、

「ねえ、どうする」

と言ってきた。私は思わず香折の顔を見てしまった。香折はばつの悪い表情になって目を逸らす。つかのま四人のあいだに沈黙が漂った。瑠衣がグラスを箱に戻し、

「そうだ。ちょっと待っててね」

と言って席を立った。

大きな紙袋を抱えて寝室から戻ってくる。

「これ、私から香折ちゃんへのプレゼント」

「えー」

香折は立ち上がって受け取った。急いで中のものを取り出す。赤い蝶《ちょう》ネクタイをした熊のぬいぐるみだった。

「わー、可愛い」

「これ正真正銘のテディベアなんだよ」

と瑠衣が言った。

「足の裏を見てみて」

ぬいぐるみの左足の裏には「Ｈａｒｒｏｄｓ　１９９７」と金の刺繍《ししゅう》がほどこされていた。

「ハロッズのイヤーベアといって、毎年秋に売り出されるの。去年ロンドンに行ったときにネクタイが赤と黒両方あったからペアで買ってきたの。一つ香折ちゃんにおすそ分けね」

香折はぬいぐるみを抱いて座ると、

「瑠衣さん、ありがとう。ほんとに嬉しいです」

と満面に笑みを浮かべている。

「なんだか、俺と香折だけ気がきかないみたいだな。こんなことなら何かプレゼント用意しておけばよかった」

「いいのよ。ねっ、柳原さん」

瑠衣に言われて柳原も頷く。

最後に瑠衣が一日かけて煮込んだというオックステイル・シチューが出てきて、それをみんなで食べた。ソファに移りデザートとコーヒーを済ませると九時半を過ぎていた。シャンパンを一本とワインを二本空けて、四人ともそこそこに酔いも回っていた。朝が早かったせいか柳原が眠そうな目をしている。私も鈍い疲れが体の奥から滲み出てきている気がした。

そろそろ引きあげ時かな、と思っていると、

「ねえねえ、これからみんなでカラオケ行きましょうよ」

さっきまで瑠衣とぺちゃくちゃやっていた香折が私に言いかけてきた。

「このビルのすぐ裏にボックスがあるんだって。ねえ、浩さんも慎太郎さんも行きましょうよ」

瑠衣の方を見ると彼女もそのつもりのようだった。二人でそんな話になったのだろう。

「だけど、もう十時だよ。明日お前会社なんだろう。それに柳原君だって疲れてるみたいだし」

「慎ちゃんは、OKだよね」

「おう、いいよ」

柳原はすぐに賛成した。

「瑠衣はどうする」

「私も行きたいな。せっかく香折ちゃんたちとも仲良くなったし、私、浩介さんの歌、そういえば聞いたことなかったわ。香折ちゃんに聞いたら、結構上手なんだって」

ずいぶん前、香折と食事をした後、一度だけカラオケスナックに行ったことがあった。

「そんなことないよ」

私は気が乗らなかったが、三人がそのつもりなら従うしかない。

「じゃあ、ちょっとだけ歌って帰ろうな。みんな明日があるんだし」

「よし、決まりー」

香折が真先に勢いよく立ち上がった。

17

カラオケハウスは満室だった。柳原が聞くと「十五分待ちくらいです」と店員が答える。

「どうしますか」と尋ねられ、私は「今夜はやめておこうか」と言った。瑠衣も同意の様子だ。

だが、香折は「十五分くらいなら待とうよ」と言って、さっさとフロントのカウンターに置かれたスツールに腰掛けてしまった。「じゃあ、そうしますか」と柳原も香折の隣に座る。仕方なく私と瑠衣も椅子を引いた。

「浩介さんって、いつも何歌うの」

瑠衣が訊いてくる。

「さあ、適当かな」

「私とは来たことなかったね」

「ああ。しょっちゅう会社で若い連中に誘われてるからね。きみとまでやりたくないよ」

「でも、案外好きなんだよね、私」

「きみの会社じゃ、カラオケなんてやんないだろう」

「そんなことないわよ。みんな大好きで、社長なんかすっかりハマっちゃってるんだから」

「そうなのか」

瑠衣の会社の社長はジョージ・グリーンフェルドというユダヤ系アメリカ人だった。スタッフも半ばはアメリカ本社からの出向組のはずだ。

「この前、ニューヨークに行ったときも、向こうの連中とさんざん歌ってきちゃった」

「意外だな」

「いま、ニューヨーク、カラオケパブがすごいいっぱいできてるんだよ」

「そうなんだ」

「浩介さん、最近海外に行ってないでしょ」

「そういえばね。二年くらい御無沙汰だ」

「ねえ、この夏にでも一緒にニューヨークに行かない。ここ二、三年ですっかり変わったよ」

「旅行か。悪くないね」

私はそう返事しながら、夏の頃には自分はどうなっているのだろうか、とふと考えた。

柳原と話していた香折が声をかけてきた。

「ねえ、何話してるんですか」

瑠衣が香折に顔を向けて、

「浩介さんのレパートリーを聞いてたの」

と言うと、香折は、

「橋田さんうまいんですよ。『ずっと二人で』なんて結構聴かせるんですから」

と持ち上げる。

「へえ、歳の割にそんなの歌うんだ」

「悪かったね」

五分くらい経ってからだった。ドアが開いて若い男五人組が店に入ってきた。空き室がないと聞いて、「なんだよ、ざけんなよ」と中の一人が店員に食ってかかっている。五人とも大分酔っているようだった。一様に髪を茶や金、紫に染め、ピアスを両耳に幾つもつけている。予備校生か専門学校生といったところか。互いの体を小突きあったりして嬌声《きようせい》をあげ、すっかり騒々しくなってしまった。

「ねえねえ、店員さん、この人たちも待ってんのー」

ガムをくちゃくちゃやっていた一人が、私たちの方を指差して言う。

「ほんとだー、たまんねえよなー」

隣のナイキのアポロキャップを被《かぶ》った髭面の男が口を揃えた。私はその顔を見て、何となく池上の顔を思い出した。瑠衣と香折はカウンターの正面を向き黙り込んでいた。柳原は私同様、彼らに目をやっている。すると、ガムとナイキの二人がジーンズのポケットに両手を突っ込んで近づいてきた。後ろで残りの三人がにたにた笑っている。酒の匂いが鼻をついてくる。私が一番右側で彼らに近い。すぐ傍らに立つと二人はしばらくものも言わず、カウンターの向こうのポスターやぬいぐるみを眺めながら、下手なダンスでも踊るように上体を揺すっていた。それから瑠衣と香折の方を覗き込むようにして、

「お兄さんたち、いい女連れてんですね。うらやましーなー」

とナイキが言った。

「そっちの姐《ねえ》さんなんて、すっげえじゃないすか。どっかのモデルかなんか」

私が何も言わないと、

「左も可愛いじゃん、クマさんなんか抱いちゃって」

ガムがナイキの後ろから声を出す。

「兄さん、何とか言いなよ。俺たち、あんたらの彼女褒めてやってんだからさあ」

私は椅子から降りて立った。二人には顔を向けず、緊張している瑠衣と香折の背中に、

「引きあげよう」

と言った。柳原が私の瞳を窺うような表情になった。いいんですか、と目が語っている。瑠衣と香折も立ち、私は三人に道をあけるため、ガムとナイキの前に少し出た。

「なんだ、帰っちゃうの」

ナイキが素《す》っ頓狂《とんきよう》な声を上げる。柳原が先に立って、香折と瑠衣が後をついていく。

「なんか、感じわりーなあ、こいつらさー」

わざとらしくガムが、入口にいる他の三人の方に首を捩《ね》じって言う。その連中がとおせんぼ

でもしたら、仕方がないなと私は思った。五人とも華奢《きゃしゃ》で、ナイキが一番ののっぽだが、それでもTシャツから伸びた腕は細く青白い。酒だけでなく薬もやっているのかもしれない。柳原と二人ならなんとかなるかな、という気はした。入口の方を見ると、何事もなく瑠衣と香折は柳原に促されて、開いたドアから先に出ていった。私もドアのところで待っていた柳原の方へ行き一緒に出た。誰とも目を合わせることはなかった。

瑠衣と香折が狭い路地の向かいで心配そうな顔をしていた。

「参ったね」

私が近づいて言うと、

「ごめんなさい。私がカラオケに行こうなんて言ったから」

香折が謝る。すこし声が震えていた。

「別にお前が謝ることないよ」

柳原が笑う。

「そうよ」

瑠衣が香折の肩を抱いて言った。

私は空を見上げた。星の見えぬ暗い夜空だった。星がないな、と口の中で繰り返した。腕時計を覗くと十時十分だ。

「気分なおしにちょっと飲んでから解散にするか」

「そうですね」

柳原も同意する。本郷通りに出て小川町の交差点の方向へしばらく四人で歩いた。一人先に立っていると、柳原が脇に駆け寄ってきた。

「橋田さん、大人ですね」

半ば揶揄《やゆ》した口振りである。

「何が」

「さっきの連中ですよ」

「そうかな」

「俺、ああいうゴミを見ると、ちょっとたまんなくなります」

「ゴミ？」

「ええ。ゴミでしょ」

「そうでもないだろ。連中、酔ってただけだ」

「だからゴミなんですよ」

柳原は言い、そして、

「二人だけだったら、どうしてたと思います」

探るような目で私を見る。

「二人だけって」

「だからぼくと橋田さんだけだったら」

「同じじゃないの。相手は五人だし」

「でも、あれくらいなら何とかなるんじゃないですか」

彼は両手の拳《こぶし》を固めて腹の前に持ち上げてみせた。

「さあね、仮定の話だしね。実際には香折も瑠衣もいたんだからさ」

「瑠衣さん、ちょっとがっかりしたんじゃないですか」

妙なことを言った。私は一瞬彼の横顔を見た。

「どういうこと」

「いや、別に意味ないですけど」

私は腹の中にわずかな軋《きし》みが生まれるのを感じた。

「瑠衣はともかくさ、香折の方が怯えるだろう。そう思わない」

柳原はピンとこない顔をしている。

「連中が入ってきたときから、香折、怯えてたよ」

「そうですか」

「ああ」

しばらく黙って歩いた。

「大変だろう」

私は言った。

「何がですか」

「香折だよ」

「そうでもないですよ。まあ結構疲れますけどね。家族のことなんか話すと急に顔つきが変わったりしますしね。橋田さんは見たことないでしょうけど、一度、すごい布団見せられて呆気《あっけ》に取られたし。でもぼくは、できるだけ彼女のそういうところは刺激しないようにしてるんです。ぼくだって家庭はめちゃくちゃでしたしね、あんまり触れて欲しくないのはよく分かるから。あいつの気持ちだってそこそこ理解できますよ」

「そう。だったらいいけどね」

私はそう言いながら、柳原の言葉に気安さを感じた。その程度の共感や理解では、香折のほんとうのところは摑めまい。あの「布団」を見れば、そうそう「理解できますよ」などと言えないはずだ、と思った。

「でも、瑠衣さんってほんとにきれいですね」

柳原は感じ入ったような口調になっていた。

「ぱっと見で、ぼく、びっくりしちゃいましたよ」

「そうかな」

「橋田さんが羨ましいですよ」

さすがにこれは冗談めかした声だ。

「一体どこで知り合ったんですか」

「香折から聞いてないの」

「ええ」

「ぼくの会社の社長の義理の姪でね。それで社長に引き合わされただけさ」

「そうなんですか。藤山グループの御令嬢ですもんね」

「ま、大した話じゃないよ」

「橋田さんって、恵まれてますね。会社でもトップクラスをまっしぐらなんでしょう」

「誰に聞いたの」

「これは香折にですけど」

「そうでもないよ」

「香折だって、ほんとうに信用してるのは橋田さんですしね」

「そんなこともないさ。ただ歳もちがうしね。人畜無害だから」

「なんてたって兄妹ですもんね」

柳原の台詞にはさきほどから小さな棘《とげ》がある。

「まあ、そういうわけでもないけどね」

「恋人と兄妹って、どっちが上なんでしょうね」

「どういうこと」

「いや、ちょっとそう思ったもんだから。瑠衣さんもきっとそう思ったんじゃないかな」

「きみの言いたいことが分からないけど」

「別に意味はないです。ぼく、一人っ子だったもんですから。兄弟姉妹ってずっと分からなくて」

「俺も一人だったから、そういえばよく分からないな」

私は受け流した。

小川町の交差点の角に小さなバーがあった。中に入ると空《す》いていた。テーブル席に四人で落ち着き、私と柳原はウィスキー、瑠衣はモスコミュールで、香折はシンガポールスリングを注文した。

三十分ほどで切り上げ、柳原と香折はタクシーに乗って帰っていった。店にいるあいだも、香折は椅子の背に体をあずけ終始黙ったままだった。別れ際に、瑠衣に、

「瑠衣さん、今日はほんとにごめんなさい。私のせいで厭な思いさせてしまって」

と繰り返し、瑠衣の方が困った顔をしていた。

二人を乗せたタクシーが見えなくなると、瑠衣がひとつため息をついた。

「どうする」

と訊かれ、

「とりあえず、部屋に戻ろうか」

私は答えた。すこし酔いを醒《さ》ましてから帰ろうと思った。

「疲れただろう。悪かったね」

並んで歩きながら言うと、瑠衣は、

「やっぱり、香折ちゃんって、ちょっと疲れるね」

ぽつりと言う。

「浩介さんが大変だったのがよく分かった」

「そうか」

「あの二人も、なんか違うって感じだし」

「どうして」

「だって、香折ちゃんに訊いたら、柳原君のことぜんぜん好きじゃないって平気で言うんだも

の」

「それ、あいつの口癖みたいなもんだよ」

「でも、私、彼女とは初対面の相手でしょう。それにすぐ隣に柳原君がいて、あなたと喋ってはいたけど、聞こえてるかもしれないんだよ。ちょっと異常じゃない」

「異常ってのは言い過ぎだろう」

「あなたは慣れてしまったから、そのへんがきっとよく分からなくなってるのよ」

瑠衣はいつになく厳しい物言いをした。

「男の人は、みんな体めあてなんだって。ちょっと優しくすると図に乗って、すぐセックスしようとするんだって。そうじゃなかったのは、あなただけだったたって言ってたわ」

「まだ二十歳だしね。誰だって一度はそんな風に思うんじゃない」

「でも、あなた、彼女に優しくされたりしたことあるの」

「そういう関係でもないからなあ」

「私、なんだかあなたのこと馬鹿にされてるような気がした。ずっと彼女はあなたを便利使いしてきたんじゃない。お兄さんとかなんとか言って。案外したたかな子だって気がしたな」

「それって、ぼくがお人好《ひとよ》しってこと」

「うん、そう。すっごいあなたはお人好し」

瑠衣は笑っていた。私も苦笑したが、実は、瑠衣の態度が気にいらなかった。一度会ったくらいで、「案外したたか」はないだろうと思う。私は相手が誰にしろ、その第一印象ほど当てにならないものはないと信じている。

「だけど、あの柳原、きみに気がある素振りだったぜ。きみの方も楽しそうに話してたしね」

瑠衣はやはり怒っているのだろう。多少、気持ちを宥《なだ》めておくかと考えて、私はそう言った。

「別に楽しくなんてしてないわ。あれくらい、いつものことだもの」

「へえ、しょってるね」

「そういうわけじゃないけど」

瑠衣が私の腕に手を回してくる。

「さっきのヤンキーのこと、ぼくが相手にしなかったんで、きみが失望したんじゃないかって柳原が言ってたよ」

「子供だね」

「まあね」

子供というなら、きみだって似たようなものだ、と私は内心で呟いていた。

駐《と》めた車のところまで来て、私はこのまま引きあげると瑠衣に告げた。

「どうして。泊まっていってもいいじゃない」

「着替えも持ってきてないしね。酒も抜けたから」

瑠衣は不満そうな顔をしている。私はさっさと運転席に乗り込んだ。なぜか気持ちがざらついていた。疲れてしまったのだと思う。

「今日は御馳走さま。じゃあ」

車を出した。バックミラーに瑠衣の姿が映り、やがて小さくなり見えなくなった。

車も人けもない通りをしばらく走っていると、舗道をひとり歩いていくのっぽが目に入った。減速して追い抜く際に確かめると、さきほどカラオケハウスにいたナイキのキャップをかぶった男だった。髭面の池上に似た奴だ。片側に寄せると車を止め、ミラーで彼が近づいてくるのを待った。間隔が五十メートルほどになったところで、グローブボックスからサングラスを出してかけ、羽織っていた上着を脱いだ。ドアを開けて舗道に降り立った。ナイキは気づいた様子もなく、ポケットに両手を突っ込み顔を下に向けてやって来る。私は左手のビルとビルとの間にちょうど人一人分くらいの幅の路地があるのを見つけ、ガードに寄りかかってその薄暗い奥を眺めやった。煙草を出して火をつけた。

苦い煙を二、三度吹かしながら、俺は一体何をやっているんだろう、と思った。路地の奥に意識が吸い込まれていくような気がした。が、ほどなくナイキが目の前を通り過ぎようとした。

「おい、ちょっと待てよ」

自然に声が出た。ナイキが足を止める。私を見て妙な顔つきになった。

「久し振りだな」

知り合いとでも思ったのか、目を凝らしてこっちを見ている。どうやら私の顔など忘れているようだ。

煙草を投げ捨てガードから腰を外し、自分から近づいていった。がらあきの腹にまず右の爪《つま》先《さき》で蹴りを入れた。突然のことにナイキは声も出せなかった。前にのめった彼の金色の髪を摑み、右肘《ひじ》で顔面を横に払った。コンクリートにでもぶつけたような冷たい痛みが上腕部を突き抜けた。ここでナイキの口から低い呻き声が洩れた。だが、まだちゃんと立っている。開いた股間にゆっくりと臑《すね》を入れた。ぐにゃっとした感触があって、ようやくナイキはひざまずいた。その顔面に今度は正面から蹴りを入れる。鼻が潰れたのだろう、暗い街灯の光でも、顔の真ん中から赤いものが噴き出すのが見えた。あおむけに倒れたナイキの長い髪を摑んで、私は路地に引きずっていった。彼は両手で顔を覆って、うーっと嗄《しゃが》れた声を出している。路地に入ると、腰から下を集中的に蹴りつけた。狭い壁と壁の隙間をナイキは芋虫のように転がる。ときどき上体を起こしそうになるので、その度にしゃがんで顔面を殴りつけた。拳《こぶし》を傷めたくなかったので、ポケットからハンカチを出して右手に巻いて殴った。

汗みずくになった。サングラスが汗で外れそうになって、私はようやく手を止めた。ナイキは鼻血をすすっているのか、泣いているのか、膝を胸元に引き寄せて丸くなり、全身をひくつかせている。汗と血ですっかり汚れてしまったハンカチを取ると、ズボンのポケットにしまい、寝転がっている男を放り出して私は車に戻った。エンジンをかけアクセルを一杯に踏んで、その場を離れた。

18

マンションの駐車場に車を入れ、エントランスまで来ると硝子ドアの前に人が立っていた。私が近づいていくと香折は手をあげる。

「なんだ、来てたのか」

「ちょっとね」

「柳原は」

「家に帰ったよ。瑠衣さんから貰ったぬいぐるみ彼にあげちゃった」

「あいつどこに住んでるんだ」

「西早稲田。彼を落としてここまで来たの」

「いいのか、放っておいて」

「いいよ。それより浩さんはよかったの」

「何が」

「瑠衣さんちに泊まらなくて」

「明日会社だしな」

そこで香折は少し笑った。

「どうしたんだよ」

「こうして待ってれば、帰ってくると思ってたんだ」

「どうして」

「どうしても」

まあいいか、私は呟いて硝子ドアを開け中に入った。香折も後ろをついてくる。エレベーターホールでエレベーターを待っているあいだ、

「お前も明日会社だろう。服はどうするんだ」

と訊くと、

「これでいいよ」

と香折は言う。

「だけど柳原が変に思うじゃないか」

「彼、明日は出張だから、大丈夫」

香折がここに来るのも久し振りだと私は思う。部屋に上がり、私は香折を置いてまずシャワーを浴びた。着替えるときズボンのポケットからハンカチを出すと、大きな赤い染みがすでに黒く変わりはじめていた。ついさっきの出来事がまるで嘘のようだった。見るとシャツやズボンにも血痕《けっこん》が散っていた。私はそれらを丸めてビニールに詰めると、口をきつく縛って浴室の屑入れに放り込んだ。

リビングに戻ると香折はテレビを観ている。

「シャワー浴びるなら浴びてこいよ」

「いいよ。朝使うから」

「そうか」

香折が冷蔵庫からビールを出してきてくれる。ソファに向かい合って座り、ビールを飲んだ。

「いい人じゃん」

香折が言った。

「あそこまで美人だと嫌味がなくていいよ」

「ああ」

私は香折の顔を見る。ため息が口をついて出た。

「薬は飲んでるのか」

「まあね」

「どのくらい」

香折はビール缶をテーブルに置いた。

「そんなことはいいよ。それより浩さんの方こそ、何かあったんじゃないの」

香折はいままで見たことがないような表情になっていた。どんな顔とも言いがたかったがひどく優しげだった。

「どうして」

「だって、浩さんちょっと変だから」

「変って」

「なんかすごい元気なさそう」

「そんなことないさ」

「そうは見えないよ。なげやりな感じがする」

「そうかなあ」

「そう。浩さんらしさがない。どんなときでも諦《あきら》めない人なのに」

「諦める？」

「目が諦めてる。そんな浩さんの目初めて見た」

私は下を向いた。右手の関節が赤く腫《は》れている。馬鹿なことをした、と自分が厭になる。

「ちょっと疲れてるんだろう」

「疲れてるのはいつものことじゃない」

私は顔をあげてしげしげと香折を見つめ直す。

「浩さん、私が会った最初からずっと疲れてたよ。あの池上の奴を殴ってくれたときだって、この人、すごい疲れた目してるなって思ったよ。でも、浩さんはどんなに疲れてても、それでも頑張る人でしょう。だけどいまはちがう。不死身の人がそうじゃなくなったみたいな感じがする。とても心配な気がする。こういうときくらい、私、すこし役に立ってあげなきゃって気がする」

私は立ってもう一缶ビールを持ってきた。

「仕事で何かあったんじゃない」

タブを起こしていると不意に香折が言った。

「どうしてそう思うんだ」

「だって、浩さん、仕事しかないから。それしかしてこなかった人でしょう」

私は笑った。

「そんなことないさ」

「あるよ。浩さん趣味もなあんにもないし、あとは心配事っていったら私のことくらいでしょ。私はいまそんなに落ち込んでないし。そしたら仕事のことしか残ってないじゃない」

扇谷の顔が脳裏に浮かんだ。内山、宇佐見の顔。佐和さんや百合さんの顔。酒井の顔。そして駿河の顔も浮かんできた。俺が駄目なら、駿河はもっと駄目だろう、と思う。駿河は宇佐見が実権を握った時点でいかなる処遇を受けるだろうか。役員昇格が反故《ほご》にされるどころの話ではない。本社に残ることすら無理だろう。駿河は果たしてそんな屈辱に耐えられるのだろうか。

私はビールを飲み干すと立ち上がった。

「さあ遅いから寝よう。俺は大丈夫だから心配するな」

香折はもう何も言わなかった。


明かりを消し、ベッドに横になって私は考えていた。三年前扇谷が中野に渡したメモの写しを生方という元読売の記者から手に入れたとき、私は念のために自分が当時密《ひそ》かに記録していた献金リストと照合したのだった。神坂への五億、現通産大臣の伊藤への八千万、郵政大臣杉村への六千万など、閣僚クラスへの献金額に狂いはなかった。だが、合計二十六人の献金先のうち、私と駿河が担当した十八人中十三人に関しては、私のリストと扇谷のリストでは献金額に差があった。扇谷の手書きの金額は、どれも私と駿河が実際に配った金額より一千万から一千五百万近く大きかったのだ。その十三人分だけで差額は実に一億五千万円ほどにものぼっていた。この意味するところは簡単である。少なくとも一億五千、残りの八人も含めるとおそらく二億以上の金が、現実には政治家に配分されることなくどこかへ消えてしまったということだった。


日本側への還流分二十億のうちの約二億が、何者かによって抜かれた。

駿河は気づいていないようだったが、私はメモを手に入れ駿河に報告する時点で、その事実を知り愕然とした。何者かなどという必要もなかった。そもそもこの裏献金は、扇谷、酒井、そして駿河と私だけで処理された案件だった。二億の中抜きができるとしたら、四人のうちのいずれかでしかありえない。

うとうとしていると小さなノックの音が聞こえた。寝室のドアが開き、外の明かりが射し込んでくる。私は半身を起こしドアの方を見た。

「浩さん」

香折が何か抱えて立っていた。そのまま入ってくる。

「どうしたんだ」

よいしょ、と言って香折は持ってきた布団を私のベッドのすぐ下におろした。さっさと布団を広げ、枕を置いて寝転がる。

「今夜はここで寝ていいでしょ」

「眠れないのか」

「うん。薬置いてきちゃったし」

「そうか」

「じゃあ、おやすみ」

「ああ」

私も仰向《あおむ》けになって目を閉じた。

「浩さん」

「なに」

「こうやって一緒に寝るの久し振りだね」

「そうだな」

「この部屋で寝るのは、まだ二度目だよ」

「そうだっけな」

「うん」

それからしばらく私も香折も何も言わなかった。物音ひとつなく静かだ。

「浩さん、寝た？」

「いや」

「瑠衣さんが言ってたよ」

「なんて」

「ほんとうに愛し合っていれば、セックスはとても素敵なことだって。一瞬一瞬がまるで小さな死だって」

「小さな死？」

「そう。まるで心中したみたいな、そんな気分になるんだって。あったかで静かですごく安らいで、嫌なことが何にもなくなって、自分なんてどうでもよくなるんだって。この世界の人も景色も出来事も、ありとあらゆるものがすごく美しく見えて、まるごと全部愛せるような気がするんだって」

「ふーん」

「浩さんはどう思う。浩さんは瑠衣さんとそんなセックスしてる」

私は答えなかった。

「浩さん」

「ん」

「瑠衣さんじゃ、駄目なの？」

私は目を開き、香折の方を向いた。ほのかな光に香折の顔が浮かび上がっていた。

香折の細い腕が伸びてくる。私はその手を握った。

「浩さん」

「なんだよ」

「よくこうやって手握ってくれてたよね」

「そうだな。お前、嫌がってはねのけてばかりでさ」

「今夜はそんなことないよ。私がお返ししてあげる」

香折の掌は小さく柔らかで冷やっとしていた。

「浩さん」

「なに」

「ほんとに辛《つら》くなったらさ」

掌に力がこもった。

「私のところに来るんだよ。私、浩さんのことをきっと守ってあげるから」

香折は言った。

19

五月二十六日火曜日、長かった会議が終わって席を立とうとすると、隣の駿河に「ちょっと残ってくれないか――と呼び止められた。二、三分で広い会議室に二人きりになった。会議中には見せなかった強張《こわば》った表情に駿河はなっている。

「どうしたんですか」

私が先に口を開いた。誰もいなくなった部屋で、それでも駿河はドアの方へ一瞥《いちべつ》をくれ、それから声をひそめるようにして言った。

「オヤジが会長に退くらしい」

「まさか」

私は驚いてみせる。

「まさかじゃない。常務の佐々木から洩れてる」

佐々木は総務・広報担当の常務である。宇佐見寄りと目される人物の一人だった。とうとう来たか、という気がした。

「いつ聞いたんですか」

「さっき植草から聞いたばかりだ。植草も今日になって知ったらしい。佐々木から厳重な箝口《かんこう》令が出てるそうだ」

植草は本社広報部の次長で、経営企画室から広報に移った駿河の子飼いの部下だ。

「箝口令ってどういうことですか」

駿河は苛立ったように眉根を寄せる。

「だから記者発表用の資料作りを、広報部では始めてるってことだ」

そのくらいのことは私も分かっていた。だが、予想以上に早い展開と言えなくもない。扇谷は先週からアメリカに出張している。具体的な動きが出てくるにしても扇谷が帰国する今週末からだろう、と私は推測していた。

「後任は」

「宇佐見だそうだ」

「まさか」

「だから、まさかじゃない。植草たちが宇佐見の資料を作り始めてるんだぞ。確実な情報だろうが」

駿河は眉間の皺をさらに深くさせていた。

「ありえないですよ、そんな話。われわれが聞いていないんだから」

「しかし事実はそうなんだよ。でなければ、どうしてこんな時期に広報部が宇佐見の資料作りをしなきゃならんのだ。オヤジが帰国したら、役員会の承認を済ませてすぐに記者発表という段取りだ。間違いない」

扇谷は三十一日に戻ってくる。翌六月一日は月曜日。なるほど月曜日午前の経営会議で新会長・社長人事を決定し、即日発表というスケジュールなのか。

「酒井さんは知ってるんですか」

「分からん。いまから話に行く。お前も一緒に来い」

駿河は動転している気配だった。声音がわずかに震えている。

酒井にしても多分寝耳に水の話だろう。私は腕時計に目をやった。針は五時半を指している。いま出れば向島には三十分程度で着ける。今日一日迷っていたが、この駿河の話で内山の誘いに乗ってみる決心がついた。

「ぼくは、これからどうしても外せない約束が入ってますから。酒井さんのことも知りたいですし、ぼくの方からもちょっとお話があるんで、今夜、落ち合うことにしませんか」

駿河が怪訝そうな表情をつくった。私の落ち着き払った風の態度が不審なのだ。

「お前の話って何だ」

さすがに鋭い語調で質《ただ》してくる。

「この件絡みです。いまはそれ以上言えませんが」

「知ってたのか、お前」

呆れたような声だ。

「いや、初耳です。とにかく今夜九時過ぎに『りょう』でどうですか。あとはそのとき詳しく話しますから」

私は立ち上がった。駿河は口を開けて不思議な物でも眺めるような目で私を見上げている。まるで泣き出しそうな顔つきになっていた。


向島に向かうタクシーに揺られながら、私は瑠衣と二人で観た「ニュー・シネマ・パラダイス」のことをなぜか思い出した。あの映画の中に、こんな話が出てくる。恋に取り憑《つ》かれた若い主人公に、父親代わりの老人が語って聞かせる話だ。

昔むかし、王様がパーティーを開いた。国中の美しい娘たちが集まった。或る護衛の兵士が、その女たちの中に王女を見つけた。王女は彼の目の前を通って行った。王女が一番美しかった。

兵士は恋におちた。だが、王女と兵士ではどうしようもない。ある日、ついに兵士は王女に話しかけた。王女なしでは生きていけぬと言った。王女は彼の深い想いにおどろいた。そして彼女は兵士に告げた。「百日の間、昼も夜も私のバルコニーの下で待っていてくれたら、私はあなたのものになりましょう」。兵士はバルコニーの下に飛んで行った。二日…十日…二十日が経った。毎晩王女は窓から兵士の姿を見たが、兵士は動かない。雨の日も風の日も、雪が降っても、鳥が糞《ふん》をし、蜂が刺しても兵士は動かなかった。そして、九十日が過ぎた。兵士は全身がひからびて真っ白になった。その二つの瞳からは涙が滴《したた》り落ちていた。涙をおさえる力ももう残ってはいなかった。眠る気力さえ失われていた。王女はずっと見守っていた。九十九日目の夜。兵士はふいに立ち上がった。そしてバルコニーの下から立ち去ってしまった。

映画の中で主人公は老人に「どうして最後の日に？」と訊《たず》ねる。だが老人は、その意味は分からない、と首を振り、もし分かったら教えてくれと言う。

映画の後半で、なぜ兵士が最後の日に立ち去ったのか、その答えを主人公は見つけ、老人に告げたはずだった。だが、いくら考えても、それがどんな台詞だったか私には思い出せなかった。

「たしかに、私が今回やった手口が恥ずべきものであることは認めよう。それはきみの言う通りだ」

宇佐見はそう言って、じっと私の目を見つめてくる。その大きな瞳には鈍い光が宿り、意外にもそれは清澄な深みを静かに湛《たた》えているのだった。私はこの男と相対してしばらくやり取りを交わすうちに、ある種気圧《けお》されるものを感じはじめている。

「きみは、私の手が汚れていると言ったね。そんな人間に会社を任せるわけにはいかないと。だが、少しだけ、自分のことも顧みてはくれないかね。酷な言い方かもしれんが、では、きみ自身の手はそんなにきれいだと言えるのだろうか」

「少なくとも、人間として踏み越えてはならない一線を私は越えたことはないつもりですが」

「そうだろうか」

問いかけるように宇佐見はさらに強く私の目を見すえてくる。

「四十五億円もの政治献金を違法な形で日本、インドネシア両国の政界に流し込むことが正当な企業活動の範囲内だ、と果たしてきみは胸を張って言うことができるのだろうか。しかもその四十五億の原資はわが国のODA資金だ。つまりは国民一人一人の血税ということになる」

「わが国の国益擁護のための工作資金と考えれば、それほどの問題はないでしょう。国際政治は道義や倫理で動いているわけではありません。その中で、資源のないわが国が天然資源の安定的確保を図るには、スラバヤはどうしても欧米諸国に渡すわけにはいかなかった油田のはずです。結局、スラバヤの獲得によってわが国の経済は将来にわたって多大の恩恵をこうむることになる。それはつまるところ国民一人一人の恩恵ともなるのです。その意味で税金は決して無駄に使われたわけではありません。まさに第一級の国策遂行のために使用されたのです」

「たとえ、それが贈収賄の罪を構成する手口であったとしてもかね」

「政治資金規正法違反であることは認めましょう。しかし、私はあの献金が贈収賄を構成するとは考えません」

「そんなことはない。入札の公正さを歪《ゆが》め、金の力によって鉱区を手に入れた以上、刑法上、金を贈った側に贈賄の罪が、受け取った側に収賄の罪が発生するのは自明のことだろう。ちがうかね」

「それは、現実を看過した取るに足らない形式論に過ぎないと思いますが」

「現実ね」

宇佐見は小さく笑った。

「目的のためには手段を選ばないということか」

「それはあなたたちの方でしょう。しかもその目的には何の大義名分もなく、あるのは私利私欲だけだ」

「大義名分なき私利私欲だけで、私たちはやっていると信じているわけだね」

「実際、その通りでしょう。秘密情報を密かにメディアに流し、それを武器に社長を恫喝《どうかつ》して自分の地位の保全をはかる。あわよくば取って代わろうとする。まさに恐喝者のなりふり構わぬやり口でしょう」

「私は、むしろ大義名分を隠れ蓑《みの》に、私腹を肥やす輩《やから》の方がもっと品性低劣だと思うがね。そしてそういう人間を駆逐するためには、対抗する側もある程度の手段を行使するのはやむを得ないのじゃないかね。道義上多少の誹《そし》りを甘んじて受けたとしてもね」

「それでも社長の方が、あなたたちよりはマシだと思いますね。怪文書といった下劣な手段を平気で使うほど卑しくはない」

そう言うと、宇佐見は隣で黙っている内山に目配せし、

「例のものを、橋田君に見せてあげなさい」

と言った。内山は背広の内ポケットから紙きれを一枚取り出した。

受け取って眺める。銀行口座の写しだった。問題の箇所なのだろう、グリーンのマーカーでアンダーラインが引かれた振込欄があった。

〈7・10・17　スルガアッコ　200000000　振込　F　*200000000〉

私は見入ってしまった。平成七年といえば、私たちが二十億の資金を各政治家たちに献金した年である。振込人のスルガアッコとは誰だろうか。そしてこの二億は誰の口座に振り込まれたものなのか。

「この口座の名義は国枝百合となっている。意味は分かるな、橋田」

私は顔を上げ、内山の得々とした表情を見やる。

「スルガアッコという名前は、駿河君の細君の名前だ。平成七年十月に『鶴来』の若女将《おかみ》のところへ送金されている。振込先は三和銀行飯田橋支店、振込元は、同じく三和銀行の世田谷支店だ」

やはり、宇佐見たちは、二十億の献金額の一部が実際には政治家へ支払われなかったことをつきとめたのだ。この十三日に彼らが「鶴来」を訪れたときに、宇佐見と内山に同行して来たのは室井という総務部次長だった。その名前を知った時点で、私はおおよその察しはつけていた。室井は警視庁ノンキャリ出身の総務部員で、主に総会屋対策要員として会社は彼を使っている。本来ならば宇佐見や内山と「鶴来」で同席できるような人間ではない。その室井を連れてきたというだけで、宇佐見が何らかの証拠を手に入れたことは充分に推測できた。室井ならばかっての部下を通じて、どんな人物の預金口座の写しでも簡単に入手することができる。「私もスラバヤ油田に絡んで、社長やきみたちが、政界に裏献金を行なったことは薄々知ってはいた。だが、実際に調べてみて、その額が余りに大きかったこと、神坂良造をはじめ二十六人もの議員にバラ撒《ま》いていたことにはおどろいた。だが、調査するうちにさらに奇怪なことが分かってきた。扇谷さんが中野さんに渡した献金額の一覧表と、実際に配付された金額とのあいだに誤差があった。二、三の議員からそれを確認し、そこで浮いた金が一体どこに流されたのか、われわれは片っ端に調べてみた。すると、その平成七年の十月、二億の金が駿河夫人名義の口座から『鶴来』の若女将の口座へ移しかえられていることが分かったのだ。きみも承知の通り、『鶴来』はその翌年店の建て替えを行っている。その際の費用が二億六千万円。うち二億は現金で業者に支払われていた。そして、支払いと同時にそこに記載されている二億円は引き出されている」

たしかに口座を見ると、二億の金は翌平成八年三月五日に全額引き出されている。

扇谷は馬鹿なことをしたものだ、と私は思った。よりによって中抜きした二億を愛人の佐和さんに回していたとは。しかし、どう言い繕《つくろ》ったところで、この口座の写しは決定的な証拠である。時期的にも、あの二十億円の一部が「鶴来」の建て替え費用に流用されたことは疑い得ない事実だろう。

「スルガアツコについても、三年前の振込用紙が手に入っている。住所は世田谷の駿河君の自宅。ご丁寧にも電話番号までそのままだったよ」

内山の声は勝ち誇ったようだった。

「きみは知っていたんだろう」

私は返事はしなかった。

「これは社長も認めたわけですね」

私は内山を無視して宇佐見に言った。

「基本的にはね」

「どういう意味ですか」

「だから、社長はあくまで駿河君が独断でやったことで、自分は知らなかったと言ってるよ。駿河とこの口座の名義人の若女将とは、ずっと不倫関係にあるそうだね。しかし、『鶴来』の女将が社長の愛人であることは公然たる秘密だからね。社長も知らなかったでは済まされない」

「なるほど」

私は一口も口をつけていなかったビールを飲んだ。ぬるく苦かった。

「それで取引が成立したというわけですか」

宇佐見は頷く。

「社長には会長職に就任していただく。すでに任期十年だ。決して早い退陣でもないだろう。これからは、社内外全般に目を配っていただけばいい。対外的な付き合いも大切だからね」

「代表権は」

「むろんそのまま会長にも持っていただくよ。しばらくは」

「酒井さんは」

「そうだね。彼には外で自由にやってもらうつもりだ」

子会社に飛ばすということだった。

「駿河さんはどうなりますか」

宇佐見はにやけた顔になって、内山の方を向いた。

「内山君、どうかね」

内山はもっともらしい表情で「そうですなあ」と呟き、

「彼はちょっとむずかしいでしょう」

「ま、そうだろうね」

宇佐見はあっさり言った。

「社長は、その人事も承諾されたということですね」

「そりゃあ当然だろう」

二人が揃って大声で笑った。

「橋田君、扇谷さんは政治と癒着しすぎたんだよ。彼の官需中心の経営はどうしても政治との関わりを深くさせてしまう。むろんわが社にとって官需は重要な分野だ。しかし、そこに傾斜する余り、扇谷さんは政界に幅をきかせすぎた。その当然の帰結がスラバヤの二十億の献金だ。これは明らかに不正献金だよ。こんなことをしていては政官不信のご時世だ、いついかなる形でこうした不正献金が暴かれないとも限らない。扇谷さんはやりすぎた。彼の政治との癒着は目に余る。われわれは商人だ。だが政商になってはいかん。民間として政治と一線を画することがなければ、ことにわが社のような歴史を持つ企業は、いずれ世の中から取り残されていくことになる。ぼくの祖父は大蔵大臣を務めた政治家だったが、もともとは企業人だった。その祖父がいつも言っていたものだ。『政治の世界にだけは決して深入りしてはいかん。あれは魔物の棲《す》む世界だ』とね。父にも同じことをずっと言われてきたよ。橋田君、もう扇谷さんの時代は終わった。これからは、会社もわれわれ自身も、国家とは独立したまったく新しい企業を作る気概で、意識を変革していかなくてはならないんだ」

二億円の私的流用は扇谷にとっては致命傷だ。たとえこれが外部に洩れなくとも、宇佐見がこの事実を使って役員会をとりまとめれば、扇谷の解任は可能だろう。扇谷は進退極まって宇佐見と妥協した。酒井や駿河、そして私といった側近のすべてを放り出して、自分だけ生き残ろうと策したのだ。最初にインドネシア紙に情報が出たときから、扇谷の態度は不可解だった。妙に焦り、そしていつになく弱気だった。その謎がようやく解けた。これで終わりだな、と私は思った。予想以上に何の動揺もなかった。

「ところで橋田君、きみのことなんだがね」

宇佐見はゆったりとした口調で話し始めた。

20

九時ちょうどに「りょう」の扉を開けた。店内を見回したが駿河の姿はなかった。九時過ぎという約束だったのでまだなのだろう。ママに頼んで一番奥の席に案内してもらう。空いた隣のテーブルを指差し、「今日は駿河さんと大事な話があるから、できればここを埋めないでくれないか」と言うとママは承知してくれた。すぐに「予約席」のプレートを持ってきてそのテーブルの上に置く。かわりにというわけではないが、私は自分の名前でレッド&ゴールドを一本入れることにした。

薄く割ったバーボンで唇を湿らせながら、さきほど宇佐見たちから見せられた口座の写しのことを考えていた。振込人が駿河の妻で、用紙にも彼の住所と電話番号が記されていた点、また振込先が百合さんの口座であった点、どうにも見え透いていて納得できなかった。扇谷は駿河の独断と逃げ口上を打ったというが、当然、二億円の支出を命じたのは扇谷に決まっている。だが、その命を受けた駿河がなぜ、夫人名義で百合さんの口座へ送金するといった杜撰《ずさん》なことをやったのか。そもそも駿河の手に現金があったのなら、彼が直接「鶴来」に運び込めばこんな証拠など残りようもない。実際、政治家たちに対しては、自らの手で現金を渡したのであり、あのような秘密献金を行なう場合はそれが鉄則というものだ。そんなことは分かりきっていた駿河が、時期は十月とずらしはしているものの、わざわざ跡形の残る銀行振込などという方法をなぜ選ばねばならなかったのか。私にはまったく合点がいかなかった。

それに、私たちが現実に行なった献金額が扇谷の手書きのメモの数字と違っていることを、もし駿河が最初から知っていたとすれば、一連の調査の過程で彼はもっと深刻な反応を示したはずだ。秘密献金自体は社の命運にもかかわる秘事であり、たとえ宇佐見といえどもそれを公に晒《さら》すなどということは絶対に不可能だが、扇谷の二億円の詐取については十二分に現体制を脅かす材料となる。その実行犯であるならば、まずその点に駿河は当初から戦《おのの》いていたはずだ。だが、私が観察した限りでは、駿河は一貫してひどく楽観的だった。あの鋭い頭脳を持つ男が、腹中に爆弾を抱えていながら、ああまで安穏《あんのん》としていたというのはおよそ考えられない。

となると結論は一つだった。駿河夫人の名義を使い、しかも佐和さんではなく百合さん名義の口座に金を振り込んだ人物は、駿河本人ではないということだ。そう考えれば辻褄《つじつま》はきれいに合ってくる。二億の現金を「鶴来」に直接持ち込むといった無粋なことをせずに、しかし万が一事が露顕した折にうまく言い逃れできる準備をしなければならなかった彼は、考えた末に駿河夫人の名前を使ったのだ。仮に「鶴来」の側から金の出所が追及された場合でも、駿河夫人名義から百合さん宛への送金であれば、駿河に責任をすべて被《かぶ》せることができる。現金の持ち込みは、たとえば税務調査といった形で「鶴来」から事が発覚したときに、どうしても運んだ当人に累が及ぶことは避けられない。その点で最悪の事態を想定すれば、多少の痕跡《こんせき》を残してでも詰め腹を切らせる第三者をあらかじめ準備しておくべきだ、と彼は判断したのだろう。だからこそ架空名義にもせず、駿河の名前を記録に留《とど》めておいた。もっともこの二億円の横流しが表沙汰《おもてざた》になるのは、二十億の献金が発覚すること同様、皆無に等しい可能性しかなかった。彼もまさかこういう経緯で事実が明らかになってしまうとは予想もしていなかっただろう。それでも、彼は周到に、決して自らに最終責任が及ばないだけの用意はしておいたというわけだ。

答えはおのずから見えていた。やったのは扇谷本人だろう。場合によっては酒井も相談に与《あず》かったのかもしれない。四月に四人で会った際、酒井は異様なほど熱心に私が持参した扇谷のメモのコピーを眺めていた。隣に座った扇谷も普段になく憮然とした態であった。今になって両者の様子を思い返してみると、二人は最初から何もかも知っていたような気がしてくる。

九時半を少し回った頃、駿河が店に入ってきた。私の向かいに座ると、汗っかきの彼は眼鏡を外してママさんから受け取ったおしぼりでごしごしと顔を拭った。夕方のような落ち着きのなさは消え、いつもの駿河に戻っているようだった。

「待たせたな」

そう言うと自分で水割りを作り、水でも飲むように一息で飲み干して、大きく息をついてみせた。

「酒井さんがニューヨークのオヤジと連絡を取った。寝起きだったようだが、オヤジは一笑に付したそうだ。社長交代云々はガセだったよ」

駿河は安心しきった様で笑みを浮かべている。

「俺も早とちりしたもんだ。そろそろヤキが回ったかな」

ネクタイを緩めるとソファに背中をあずけ、「あーあ」と声を出す。

「まいったまいった。疲れちまった」

私は空いたグラスにバーボンを濃いめに注ぎ、水で割って彼の前に置いた。「おうっ」とグラスを摑み、今度は半分ほど飲み干す。駿河は大声でママさんを呼び、つまみを盛大に注文している。

「なんか、ほっとしたら腹減っちまったよ」

私はそんな駿河を眺めながらしばらく黙っていた。「彼はちょっとむずかしいでしょう」と嘲笑《ちょうしょう》混じりに言った内山のぬめった顔が頭に浮かぶ。服についた埃《ほこり》でも払うように「ま、そうだろうね」と同調した宇佐見の冷たい瞳も思い出した。駿河はおそらく最大の制裁を受けるだろう。むろん本社から出されることは間違いない。取締役就任も取り消され、一生陽の当たることのない関連企業に島流しにされるだろう。順調にポストを昇り詰めてきた男が、そんな処遇に耐えられるだろうか、と私はその巨体を見て思った。おそらく彼には耐えがたい屈辱だろう。しかも、扇谷が工場長の時代から最側近として忠勤を重ねてきたのだ。その扇谷に彼は見事に裏切られたのである。

「なんだ、お前不景気な面《つら》して」

届いた焼きうどんを頬張りながら駿河が言った。

「駿河さん、宇佐見が社長になる件、ガセなんかじゃないですよ」

私の言葉に駿河の箸《はし》が止まった。

それから十五分近く、私は詳細にこれまで自分が見聞きしたことを駿河に打ち明けた。むろん、今夜宇佐見と内山から見せられたスルガアッコ名義の口座の写しについても話した。駿河が関知していないことはほぼ間違いないと確信していたからだ。駿河の顔がみるみる青ざめていく有り様は正視しがたいほどだった。

「俺が二億横領したことになってるのか」

私は黙って首肯した。駿河は腕を組み、下を向いた。広い両肩が震えていた。

「社長はわれわれをスケープゴートにして自分の身を守ったわけです。酒井さんも駿河さんもぼくも結局、彼に切られたってことです。そんな社長が、酒井さんに本当のことを言うはずもありません。来週月曜日には宇佐見の社長就任が発表され、株主総会後すぐにわれわれは制裁人事を受けるでしょう。他の社長寄りの人間たちもおそらくこの二、三年で社から一掃されることになると思います」

駿河が不意に顔を上げた。

「宇佐見がそう言っていたのか」

「そうです」

私は私自身が宇佐見から持ちかけられた話については口にしなかった。

「もう駄目だな」

「おそらく」

「オヤジを口説く手はないだろうか」

「無理でしょう。社長が寝返った以上、われわれに対抗手段はまったくありません」

「そうだな」

「はい」

駿河はグラスを持つとしばらく目の前にかざし、それから一口含みテーブルに戻した。

「終わりだな」

独語のようなか細い声だった。

眼鏡を取って目頭を押さえている。

それから駿河は何かぶつぶつ言いながらグラスを次々と重ねた。私も黙って飲みつづけた。かける言葉もなかったし、駿河から聞きたい言葉などなかった。私はこの十五年を棒に振った。

駿河は二十五年を棒に振った。それだけのことだった。

「いつか……」

すっかり酔ったらしい駿河がぽつんとこぼすように言った。

「こうなるような気はしていたよ。何だか分からないがいつも怯《おび》えてきた。うまくいき過ぎている、そんな気がしていた。やり過ぎている、そんな恐怖があった」

百合さんが言っていた「あの人、いまは怖いだけ。それだけよ」という言葉を私は思い出した。

「お前、これからどうするつもりだ」

駿河はさすがに姿勢を真っ直ぐにし、いつもの冷静な顔になっていた。

「分かりません。駿河さんは」

「さあ、どうするかな。しばらくは何も考えられんだろう」

「そうですね」

「ああ」

駿河は立ち上がった。「行くか」と言う。しっかりした口調だ。私も立った。

店を出て並んで歩いた。駿河はずっと夜空を仰いでいた。相変わらず東京の空に星は見えない。通りに出てタクシーを待っているあいだ、

「橋田、いろいろ世話になったな」

駿河は言った。

「こちらこそありがとうございました」

「この十年、なかなか面白かった。お前もそうだろう」

「はい」

「やれるだけのことはやってきたよ、俺たちは。とにもかくにも、オヤジに十年間政権を維持

させた」

「そうですね」

車が一台止まった。私が背中を押すと駿河は車に乗り込んだ。ドアが閉まり発進する直前、私は車の窓を叩いて駿河に合図した。駿河がサイドウィンドウを下げる。私は彼の顔に顔を近づけた。

「駿河さん、百合さんに会いました。駿河さんの子供を産むそうです。どうしてもそうしたいんだそうです。ぼくは、産んだ方がいいって言いました。すみません」

一瞬の間のあと、駿河がにこっと笑う。深く頷き、何も言わず手を一度振ると、そのまま彼を乗せた車は遠ざかっていった。

車を見送り腕時計を見た。ちょうど十一時になったところだった。

21

新宿通りをしばらく歩いた。そういえば一ヵ月前にも、こうやって同じ道を歩いたな、と思う。あのときは、扇谷や酒井と「鶴来」で会い、それから駿河と二人で「りょう」に行った。あれこれ人事の構想を語り合い、次期取締役人事部長として駿河は私に特車部門に出てほしいと言った。意気揚々たる面持ちで全身に精気が漲《みなぎ》っていた。わずか一ヵ月でこうまで様相が一変してしまうとは信じがたい気もする。

「まあ、いい気なもんだったな」

私は声に出して呟いてみる。扇谷の栄光の十年は宇佐見にとって雌伏の十年だったろう。同様に駿河や私にとってのこの十年は、内山たちにとっては屈辱の十年だったのだ。駿河がぽつりと洩らしたように、私にも、自分たちがやっていることが組織の人間としては行き過ぎたものではないのか、という思いは常にあった。昨年四月に人事課長に就任したとき、何か自分の中の調和が崩れていく恐怖を味わったのは、そうした積もり積もった違和感の当然の帰結だったと言えなくもない。他の者と比較して自分がことさら優れていたわけではない。ただ、駿河も私も、背中から覆い被さってくる波に偶々《たまたま》うまく乗ったのだ。

「頭が良くて体力があって、あとは偶然うまくレールに乗れてるだけなんじゃないの。それだって終着駅がどこか分からないでしょ」

百合さんが言っていた。ありふれた幾つものレースにただ勝ちつづけるうちに、人生は退屈で扁平《へんぺい》になっていくばかりなのだと。なるほどその通りかもしれない。そしてこれが俺たちの終着駅なのだろう。

裸の自分を私は感じた。身ぐるみ剝がされ、両腕で体を抱き締めて私はいま立ち尽くしている。寒くはなかった。凍《こご》えもしていない。だが、やはりこの感情はひどく物哀しいものにちがいない。どこか帰るべき場所が欲しいと痛切に感じた。でなければいずれ心はかじかみ、身は震えだす。自分が自分のままで、そのままで受け入れられ、そして静かに癒される場所へ帰って行きたい。

私は香折の姿を思い浮かべた。あの駐車場でノースリーブの白い服から伸びた細い腕を交差させ、両肩を包むようにして立ち竦《すく》んでいた香折の姿だった。私はいま初めて、彼女の心の奥底にある何かに手を触れたような気がした。香折が二十年間、決して与えられることなく、求めてやまなかったものも、そんな静かな場所だったのだ、という気がした。

香折と会いたかった。

立ち止まりポケットから携帯電話を取り出した。ボタンを押し、耳を当てる。三度コールが鳴って、受話器の上がる音がした。

「もしもし」

低い声が聞こえた。

「もしもし、俺だけど」

「浩さん」

「ああ」

「どうしたの。何かあったの」

香折の声は妙に沈んでいた。

「いや、別になんでもないんだけど、ちょっとお前の声が聞きたくなった」

「いまどこなの。それ携帯でしょう。外から」

「ああ」

「どうしたの。何かあったんでしょう」

「いや」

「嘘だよ。変だよ」

「何が」

「だって、声が聞きたくなっただなんて」

そこで香折は小さく咳《せ》き込んだ。

「ねえ、どこにいるの」

耳を澄ますとその息づかいが乱れているのが分かった。眠っていたのかもしれない。

「新宿にいる」

「何してるの」

「別に何もしてないよ」

しばらく香折は黙った。そして、

「私のところに来る？」

と言った。

「いいのか」

「うん。車拾って早くおいで」

「分かった」

私は電話を切ると通りかかったタクシーを止めた。

マンションの前で車を降りると、玄関に香折が立っていた。私は駆け寄って、

「悪かったな、遅くに」

と言った。仄白《ほのじろ》い明かりに照らされて彼女の顔は青ざめて見える。

「浩さん、だいじょうぶなの」

香折は窺《うかが》うような目になっている。

「ああ。大したことじゃない」

「私、日曜日に浩さんの顔を見たときから、なんだか変な胸騒ぎがしていたの。何か怖いことが起こるんじゃないかって、理由は分からないんだけど、そんな気がして。さっきもちょっと具合が悪くて寝てたんだけど、嫌な夢を見てて、そしたら浩さんから電話が来たから、すごい不安になった」

「相変わらず心配性だな」

「だって……」

香折は先に立って玄関を入っていく。エレベーターの扉が開いて乗り込んだ。

「どんな夢だったんだ」

エレベーターの中の明るい光の下で見ると、香折の顔は血の気がなく生白かった。

「よく憶《おぼ》えてないんだけど、男の人の後ろ姿が見えて、その人が暗い道をどんどん遠ざかっていくの。それで私、夢中で追いかけて、その人の手を引っ張ろうとするんだけど、つるつる滑る氷の上を引きずられる感じで、ちっとも止まってくれないの。そのうち真っ暗な大きな穴のようなものが近づいてきて、とうとうその人はその暗い穴に呑《の》み込まれてしまうの。それが私には浩さんのような気がして、怖くて怖くてたまらなくなったの」

喋りながら、香折の息づかいが次第に乱れてくる。私は話より彼女の様子の方が気になった。

「お前、薬飲んだか」

香折は首を振る。

「ほんとに具合悪そうだぞ」

そこでエレベーターの扉が開いた。

部屋に入ると、香折はベッドの上に腰掛け、ぼうっとしている。私は近づいて彼女の額に掌を当てた。

「熱があるじゃないか」

「そうかなあ」

自分の手を額に持っていく。

「なんだか体がだるくって、少しつらい」

と言った。

「体温計はどこにあるんだ」

「だいぶ前に壊れちゃって、いまはない」

もう一度額を触ると、時計を見た。十一時半だ。たしか夜中まで開いている薬局が近くにあった気がする。まだ間に合うかもしれない。

「ちょっと薬局に行ってくる。待ってろ」

テーブルの鍵を取って私は急いで外に出た。

青梅《おうめ》街道につき当たって新宿方向にしばらく進むとやはり薬局があった。ちょうど店仕舞いの頃合いなのか、白衣を着た男が軒先で片づけをしている。声をかけ店内に入り、体温計と水枕、それに感冒薬と栄養ドリンクを求めた。通りの向かいに渡り、コンビニで氷を三袋買った。

十分足らずで部屋に戻ると、香折はベッドに横になっていた。ぐったりして息も荒かった。

体温計を取り出し、青いトレーナーの襟口から腋《わき》に挟み込む。

「ごめんね」

香折が言った。

「いつから悪かったんだ」

「昼間会社にいるときから調子良くなくて、それで今日は早退して帰ってきたの」

「じゃあ、ずっと寝てたのか」

香折は頷いた。

「どうして連絡しなかった」

香折は黙っている。

「柳原君は来てくれなかったのか」

「彼にも言ってないから」

電子音が鳴った。体温計を抜くと四十度五分もある。

「すごい熱だぞ」

「ごめんね。却って心配かけちゃって。ほんとうは浩さんの方こそ何か困ったことがあるはずなのに」

「俺の方は大したことじゃない。それより寒気はしないか」

「ちょっと」

私は薄い掛け布団をかけてやった。香折が咳をした。濁り湿った妙な咳だった。私はドリンクと風邪薬一包を渡した。半身を起こして香折は薬を飲んだ。台所に行き、三袋のブロックアイスの二つを開き、水枕に氷を放り込んでひと摘まみの塩と水道水を注ぎ、それを持って寝室に戻ると、香折の頭の下に差し入れた。

「気持ちいい……」

香折は吐息まじりに言い、「これなあに」と訊いてきた。水枕だと言うと「ふーん、こんな便利なものがあるんだね」と言う。

「お前、水枕も知らないのか。子供の頃、風邪を引いたらお袋さんが作ってくれただろう」

香折は小さくかぶりを振った。

「風邪引いたことはあるけど、こんなの初めてしてもらった」

「じゃあ、お前が病気になったときどんな看病してもらったんだよ」

「なんにもしてくれなかったよ。いつもお金だけ渡されて自分で薬局に行って、薬買って治してきたから」

へえー、こんな便利なものがあったんだ、と香折は感心したように繰り返し、冷たい雫《しずく》を浮かべた水枕に赤らみはじめた頰をすりよせていた。私は浴室から洗面器を持ってきて、水と残りの一袋の氷を入れてハンディタオルを浸し、絞って香折の額に当ててやった。

「すごい気持ちいい」

香折が目を閉じて微笑む。

「とにかく、これだけ熱が出てたら、明日必ず病院に行った方がいい。解熱剤と抗生物質を出してもらって熱を下げないと。俺が連れて行ってやるから」

「よかった」

乾いた唇を震わせるようにして香折が言う。熱のせいなのか声が少し上ずっていた。

「何が」

「浩さん、私のところに来た」

しばらくすると香折は眠ってしまった。私はすぐにあたたまってしまう額のタオルを取り替えながら、その寝顔を眺める。

閉じた瞳、細くくっきりとした眉、小さな口許、まっすぐな鼻梁《びりょう》、そして薄い皮膚。

この人は水枕も知らなかった。私の半分ほどの人生を私の何倍もの苦しみを背負って生きてきた。それでも、この人はまだ他人を思いやる気持ちを、たぶん必死に、かろうじて保っている——そんな気がした。ずっと長いあいだ自分の中で封印してきた感情が、少しずつ心の襞《ひだ》に滲んでくる。この寝顔は決して見飽きることはないだろうな、と思った。タオルを取って、白い額に顔を近づけた。冷んやりとした感触が伝わってくる。私はそっと、その額に唇を寄せた。


窓から薄明かりが洩れてくる。ベッドの傍らにしゃがみ込み、静かに寝入っている香折の横顔から視線を外し、私はカーテン越しの朝日をぼんやり見上げ、何気なく腕時計に目をやった。午前五時二十一分だった。その瞬間、ポケットの携帯が鳴った。慌てて取り出し通話ボタンを押す。立ち上がって隣の部屋に行き、電話機を耳にあてた。

「もしもし」

「橋田さんですか」

男の声だ。

「そうですが」

「伊東です」

企画室次長の伊東だった。

「どうしたんだ、こんな朝早く」

「実は、たったいま駿河室長の奥様から連絡が入りまして……」

駿河という一語に、私の全身が張り詰める。

「駿河室長が、亡くなられたそうです」

伊東の声が震えていた。

第三部

1

霊柩車《れいきゅうしゃ》を先頭に数台の車はあっけなく通りの向こうに消えていった。出棺の途中から静かに降り出した雨に、境内で見送っていた人々も、葬列が去るとたちまち手に提げていた傘を広げている。雨足は次第に強まってきていた。私は立ち尽くしている百合さんを残して本堂に入ると、自分の傘を取ってきて彼女にさしかけた。

車の消えた先に顔を向けていた百合さんは、やがて俯《うつむ》き、足元の粗い砂にぼんやりと目を落とした。喪服の襟とその白いうなじの鮮やかな対照に、彼女から視線を逸らし、寺の低い練り塀に沿って植えられた沢山の紫陽花《あじさい》の群れを眺めた。中の幾つかは二分、三分がた小さな花をつけていて、それが雨に打たれ、こきざみに揺れている。

駆り出された社の者たちが葬儀屋と一緒に花輪や受付のテントを片づけたり、荷物を運び出しはじめている。伊東や小坂といった企画室の主だった連中は、遺族と共にマイクロバスで火葬場へ向かい、いまここに残っているのは駿河をよく知らない、総務や庶務の人間ばかりだった。出発のとき私も酒井に誘われたが断った。百合さんの姿を隣に認めて、酒井もすぐに諦《あきら》め、私たちから離れていった。

「そろそろ行きましょう」

私は声をかける。昨日の通夜に顔を出さなかった百合さんがやって来て、私は彼女を見つけるとずっとつききりにしていた。だが、言葉らしい言葉をかけたのはこれが最初だった。

「そうね」

百合さんは頷いた。二人並んで寺門をくぐり、通りでタクシーを拾った。彼女を先にして一緒に乗る。神楽坂と行き先を告げ、煙草を取り出して一本火をつけた。走りだした車の窓を開けると、細かな雨が降り込んでくる。

「もう梅雨入りなのかなあ」

窓に顔を寄せて百合さんが呟く。彼女が身重であることを思い出し、私は急いで煙草を消した。

「人間って駄目ね」

百合さんが言った。私は彼女の方を見た。彼女も外の景色から目を離しこっちを向く。

「あの人、ほんとに最後まで駄目男だった。こんなに馬鹿だとは思わなかったな。死ぬなんて、最低中の最低だわ」

読経のときも、葬送のときも色を変えなかった瞳がみるみる涙で潤んでくる。

「でも、私はもっともっと最低。どうしようもない駄目女だわ」

ハンカチを渡してやると、百合さんは目許を拭った。そして、ひとりごちるように、

「どうして気づいてあげられなかったんだろう。どうして、どうしてだろう」

と繰り返した。

駿河があの晩、私と新宿で別れたあと「鶴来」に出向いたことは、昨夜通夜の席に顔を見せた佐和さんから聞いていた。駿河は百合さんと五階の百合さんの部屋でしばらく話し、一時間

もしないうちに帰って行ったという。

解剖による駿河の死亡推定時刻は午前一時前後だった。ということは、彼は十二時過ぎに「鶴来」を出て自宅に戻ると、すぐに首を吊ったのだ。遺書の類《たぐい》は一切残されていなかった。たまたま小用で起きた駿河夫人が夫の部屋を覗き、カーテンレールの端に電気コードをかけてぶら下がっている駿河を見つけたのが午前四時。救急車を呼び、近くの国立大蔵病院に運び込んだが、すでに息はなく、手のほどこしようもなかった。

「ぼくだってぜんぜん気づかなかった」

一昨日の別れ際、百合さんの話をしたとき、車の中の駿河が無言で見せた笑顔が鮮やかに甦ってくる。

百合さんはハンカチを返しながら不思議そうな表情で私を見る。

「ねえ、橋田君」

「はい」

「どうして、あの人、死ななくちゃいけなかったの」

百合さんは真顔だった。あの晩、駿河が「鶴来」に行ったことを知り、彼女と駿河とのあいだにどんな話があったのか、私は昨夜来想像を巡らせていた。二億の金が「鶴来」の新築費用に流用され、犯人が駿河と名指しされていると伝えたとき、駿河は声も出ない様子だった。その反応から、私は彼が無実であると確信した。駿河は私の話を聞いて、百合さんに真偽を質《ただ》すために「鶴来」を訪ねたにちがいない、と推測していた。しかし、いまの百合さんを見ると、駿河の自殺の原因をまるで知らないかのようだった。それとも一部始終を聞かされ、駿河が将来を失ったと分かっても、それでもなお自殺など到底理解できないと彼女は考えているのか。

「百合さんには、駿河さん何かおっしゃっていませんでしたか」

とりあえず質問をそのまま投げ返してみる。

百合さんは首を振った。大蔵病院に駆けつけた折、私の腕を摑んで「どうしてこんなことになったんですか」と空っぽのまなこで問いかけてきた駿河夫人の眸《ひとみ》とそれは同じ眸だった。

「私たち、ずっと会うこともなくって。そしたら、あの夜、電話も寄越さないで急に訪ねてきて……」

百合さんは、思い出すようにゆっくりと話す。

「私の妊娠のことですごい喧嘩になって別れたきりだったのに、あの人、とっても機嫌が良さそうで、私の部屋に一時間くらいいたの。二人ともあんなに落ち着いて静かに話したのはほんとに何年か振りくらいだった。『泊まっていく』って訊いたら、最初は『そうしようかな』なんて言って、服も着替えたのよ。『疲れたなあ』って私に寄りかかってきて、膝枕してあげるとしばらく目を閉じて眠ってた。眠るならベッドにしなさいって起こしたら、なんだかぼんやりとしばらく私や部屋を見回して、それから『やっぱり今夜は帰るから』って」

百合さんの膝枕で休んでいる駿河の姿が目に浮かぶ。眠ってはいなかったろう。そのわずかな時間、彼の脳裏を何が去来していたのだろうか。私は、ふいに胸の奥底から込み上げてくるものを感じた。「疲れたなあ」と呟く駿河の声が聞こえる。

「他には、何か言ってませんでしたか」

百合さんは自分のハンカチで涙を拭っている。

静かな涙が嗚咽《おえつ》にかわった。

「私のね、お腹にこうやって耳をあてててくれて」

首を傾ける。

「いい子を産んでほしいな、って」

泣いている彼女から目を離し、窓の外を見る。雨はやんだようだ。空に薄日が戻ってきていた。

「俺は、女房も子供も愛してやることができなかった。お前だけだったたって」

ハンカチに顔を埋めて百合さんは全身を震わせている。私は彼女の肩を引き寄せて抱いた。

「あのとき、きっともう心を決めてたんだよね。どうして気づいてやれなかったんだろう。十年も一緒だったんだよ。どんなことだって知っていたのに。どうして自殺なんかしたの。ねえ、橋田君教えてよ。なぜあの人が死ななきゃいけないの。どうして、どうして死ぬくらいだったら私のところに来てくれなかったのよ」

私は拳を固めて、強く握りしめた。駿河が言わなかったことを私の口から言うわけにはいかない。初めて、扇谷に対するはっきりと鋭い憎悪が生まれるのを感じた。アメリカにいる扇谷は、駿河の葬儀に顔を出すことすらしなかった。

百合さん、そんなに泣いちゃ駄目だ。百合さんのお腹には大切な子供がいるんだから。

胸の中で、私は何度もそう呟いていた。

「私のね……」

2

神楽坂に百合さんを送り届けると、出社せずそのまま家に帰った。明日の二十九日が友引だったため、昨日の通夜、今日の葬儀と慌ただしかった。一昨日は香折の看病でろくに眠っていなかったし、昨夜もむろん一睡もしていない。部屋に戻ると急激な眠気に襲われ、シャワーも浴びずにベッドにもぐり込んだ。

目を覚ましたらすっかり暗くなっていた。ベッドのランプを灯《とも》し時計を見た。午後八時を過ぎている。起き上がり、顔を手でこすって首を回した。夢を見ていたような気がするが思い出せない。小さく気合いをかけて立った。何もすることはなかったが、とりあえず風呂にでもつかって、意識をはっきりさせようと思った。

浴室を出て、居間に戻ると電話機のメッセージランプが点滅していた。昼間帰ってきたときは、そのまま寝室に直行したから気づかなかったのかもしれない。ボタンを押すと「三件です」と告げ、どれも瑠衣からのものだった。そういえばこの三日間、一度も連絡していなかった。受話器を持ち上げ、瑠衣の部屋の番号をダイヤルしようとして、途中で手を止めた。宇佐見の話を思い出した。瑠衣に駿河のことを伝えるわけにはいかないと思った。しばらく迷って別のダイヤルを押した。呼出し音が数度鳴って、ようやくつながった。

柳原が出てくるだろうと思ったが、香折の声だった。

「どうだ、具合は」

「熱が引かないの」

「何度くらい」

「さっき計ったら四十一度もあった」

「柳原君にはあれから連絡したのか」

「うん。朝、来てくれて一緒に病院に行った」

「薬は」

「飲んでる。でも全然食事できなくて」

そこで香折は不意に咳き込んだ。

「彼はちゃんと看病してくれてるんだろう」

「そうでもない。最初の日は近所のお医者さんに車で連れていってくれて、食料品も揃えてくれたけど、あとは電話だけ。仕事忙しそうだし」

「じゃあ、自分で料理してるのか」

「レトルトのお粥《かゆ》とかいっぱい買ってもらったから。でも、あんまり食べたくなくて食べてない」

「今夜は来てくれそうなのか」

「さっき電話はきたけど、なんか接待で飲んでるみたいだったし、きっと来ないと思う」

そこでまた咳き込む。

「精密検査は受けたんだろうな」

香折は黙っている。

「血液検査や胸部レントゲンはやったんだろうな」

「だって近所の内科医院だもん。風邪だからってお薬くれただけ」

「三日も高熱が続いてるんだぞ。抗生剤を飲んでいて、まだそんなに熱が出てるのはおかしいじゃないか」

自分でも苛立った声になっているのが分かる。溜まっていた疲れは抜けたようだが、やはり心の芯に溶けないしこりが残っているのだろう。

「なんで浩さんがそんなに怒るの。急な仕事が入ったからって、私のこと放ってさっさと帰ったの浩さんじゃない。連絡もしてくれなかったくせに」

「こっちはとても電話できる状況じゃなかった。そんな状態がつづいていたのなら、どうして携帯に電話してこない」

「したよ。でも通じないもの」

なるほどそうだった。電池切れで、二十七日の昼過ぎから携帯は使えなくなっていたのだった。

「悪かった。この二日間、混乱していて携帯の充電もできなかった」

「浩さん、仕事人間だしね。でも、仕事は大丈夫だったの」

「俺の一番信頼していた上司が自殺した。昨日が通夜で今日が葬式だった。まだ四十九歳だった」

香折は一瞬言葉に詰まったように沈黙した。

「自殺なんて……」

「社長に裏切られた。横領の濡《ぬ》れ衣《ぎぬ》を着せられて、何もかも失った。絶望したんだろう。俺もいま同じ状況に追い込まれている。会社にもきっと居られなくなる。この十五年間が水の泡になってしまった。死んだ彼の気持ちもよく分かる。あの晩、お前のところへ行く前に会っていた。そこで俺が引導を渡したようなもんだ。償《つぐな》いのできる話じゃない。人ひとり死なせたら、もうすべて終わりだ。俺がこれまでやってきたことは、取り返しのつかない結果を生んだだけだと骨身にしみて知った。責任の取りようもないが、けじめだけはつけるつもりだ。もうそれくらいしか俺には残されていない。ほんとうに馬鹿だった」

　私は一気にまくしたてた。自然に口をついて言葉が出てくるようだった。

「けじめをつけるってどういうこと」

「死んだ人間は帰ってはこない。どうするかまだ俺にも分からない」

「まさか、死のうなんて思ってないでしょうね」

「そんなことはしないさ」

「浩さん」

　香折が心配そうな声になっている。

「何」

「一人で大丈夫？」

「仕方がないだろう」

「よかったらいまからこっちに来る。私、こんなだからあんまり助けてあげられないけど、でも、今夜は浩さん一人でいない方がいいと思う。私にいろんなこと話すだけでも、気分がまぎれるだろうから」

それから香折は少し考えるような気配で、

「それとも瑠衣さんのところに行ったら。瑠衣さんだったら、浩さんのこときっと慰めてくれる」

「瑠衣のところには行けない。彼女を頼るわけにはいかない」

香折はどういうことか分からないようだった。私はつけ加えた。

「それより、お前の方が心配だ。熱が下がらないのが気になる」

「じゃあ、私のところに来て。浩さんに会いたい。すごく会いたい」

私は時計を見た。ちょうど九時だ。

「いまから出るよ。車だから三十分程度で着く。玄関なんかに出てなくていいからな」

「うん。でも待ってるから」

香折は長話になって呼吸が苦しげだった。私は電話を切った。

香折の容体がひとかたならぬものであることは一見して分かった。さっきはよく電話であれだけの話ができたものだ。ドアを開けるとそそくさと寝室に戻った香折は、ベッドの縁《ふち》に背中をあずけ、真っ赤な顔で苦しそうな速い息づかいをしていた。それでいて唇は紫色に変色している。声をかけると虚《うつ》ろな顔をあげ、口許に弱々しい笑みを浮かべる。ベッドにはふくらんだ水枕が置かれ、触ってみるとぬるみきっていた。背をこごめ胸のあたりを両手で押さえている。

「さっきから少し痛いの」

と言った。抱き上げてベッドに寝かせると、水枕を取って台所に行った。ダイニングテーブルの上に目をやる。レトルトパックの粥が幾袋も置かれ、ビニール密封された鰻《うなぎ》の蒲焼《かばやき》や缶詰が積んである。トイレットペーパーの袋とミネラルウォーターのペットボトルが一緒に並んでいた。

水枕を差し入れてやり、熱を計らせた。四十一度五分。レントゲンを撮らないと分からないが、ときおりこぼす濁った咳や血の気を失った唇といい、風邪のウイルスによる感染肺炎の疑いがあった。私も大学時代に一度罹《かか》ったことがある。そのときは友人に救急車を呼んでもらい大学病院に担ぎ込まれたのだが、あと一日遅かったら手遅れだった、と若い担当医に真剣な口調で告げられたものだ。香折は呼吸自体が不自由のようだった。胸が痛むのはそのせいだろう。私は時計を見た。もう十時だ。しばらく経過を見るというわけにもいくまい。これからすぐに大学病院に連れていこうと決めた。

「香折、病院に行くぞ」

息を荒くしている彼女の耳許に口を近づけて言う。自分でも様子が変だと感じているのだろう、香折は素直に頷いた。

私は携帯電話で神坂幹事長の秘書である菊田の携帯の登録番号を選び出し、通話ボタンを押した。

「はい菊田ですが」

菊田のいつもながらの落ち着いた声が届く。

「もしもし、橋田です」

「やあ、どうしたの。久し振りじゃない」

　菊田は気安い口調になった。

「菊田さん、いまどこですか」

「党本部。代議士はたったいま帰ったところ」

「実は菊田さん、ちょっと大至急頼みたいことがあるんですが」

　その一言で電話の向こうの菊田が息を整えるのが分かった。すでに十年以上のつき合いで気心は知れている。歳も似たようなもので、どんな約束も決して破ることのない義理固さのある大切な友人の一人だった。

「どうした」

「ぼくの彼女が急病で、ちょっと様子が変なんです。急性肺炎の兆候があってひどく苦しんでいる」

「病院？」

「はい」

「そう、いま橋田さんどこ」

「高円寺の彼女のアパートに来ています」

「じゃあ東京医大が近いね」

「いや、それより女子医大にしてくれませんか。車はありますから、ぼくが自分で連れていきます」

「オーケー。彼女の名前は」

「中平香折。真ん中の中に平ら。香水の香に折り紙の折」

「分かった。代議士の姪ごさんってことにしておく。救急車回そうか」

「いや、こっちで運んだ方が早いですから」

「了解。じゃあ、すぐに病院に向かってくれ。女子医は結構堅苦しいから、ぼくがいまから文部省の官房長に電話して、話をつけさせておく。あそこは急患用のベッドはなかなか空けない主義なんだ」

「申し訳ありません」

「ぜんぜん」

「呼吸器と循環器の専門医も頼みます。夜間だとインターンしかいないかもしれませんし」

「大丈夫、まかせてくれ」

「すみません」

「とにかくお大事に。肺炎は馬鹿にできないよ。朝一でうちの代議士からも病院長に一本電話を入れさせておくから」

「助かります。あとで埋め合わせはします」

「そんなことといいよ。それより早く彼女連れていってあげなよ」

そう言って菊田の方から電話は切れた。

私は香折のクロゼットを開き大きな黒いバッグを見つけると、箪笥の引き出しを引いて下着やタオルなどを掴む順に鞄の中に放り込んでいった。一荷物作ると、黄色の上下のトレーナー姿の香折を抱き起こした。

「肺炎にでもなってたら大変だから、いまから東京女子医大に連れていく」

香折はぜえぜえと息をついているばかりだ。

「神坂良造って政治家の名前は知ってるか。いま幹事長をやってる」

私はこれまで仕事のことでも政治向きの部分は一切黙ってきた。香折がわずかに首を縦に振る。さすがに神坂くらいは二十歳のOLでも知っているようだ。

「今晩から、香折は退院するまで神坂幹事長の姪ってことになる。それだけは頭に入れておいてくれ。すぐに楽にしてあげるから、もう少しの辛抱だ」

右手に荷物を持ち、香折をおぶって外に出た。耳許で熱い息を吐きながら、「ごめんね、いつも心配ばかりかけて」と香折は言った。助手席に座らせシートベルトを掛けてやると車を発進させた。

三十分足らずで病院に着いた。ただちに救急措置室に回され、看護婦二人と医師三人が待ち構えていた。さすがに神坂良造の名前は効果絶大だ。もっとも私学助成金を握る文部省のトップから連絡がいけば、大学病院としてはこのくらいの対応は当たり前なのだろうが。香折には酸素吸入が開始され、そのままストレッチャーで放射線室に運ばれた。私は荷物を提げて付き添った。主治医らしき金井という医師に名刺を渡し、簡単に挨拶した。彼の応対は丁寧すぎるほどだった。レントゲン撮影が終わると、香折は八階の眼科病棟に用意された個室に入った。おそらく内科に病室の空きがなく、無理に部屋をひとつ確保したのだろう。眼科のカンファレンスルームに通され、そこで金井からシャウカステンに映し出された香折の胸部写真を見せられながら、診断を聞いた。カルテに目をやると香折の名前の横に「特」と丸い判子が捺《お》されていた。ボールペンの先で写真の各ヵ所を示しながら、金井は懇切に説明する。

「正直なところ、それほど軽いものではありません。このように全肺野に結節性の影があって、一部は融合してしまっています。気管支ファイバーは明日やりますが、呼吸状態から見て、気管支にも感染が広がっている可能性があります。ともかく解熱剤と抗生剤を今晩一晩投与して経過を見ますが、風邪ウイルスによる感染肺炎の場合、薬の種類を変えながらどの抗生剤が有効かを試していくしか手がないんです。ウイルスに対する抗体を大量に含むガンマグロブリンは一緒に投与しておきます」

私の顔が根詰めて見えたのか、金井は少し表情を崩した。

「しかし、まあ命にかかわるといった重篤な状態ではないですし、本人の意識もしっかりしていますから心配はいりません。二、三日はわれわれが二十四時間体制で治療に当たりますから安心してください。大丈夫ですよ」

私は頭を下げる。

「今夜中に入院手続きだけは済ませてください。事務長が病室に伺いますから」

金井の胸のネームプレートをよく見ると「内科部長」となっている。私は気になっていることを尋ねた。

「彼女、いま両親が海外に住んでいて保証人は無理なんですが、ぼくでも構いませんか」

金井は笑って「もちろんです」と言った。それから「橋田さんはこれからどうされますか」と訊《き》いてきた。

「できれば今夜一晩くらいは付き添ってやりたいんですが」

「分かりました。部屋にもう一台ベッドを運びましょう。ナースに言っておきます。何か心配になったらいつでもナースを呼んでください。ぼくもずっと居ますから」

私たちは同時に立ち上がった。

香折の部屋は十五畳はあろうかという特別室だった。戻ると、もう香折の隣にベッドが置かれていた。すぐに事務長らしき中年の男がやって来た。応接セットに向き合って座り、簡単な入院手続きの説明を受け、私は自分の住所と勤務先を書類に記して拇印《ぼいん》を捺した。

「とりあえず保証金として十万円お預かりすることになっていますが、こんな時間ですし、明日か明後日にでも直接私の方へ持ってきていただければそれで結構ですから」

事務長はそう言うと、引きあげていった。

誰もいなくなって、私は自分のベッドに腰掛け、酸素マスクをかけた香折を覗き込む。壁の時計は十二時を回ったところだ。

「どう、少しは楽になったか」

香折は微笑んだ。顔色も格段に良くなっていた。点滴を受けていない方の右手で酸素マスクを外すと、いたずらっぽい表情になった。

「なんだか大袈裟すぎない」

くすくす笑う。声もしっかりして喘鳴《ぜんめい》も聞こえなかった。薬が効いてきたのだろう。

「やっぱり肺炎らしい。一週間は入院だって医者が言ってた」

「そんなに」

不満そうな声になる。

「肺炎は甘く見ない方がいい。ゆっくり静養して元気を取り戻さないと」

「だけど、十日も会社を休むことになっちゃうよ」

「仕方ないだろう、病気なんだから」

「どうしよう。会社に連絡しなくちゃ」

「朝になったら、俺から柳原に電話しておくよ」

「ごめんね。浩さん疲れてるのに」

「いいんだ。お前の顔を見て少し気が晴れた」

私は香折の額に掌を当てる。熱もだいぶおさまってきているようだ。香折は私の方をじっと見ている。しばらくして言った。

「亡くなった上司の人って、駿河さんっていう人のこと？」

手を引いて、私は小さく頷いてみせる。

「そう。浩さん、駿河さんのことよく話してたよね」

「そうだったかな」

「うん。大っきな体のぬいぐるみみたいな人」

「そうだな」

私は笑ってみせる。

「ほんとにつらかったね、浩さん」

納棺する際の駿河の顔が思い出される。豪放でいて繊細なところのある、心根の芯《しん》から優しい男だった。責任を部下や他人に転嫁するような真似は決してしなかった。それだけに扇谷からの裏切りはこたえたにちがいない。魂を失った駿河の顔には、形容できる何物も残ってはいなかった。死は、人間の生のすべてを根こそぎ奪い去ってしまう。希望も情熱も苦悩も悔悟も、生きているあいだだけの所詮あぶくのようなものである。人はそのあぶくに全身をまみれさせ、時に酔い、時に溺《おぼ》れ窒息する。だが、死んでしまえば跡形もなくそんなものは蒸発してしまうのだ。

結局、駿河が死なねばならなかったのは、彼が決定的な孤独感に蝕《むしば》まれていたからだ。生まれ落ちた瞬間、誰もが祝福の光を浴びている。天上から、足元から、眼前から背後から、幾筋もの光が、困難な生を導くためにそれぞれの歩く道を照らしている。生きることは次第にその光を見失う行為だ。星のように無数にきらめいていた光はつぎつぎと消え、やがて三つになり二つになり、ついに一つになる。そしてその最後の光が絶えた瞬間、人は闇に呑み込まれ自らを喪失する。駿河には、会社での将来がおそらく最後の灯だったのだろう。もはや他に彼を照らす光はどこにもなかったにちがいない。妻も子供も、百合さんさえも駿河には何ほどのものでもなかった。彼を侵食していた孤独は、すでにぎりぎりの縁《ふち》にまで彼を追い込めていたのだ。

野心や理想は必然的に人間関係の破壊をもたらす。人を焼きつくし、食いつくすことでしか人間は自己の妄想を世界に実現し固定化できない。そういった意味で駿河の陥った孤独は、彼自身の選択の結果でしかあるまい。焼きつくし食いつくす強烈な意志は、焼きつくされ食いつくされる危険性を常に胚胎《はいたい》している。駿河は、扇谷というさらに強い妄想の所有者に食いつくされたのである。

かわいそうに、と私は思った。なんとかわいそうな男だったろう、と思った。誰でもいい、すがりついて救いを求める、そのわずかな力さえも彼には残っていなかった。成功の夢とそれがもたらす拘束が、彼をがんじがらめにして、身動きひとつ取れなくしてしまっていたのだ。

私が黙り込んだので、香折は不安そうな目になっていた。

「浩さん、大丈夫？」

「ああ……」

背中にひどく重いものを載せられたような感じだった。死んだ駿河の孤独は、私自身の孤独でもある、という気がした。

3

香折が眠ったのを見届けて、服を脱ぎ明かりを消してベッドに横になった。

日中ずっと寝ていたから眠気はまったくない。目の前にある香折の横顔を眺める。外した酸素マスクが頬にかかっていたので取り除き、痩せてしまった頬を人差し指と中指でなぞった。寝息も立てず死んだように眠っている。

二日間も放っておいて悪かったな、と思った。柳原が面倒を見ているだろうと考えていたが、卓次にしろ柳原にしろ香折にとって決定的な人間でないことを私は十分に知っていた。この前、「香折だって、ほんとうに信用してるのは橋田さんですしね」と柳原が言ったときも、そんなことは分かりきったことだ、と思っただけだ。柳原は「恋人と兄妹って、どっちが上なんでしょうね」とも言っていた。香折が私とのことを兄妹みたいだといつも説明しているからだろう。

だが、私と香折は兄妹ではない。香折もそのことはよく知っていた。だからこそ私は自分のことを兄貴だと言い、香折は香折で自分は妹だと言う。

そうした私の距離の取り方に香折が苛立ちを見せることも度々だった。

「浩さん、いつもそんなこと言うね」

「何が」

「兄貴だとか、親代わりだとか」

「お前だって、いつもそう言ってるじゃないか。まあ、本当の家族みたいに始終かまってやれないけどね」

そういうとき、香折はひどく寂しげな表情になる。一度こんな風に言われたこともある。

「浩さんはね、私のお兄さんでも親でもないんだよ。血のつながった家族じゃないんだから。浩さんは、いくら頑張っても私の兄貴にはなれないの。ならなくたっていいの」

それでも私が香折に深く立ち入らなかったのは、ひとつには香折にいま必要なのは恋人ではなく、彼女のことをしっかりと理解し、その場その場で適切な処置をとれる人間だと考えたからだった。誰かを愛したり、あたたかく包み込むだけの能力は、香折にはまだ備わっていない。愛することのできない人間が愛されるわけもない。だから、卓次も柳原も香折にすれば時間つぶしの慰安の相手以上になることはない。それは彼らにとって不幸な現実だが、私は香折の生活や生を維持するためなら、彼らが感情面で多少傷ついたところで構わないと考えてきた。さいわい、香折には若くきれいな体があった。二十代の若者なら一時的にそれを堪能《たんのう》できるだけで十分なのだ。瑠衣に香折が言ったことは、香折の本音だった。

「男はみんな体めあてで、ちょっと優しくすると、図に乗ってすぐセックスしようとする」

香折はどんな男のこともそのように冷たく突き放している。

香折は自分のような人間は生きる価値も愛される価値もないと信じていた。そんな人間に近づいてくる連中には、必ず魂胆や下心があると決めつけている。体めあてとは、異性に対する彼女の根本的な見方なのだ。年齢相応の快感や昂《たかぶ》りはあろうが、行為のあとに残る安らぎはほとんどないだろう。体を提供することによってしか相手との関係を継続できない、という確信を固め、自分の抱えている怒りや憤懣《ふんまん》を他人にぶつけるための取引としてセックスをする——要するに彼女の異性理解はその程度のものだ。

彼女にとってセックスは、形を変えた暴力だった。

香折に対する性的虐待は幼稚園の頃から始まっている。

香折が幼時の性的虐待を思い出したのは中学生になってからだった。母親に漫画本を取り上げられ、どうしても取り戻したくて彼女は母親の部屋に入った。本棚や机の引き出しを探しても見つからず、押入れを開けた。体を突っ込み、奥に雑誌の束が紐《ひも》で括《くく》られてしまわれているのを見つける。取り出して、その一番上にあった雑誌の表紙を見て、彼女は自ら封印してきた幼かった頃の記憶を回復したのだった。

「外人の女同士が裸で絡み合っている写真で、見た途端に頭がすごく痛くなって、慌てて押入れに返して自分の部屋に戻ったんです。ベッドの上で目をつぶって痛みを我慢していたら、そのうち、幾つも幾つも映像が目の前に浮かんできて……」

香折は物心ついた頃から、近所の男の子や親戚の男の子と遊ぶと、その後必ず母親に呼ばれて「治療」を受けた。

「おぼろげに、何か母親から薬を塗られたりした記憶はあったんです。でもはっきりと思い出したのは、あの雑誌の写真を見たときでした」

母親は香折の部屋で彼女を裸にして、「男の子たちに何かされなかったか」と全身を撫で回した。床に仰向《あおむ》けにして両足を大きく開かせ、「こういうところを触られなかったか」と彼女の性器に指を入れたりした。

「とても痛くて、声をあげると頭をぶたれて、オロナインとかを塗られるんです。男の子たちと遊んだ後はいつもそうで、私は何か病気になっていてそれを母親が治療してくれてるんだろうと子供心に思ってました。それが、女同士が裸で抱き合っている写真を見て、鮮明に映像として記憶の底から甦ってきたんです。母親は女の体に興味があったんだって思った。私がそうやって治療されていると、部屋のドアを開けて、入口で兄もじっと眺めていたことも、そのとき思い出したんです」

「治療」は小学校の二年生くらいまで続いたという。

「母の父親は大学教授だったんですが、ものすごく厳格な人だったようで、だから母は自分の性的な興味を徹底的に父親から抑圧されて育ったんだと思います。それでそんな歪んだ性格になったのかもしれません」

記憶を取り戻したその頃には、兄からの暴力や性的な嫌がらせも始まっていた。入浴中に風呂を覗かれたり、胸をさわられたりするのは日常茶飯事だった。兄の部屋に呼び出されて、兄が自慰を行なっているところを最後まで見せられたりした。

「こうやると気持ちいいんだぞって言われて、でもその頃はまだ中学生になったばかりで、全然意味も分からなかったし、へえそんなものなのかってあんまり驚いたりもしなかった」

最もショックだったのは中学二年のときに、かねてからよく紛失していた下着を兄の部屋で見つけた瞬間だったという。

「私のパンツを兄の部屋で見つけたときは、トイレに駆け込んで吐いてしまいました。でも抗議なんかできなかった。そんなことしたらめちゃくちゃ殴られるに決まってたから」

香折は右に較《くら》べて左の耳の聴こえが悪い。二歳になった頃に、母親から殴られて鼓膜を破ったことがあったからだった。それを教えてくれたのは父方のすでに亡くなった祖母だった。中学の後半になって性的に成熟してくると、母親や兄からことあるごとに「悪魔、ゴキブリ、ウジ虫、ハエ、ブタ、淫売《いんばい》」などと罵られた。

鏡に向かって彼女が、自分のことを「ブタ！」、「ウジ虫！」、「淫売！」などと叫ぶのはその体験が下地にあるからだ。

二月、三月と不眠が激しかった時期に彼女が毎夜見ていた夢の中身はおぞましいものだった。二度のレイプ体験と兄や母からの虐待の記憶が混ざりあって彼女を苛《さいな》むのである。兄の隆則に強姦され、それを背中越しに母親が見下ろしている、といった救いがたい夢だった。

香折が卓次や柳原、それに私が側にいても決して不安を解くことができないのは、彼女のこういった幼児からの体験を踏まえれば半ば当然のことだと私は思っている。まして卓次や柳原は、香折と同衾《どうきん》すればその体を求めてくる。彼女は受け入れはするが、それによって普通の女性のように安心を摑むことはできないにちがいない。むしろ、幼い頃からの記憶を呼び戻し、心の奥底で脅《おび》えを感じるだけだろう。

だからこそ私は香折を一度も抱こうと思ったことがなかった。

香折を恋愛の対象として見たその時点で、私と彼女との信頼関係は決定的に壊れてしまう。この一年、私はそのような形のつながりを、彼女とのあいだに作り上げてきたのである。本当の恋愛を知らない香折にとって、私との関係は、彼女の人生の中で最も深く強固なものかもしれない。だが、それは彼女の恐怖が完全に除去されたときには、とるに足らない平凡な絆《きずな》にすぎなくなるのだ、と私は心に言いきかせてきた。

そんな香折が、瑠衣や柳原と共に会った夜、私のマンションの前で待っていた。私のことをひどく心配していた。仕事のことで悩んでいるのだろうと言い当て、「こういうときくらい役に立ちたい」と口にした。そして、

「ほんとに辛《つら》くなったらさ、私のところに来るんだよ。私、浩さんのことをきっと守ってあげるから」

と、私の手を握ってくれたのだ。

私が一方的に彼女を観察しつづけてきただけのはずだった。その香折が私のことを肝心な部分で的確に掴み取っている事実に私は少したじろいだ。私と香折とのつながりに互いに作用する引力を感じた。それは、恋愛とは別種のものかもしれないが、深いところで二人は分かり合っている、とは言えるのではないか。瑠衣が私を愛していることは知っている。だが、本当の愛を知らないとしても、また体のつながりがないとしても、香折は私にとって、おそらく私が香折にとってそうであるように、ただ一人の理解者なのかもしれなかった。

4

早朝連絡すると柳原はあわてて病院にやって来た。香折は熱は高いままだったが、昨夜に較べると容体はずいぶん落ち着いていた。

八時を過ぎ、入れかわり医師たちが病室を訪ねてきた。香折のベッドのフレームに吊《つ》り下がった「担当医師」という白いプレートには八人の医師の名前が記されている。どの医師も簡単に香折の様子を見ると、私と柳原に丁寧に病状を説明して引きあげていく。神坂が朝一番で病院長に電話を入れてくれたのだろう。柳原の方はそういった病院側の対応に面食らっていた。昨夜からの経緯を簡単に話して、あとは柳原にまかせて私は病院を出た。

出社すると、駿河の遺品の整理をした。通夜のときに夫人から依頼されていた。午前中いっぱいかかって彼の私物をダンボール箱に詰めた。ロッカーの奥に大きなクッキーの缶があり、蓋を取ると百合さんからの手紙や葉書、写真の束が出てきた。会議室に持ち込んで内鍵《うちかぎ》をかけ、手紙類には手をつけなかったが、写真は一枚一枚ゆっくりと眺めた。

色褪《いろあ》せた一枚には、駿河と百合さんが並んでいる。駿河の腕が百合さんの肩にかかり、背景からするとかつての「鶴来」の一室のようだ。二人とも若かった。百合さんは二十代、駿河はちょうど現在の私くらいの年齢だろう。やせて髪も長い。すこし酔っているのか頬が赤く、あの子供のような屈託のない笑みをたたえていた。

旅先で撮ったらしい写真もかなりあった。ミラノのスカラ座の前で毛皮のコートを着た百合さんがかしこまって写っている。ポトマック河畔のベンチで肩を寄せ合っているのもある。浴衣《ゆかた》着の駿河が襟をはだけ、くつろいだ表情で旅館の床柱に凭《もた》れている写真もあった。

「十年も一緒だったんだよ。どんなことだって知っていたのに」

昨日、帰りの車の中で泣き崩れた百合さんの姿が思い浮かんでくる。

私は写真の中から一枚を抜き出してポケットに入れると、残りは缶の中に戻した。これらは百合さんにいずれ返さなくてはならない。彼女が無事に駿河の子供を産み、その子が大きくなった頃にでも訪ねよう。それまでは私が保管しておこうと思った。

席に戻ると伝言メモが電話機に貼ってあった。「藤山様よりＴＥＬ。お電話くださいとのことでした。５／29　１：25」とある。

私は受話器を取って瑠衣の携帯の番号を押した。

三度コール音が鳴って電話がつながった。

「はい」

「ぼくだけど」

電話の向こうで瑠衣が息をつくのが分かる。

「どうしたの。ずっと連絡してたのに。何かあったのかと思ってすごく心配だった」

「悪かったね。ちょっといろいろと取り込んでいてね」

「香折さんがどうかしたの」

「いや、そっちは大したことじゃないんだ」

「やっぱり香折さんのことなんだ」

「そうじゃないよ。あいつ風邪をこじらせて昨日入院しちゃったけど」

「えっ」

「でももう大丈夫だ。柳原君に今朝バトンタッチしてきた」

ようやく瑠衣は、自分の思い込みが半ば外れていたことに気づいたようだった。

「他にも何かあったの」

「ああ」

音が一端途切れて、それから低い声が返ってきた。

「ねえ、今から会えない」

「だけど仕事中だろう」

「適当に理由こしらえて早退するから。浩介さんは時間取れない」

腕時計を見た。ちょうど二時だった。

「こっちは構わないけど」

「分かった。すぐここを出る。下から呼ぶね」

瑠衣はそう言うと電話を切ってしまった。

十分もしないうちに受付から内線が入った。瑠衣が正面玄関に着いたのだ。私は部下たちに「今日は戻らないから」と言って部屋を出た。駿河の荷物の入ったダンボール箱は私の机の上に積み上げておいた。駿河が自殺したことは伏せられていたが、経企室の全員が知っているようだ。半日、誰も仕事が手につかない風情で外に出たり、椅子に座って茫然としていた。側近の伊東や小坂は今日も駿河家に行っているのか、出社していない。午前中に一度酒井から話がしたいと電話があったが断った。むろん後任の企画室長も決まってはいない。本来ならば私が部署を統括すべき立場だが、そんな気は毛頭なかった。駿河の私物を整理しているあいだも、雰囲気を察したのか声をかけてくる者ひとりいなかった。

エレベーターを降りると瑠衣が駆け寄ってきた。私の腕をとってくる。受付の女子社員二人が妙な顔で私たちを見ていた。

「一昨日の夜、あなたのマンションに行ったのよ」

瑠衣の腕をほどき、

「そうか」

と言う。

「しばらく待ってたけど帰ってこなかったし、電話も全然通じなかった」

「一昨日は帰れなかったから」

「何があったの」

私は先に立って歩きだした。瑠衣が横に並ぶ。

「ちょっと話があるんだ。外に出よう」

「うん」

玄関を出ると、明るい陽光が降りそそいでくる。空は真っ青だった。あと三日でもう六月なのだと思った。日比谷通りを渡って皇居外苑に向かった。昼どきには満杯になる皇居前広場もいまは閑散としていた。

皇居に背を向けて芝生に腰をおろした。馬場《ばば》先濠《さきぼり》の緑の水面が日差しを受けて鏡のように光っている。向こうには丸の内の企業群が整然と立ち並び、私の会社の大理石張りの巨大なビルもあった。十五年以上も毎日、あのビルに通ったのか、と他人事のように思う。

「いいお天気ね」

黙って景色を眺めていると、隣に腰かけた瑠衣が言った。

「会社を辞めることにした」

瑠衣は別におどろいた風でもなく私を見ている。

駿河の自殺、その原因となった扇谷の裏切り、百合さんのこと、私たちが三年前に行った政治家への秘密献金についても詳しく話した。藤山宏之の関与についてもむろん触れた。瑠衣は時折頷きながらじっと耳を傾けていた。

「ぼくにはきみの叔父さんが許せない」

彼女に伝えるべきことを伝えなくてはならない。

「駿河さんは無念だったろう。死んでも死にきれない気持ちだったろう」

芝を一摑《ひとつか》みする。指先に力がこもって、芝は音立てて千切れた。視界が曇り、決して流すまいと思っていた涙が、瞳の表面に盛り上がってきていた。

「どんなに悔しかったろう」

気持ちが崩れるのを感じた。涙が溢れ、瞳から滴っていく。鼻のあたりに痺れるような痛みが走る。俯いて涙が流れるのにまかせた。歯をくいしばっても喉の奥から低い唸りがせり上がってくる。ハンカチを差し出されたので、断って自分のポケットから取り出した。涙を拭っていると瑠衣が背中をゆっくりさすってくれる。

ハンカチをしまって私は彼女に顔を向けた。

「もうきみとは付き合えない」

背中の手が止まった。私は手を回して瑠衣の腕を摑むとその胸に押し戻した。瑠衣はやり場を失った右手に左手をそっと添えた。目を見開いている。

「宇佐見に言われた。お前のことは考えてやるってね。どうしてか分かるかい」

瑠衣がゆっくり首を振る。

「ぼくがきみの恋人だからさ。会長の秘書として扇谷を監視してほしいと言われたよ。スパイになれってね。二年務めたら、それでぼくは罪一等を減じて、そのままコースに乗せてくれるそうだ」

空を見上げた。雲ひとつない透き通るような空だ。

「宇佐見ときみの父上は親しいらしいね。同友会でも一緒だと言ってたよ。まさか藤山さんの娘婿を飛ばすわけにはいかない、と愉快そうに笑っていた」

瑠衣が息を吞むのが分かる。

「ぼくは自分がどうかしていたことを、そのとき悟った。ほんとにどうかしていた。扇谷に紹介されてきみと知り合って、最初は困った。どうやって手を切るか、そのことばかり考えていた。だけど、そのうちきみが心のきれいなやさしい人だと知った。たとえ社長の姪で、周囲からどんな目で見られたとしても、ぼくはきみを一人の女としてしっかりと見つめようと思った。たまたま藤山家の娘であり扇谷の姪だっただけだと自分に言いきかせた。だが、そんなことは土台無理だったんだ。きみは扇谷の姪であり、きみの父親は宇佐見の親友だ。ぼくは、ぼく自身として生きていく。駿河さんが死んだ以上、きみの恋人や夫として生きるのは耐えがたい。たとえきみがどんなに大切な人であったとしても、それでもぼくは自分と交換にきみを受け入れることはできない。会社も辞める。きみにとってふさわしい男でもなくなる。だから、もう二度と会いたくない。二度と顔も見たくはない」

私は立ち上がった。

「こういう別れも、案外悪くはない。きみはきみを知り、ぼくはぼくを十分に知った」

瑠衣が私の腕を強い力で引っ張った。私は引き戻されて再び彼女の正面にしゃがみ込んだ。

「私、家族を捨てる。藤山の家も、父も母も、叔父もみんな捨てる」

瑠衣は私の手を取り、静かな声で言った。

「ただあなたのためだけにこれから生きていく。あなただけを信じて、どんなときでもあなたを支えつづける。もう一生、父にも母にも叔父にも会わなくていい。私は、あなただけの女になる。だからお願い、私を捨てないで。私はあなたなしでは生きていけない。私はあなたと一緒に生きるために、ただそれだけのために生まれてきたの。あなたの言うことだったら、どんなことでもそうする。死ねと言われれば、いまこの場で死んでみせる。あなたは私のすべてなの。私は、あの映画の中の兵士のように、九十九日目の晩に、あなたのもとから離れたりは絶対にしない」

兵士がなぜ王女を待たなかったのか、そのわけを映画の主人公が語っていた言葉を私はようやく思い出した。

――兵士が待たなかった訳がわかったよ。あと一晩で王女は彼のものだ。でも王女が約束を破ったら絶望的だ。彼は死ぬだろう。九十九日でやめれば王女は自分を待っていたんだと生涯思いつづけられる。

私は瑠衣の手をほどいた。

「もう無理なんだ。分かってくれ」

瑠衣が手を摑み返してくる。

「浩介さん」

「何」

「あなたはいま疲れているの。そんなときは一人でいちゃ駄目なの。会社なんか辞めてもいい。何もしなくたっていい。あなたが何かしたいと思うことを見つけるまで、私、ずっと側にいてあげる。私が養ってあげる。浩介さんはゆっくりと休めばいい。いままであなたは頑張りすぎたの。もう頑張らなくてもいいの。何もしなくたって人は生きていけるの。誰かに頼って、すがりついて生きていけばいいの」

私は、瑠衣の瞳を見つめた。

「そんなことは無理だよ。人間は自分の力で生きることを放棄したら、その瞬間に自分自身を失うんだ」

「そんなことない。どんな人間だって、誰かに支えられながら生きていくの。助けてもらいながら、愛されながら、苦しい人生を生きていくの。浩介さんはいつも一人ぼっちで、誰かを助けようとばかりしてきた。自分がもっともっと弱い人間だってことを知らなすぎたの」

瑠衣は私の腕を自分の胸にかき抱くようにした。

「私は世界中で一番、あなたのことを愛している。どんな人よりもあなたのことを思ってる。だから、香折さんのところへ行っちゃ駄目。香折さんはあなたが思ってるような人じゃない。あなたのことを利用してるだけ。思わせぶりで、あなたの善意を吸いつくそうとしてるだけ。あなたにはそのことが分かっていないの。でも私には分かる。香折さんのところに行ったってあなたは決して安らがない。幸福になんて絶対になれない」

私は再び立ち上がった。瑠衣は瞳に涙を浮かべていた。

「もう決めたんだ。きみが何と言おうと、ぼくはきみと一緒にいることはできない。きみはきみらしい生き方をすればいい。ぼくなんかよりきみにふさわしい人がいる。ぼくはレースから降りる。いままでのぼくが持っていたものは全部捨て去って一から出直す。香折とのこともそう思っている」

瑠衣も一緒に立ち上がった。と、突然頰に鋭い痛みが走った。

「一体どこまで自信過剰なの。大切な上司が自殺したっていうのに、あなたは何も変わってないじゃない。どんなことでも自分一人で切り抜けられる、香折さんの面倒だって見てあげられる——冗談じゃない。そんな力がいまのあなたのどこに残っているっていうの。自分の傲慢《ごうまん》さが全然分かっていないじゃない。恰好《かっこう》ばかりつけて、いい気になるのもいい加減になさい」

瑠衣は振り上げた手を戻し、歯を食いしばって私を睨《にら》みつけていた。まるで男のようだ、と思う。私はそんな彼女に何を言えばいいのか言葉を失ってしまった。

「辞表はもう出したの」

「いや」

「いつ出すつもり」

「来週早々には」

「月曜日？」

「そうだね」

「今日はもう会社に戻らなくてもいいのね」

「ああ」

「じゃあ、帰りましょう。私の部屋で辞表を書きなさい。退職のお祝いをしましょう。そして駿河さんの供養も」

再び腕を取られ、私はされるままだった。日比谷通りに出ると瑠衣はタクシーを止めた。押し込まれるようにして車に乗り込む。「運転手さん、近くて申し訳ないんですけど、お茶の水までお願いします」瑠衣は行き先を告げると私にぴったりと身を寄せる。

「あなたを一人にはさせない。誰にも絶対に渡さない」

きっぱりとした口調で彼女は言った。

5

宇佐見の社長昇格、扇谷の会長就任の人事案は、六月一日午前九時からの最高経営会議で承認を受け、緊急取締役会を経て午前十一時、本社四階の第一講堂で記者発表された。私がこの人事案を知らされたのは、当日の午前八時で、瑠衣と一緒に朝食をとっているときだった。直接、総務・広報担当常務である佐々木から携帯に電話がきた。駿河が死んだいま、経営企画室の上席者である私に事前連絡があるのは当然といえば当然のことだった。

記者会見には宇佐見と扇谷が揃って出席した。その間、私は本社の部長以上を役員大会議室に招集し、国内、海外支店、関係各社へのすみやかな連絡などを指示した。煩雑《はんざつ》な業務から解放されたのは午後一時頃だった。席に戻ると、すぐに社長室に電話を入れた。扇谷はちょうど自室で昼食をとっていると聞き、私は経企室を出て十二階の社長室に向かった。

社長秘書の田代裕子に「社長はいる」と訊くと、「ええ、いまお昼をとっておられます」と答える。「ちょっと邪魔してもいいかな」と言うと彼女は笑顔で頷いた。私と扇谷の間柄は誰もが知っていた。

ノックせずにドアを開けると、扇谷は応接のソファに座り込んで蕎麦《そば》を食べているところだった。私を見て一瞬眉間に皺を寄せ、すぐにいつもの顔に戻った。

断りもせずに私は扇谷の向かいのソファに腰を下ろした。扇谷は箸を置き、顔を上げる。

「呑気《のんき》なもんですね」

私は笑った。扇谷は食べかけの蕎麦の盆を脇にどけ、煙草をポケットから取り出して一本抜くと火をつけた。しばらく沈黙がつづく。

「駿河は気の毒だった」

ぽつりと扇谷が呟く。声と一緒に白い煙が口から吐き出された。

「そうですね。下の息子さんはまだ高校一年生でした」

扇谷は深いため息を洩らした。

「残された家族にはできる限りのことはしてやりたい」

「それはそうでしょう」

「お前のことは心配するな。宇佐見にはちゃんと言ってある。酒井も妙なところに出したりはしない」

「そうですか」

「さっき酒井が来た。彼も納得していた」

「まあ、仕方がないってことですか」

扇谷は頷いて、灰皿で煙草を揉み消した。

「駿河がすべてを抱えて逝ってくれた。ここを凌《しの》げばまた状況も変わる。俺もこのまま引き下がるつもりはない」

「なるほど」

「駿河の死を無駄にしないためにも、俺はもう一度勝負をかける。宇佐見ごときにこの会社を好きにさせるわけにはいかん。橋田、お前もこれからは肚《はら》をくくって俺についてこい」

扇谷は目を剝《む》いて私を睨みつけてくる。全身から精気が湧き出しているのが分かる。私はそんな彼の姿を見て、腹の底から可笑《おか》しみが込み上げてくるのを感じた。こんな茶番劇の渦中で、端役を懸命にこなそうとしてきたこれまでの自分自身が滑稽《こっけい》だった。

「扇谷さん」

笑いの感情は私の体を貫き、意識の表面に浮かび上がった刹那《せつな》、赤黒い怒りに急速に転化していく。組んでいた手がわずかに震える。揃えた膝も揺れ始めていた。扇谷が怪訝そうな面持ちになっていた。

「実は、どうしてもひとつお願いしたいことがあるんですが」

そう言いながら私は背広のポケットから写真を一枚取り出した。テーブルの上に置いて扇谷の目の前につき出す。駿河の笑顔は逆向きに見ると、まるで泣いているかのようだ。扇谷は写真に目を落としていた。

「駿河さんに謝ってもらえませんか」

扇谷は顔を上げ不思議そうに私を見た。私は立ち上がり写真を摑むと、応接セットを離れ、社長机の前の赤い絨毯《じゅうたん》の上に再び丁寧に写真を置いた。

「ちょっと、こっちに来てください」

扇谷は座り込んだままだ。

「橋田、一体何のつもりだ」

私は扇谷の方へ近づいた。

「別に大したお願いではないんです。ただ、あの写真に詫《わ》びてほしいんです。土下座してもらえませんか」

扇谷の顔色が一瞬にして赤らんだ。

「何を言ってるんだ。お前、気でも狂ったのか」

「いいや。狂ってるのはあんたの方でしょう」

「話にならん」

扇谷は言ってソファから立ち上がろうとした。私はすかさずズボンのポケットから一本のアーミーナイフを取り出した。鞘《さや》を払って近づくと中腰の扇谷の喉元《のどもと》につきつける。

「どういうことだ」

扇谷はソファに腰を据え直すと、動じるでもなく下から私を睨みつけてくる。

「どういうことって、本当は問答無用で殺したっていいんですよ。さあどうしますか。死ぬか土下座だけで助かるか、簡単な選択でしょう」

扇谷は右手でナイフを握った私の手を払おうとした。私はかわし、同時に彼のネクタイを左手で摑んで思い切り引き上げる。呻き声が上がって扇谷の体が浮いた。背後に回り喉にナイフを固定して、背の低い彼の白い髪を鷲摑《わしづか》みにする。

「死にたいんですか」

扇谷は声も出せない有り様のようだ。その恰好のまま、机の前まで彼を引きずっていった。

「こんなことをして、ただで済むと思ってるのか」

声音が震えていた。

「大声を出したら刺しますよ、本気なんです」

扇谷の右足のひかがみに膝を入れて、彼を躓《つまず》かせる。ちょうど写真の前に彼は倒れ込んで絨毯に両手をついた。

「さあ、その写真に頭を下げるんだ」

私は扇谷の首筋にナイフの腹をぴったりとつけた。

「土下座して駿河さんに詫びるんだ。これから生まれてくる駿河さんと百合さんの子供に謝るんだ」

扇谷は全身を震わせている。

「死にたくなかったらさっさとやるんだよ、くそじじい!」

扇谷はしばらく動かなかった。私はナイフの刃をゆっくりと立てる。首筋に浅く食い込み、うっすらと血が滲んだ。痩せた背中がびくっと揺れた。足で彼の靴をひっかけ、両膝を絨毯の上で平行に揃えさせる。私は中腰になって摑んでいた扇谷の頭を垂直に押し、その額を力まかせに写真の上にすりつけた。

「駿河さん、ほんとうに申し訳なかった、と言うんだ」

扇谷はしばらく沈黙し、さらに強く頭を写真に押しつけると呻き声を洩らし、それから諦めたようにぼそぼそと「申し訳なかった」と呟いた。

「声が小さい。『駿河さん、ほんとうに申し訳ありませんでした』だ」

「駿河さん、ほんとうに申し訳ありませんでした」

「それから、『駿河さんと百合さんの赤ちゃん、ほんとうにごめんなさい』だ」

「駿河さんと百合さんの赤ちゃん、ほんとうにごめんなさい」

「もう一度、大声で」

「駿河さんと百合さんの赤ちゃん、ほんとうにごめんなさい」

私は手を放し、立ち上がった。扇谷はそのままの姿勢でうずくまっている。私がポケットから辞表の入った封筒を出し、後頭部に叩きつけてやると、彼の頭は床から跳ねるように少し持ち上がった。その額の下から私は写真を取り上げた。扇谷はそれ以上頭を上げない。白髪は逆立ち、左の首筋からは少量の血が流れ、白いワイシャツの襟を赤く染めていた。

「駿河さん」と、私は手の中の写真にもう一度目を落として呼びかけた。だが、あとの言葉がつづかない。

駿河の笑顔は正面から見ても、まだ泣いているようだった。

ソファの脇に落ちている鞘を拾ってナイフをしまい、ポケットにおさめると、私はもう振り向きもせずに部屋のドアに向かった。

6

一度席に戻り、簡単に私物を整理した。昨日出社して大方の荷物はすでに池尻のマンションに持ち帰っておいた。駿河の遺品の入ったダンボール箱もそのとき一緒に運び出した。近いうちに夫人のところへ届けるつもりだった。

駿河の持ち物で一つだけ夫人に譲ってもらいたいものがあった。いつも駿河がデスクのブックエンドに立てかけ、事が起きると必ず読み返していた一冊の本だ。アメリカの代表的プラグマティストであるウィリアム・ジェイムズの『宗教的経験の諸相』だった。

駿河は仕事に困難が生じ問題が紛糾した折に、きまってその本の中の一節を手元の紙に引き写していた。何度もそんな彼の姿を私は側近くで見たものだ。次の一節である。

〈なにか大事が起きたとき、人は自問自答して、多くの人は〝誰かがことにあたるだろう〟と考えるが、稀《まれ》には〝なぜ私がことにあたらないでおられよう〟と考える人がいる。この両者のあいだに、人類の道徳的進化の全過程がある〉

駿河は最後に会ったときに言った。

「こうなるような気はしていた。うまくいき過ぎている、やり過ぎている、そんな恐怖があった」

何かに立ち向かう意志があるかぎり、そうした恐怖がつきまとうのは自然なことだろう。それでも〝なぜ私がことにあたらないでおられよう〟と考える人間こそが、「人類の道徳的進化」を果たす。そういう人間たちの集積が、この社会を豊かにし、そして安らかにするのだ。

私にも好きな言葉があった。学生時代に読んだ『歴史の研究』の中でアーノルド・トインビーはこう書いている。

〈生の最中、我々は死の中にいる。誕生の瞬間から常に人間は、いつ死ぬかわからない可能性がある。そして、この可能性は必然的に遅かれ早かれ既成事実になる。理想的にはすべての人間が人生の一瞬一瞬を、次の瞬間が最後の瞬間となるかのように生きなければならない〉

次の瞬間が最後の瞬間であるのなら、どの瞬間も光り輝く至上の時間なのだ。瑠衣は「どんな人間だって、誰かに支えられて生きていく」と言った。「何もしなくたって生きていける」と言った。「自分がもっと弱い人間であることを知りなさい」と言った。

この二日間、瑠衣は私を支えてくれた。だが、何かに立ち向かう人間に他人の援助は必要なのだろうか。私はひとりぼっちで、誰かを助けようとばかりしてきた、と瑠衣は言う。私はたしかにひとりぼっちだったかもしれないが、誰かを助けようとしたことなど一度もない気がする。私は目の前に置かれた問題を解決したいと望んできただけだ。それは次の瞬間が最後の瞬間だと思い定めて生きたいと自らに念じていたからにすぎない。たとえ自分が強かろうが弱かろうが、そんなことは私にはこれまでどうでもよかった。瑠衣の言うように人は誰だって弱い。しかし、反面でその弱さは意志の力によって、瞬間、瞬間において全的強さに転化させ得るのだと信じてきた。

香折は私のことを利用している——そうかもしれない。私の善意を吸いつくそうとしている——そうかもしれなかった。ただ、私にはそのことが私にとって何ほどの意味を持つのかが分からない。たとえ彼女が私を利用し、私の善意を享受したとしても、そのことと私の彼女への態度とのあいだに深いつながりはあるまい。

瑠衣の言うことは、今日の世界全体を支配する「交換の論理」に立脚している。すべての価値が取引によって生み出されるという思想だ。だが、そこから真実の価値は生まれるのだろうか。〝なぜ私がことにあたらないでおられよう〟と考える人間は果たして現れ得るのだろうか。

駿河は成功の予測を見失うことで自らを破滅させた。だが、それは彼自身の選択の結果だったと私は思っている。事にあたる覚悟がある人間は敗れれば相応の罰を受ける。強烈な意志は、他の強烈な意志によって制裁される危険性を常に持つ。それでも意志はある種の人間をつき動かすのだ。

私が香折に引きつけられるのは、香折が大きな問題を抱えているからだ。そういう人間でありながら、私を助けようとするひとひらの心を感じ取れるからだ。瑠衣は私のことを傲慢だと言った。本当に傲慢なのは私なのだろうか。生まれついた困難を背負う香折のわずかな愛情と、瑠衣の安全な立場に身を置いた豊富な愛情とは、「交換の論理」で見ればたしかに瑠衣に分がある。しかし、それがそのまま人間の価値に比例すると言えるのか。他人の愛情が自分自身の意志を鈍らせるものなら、人間はそんなものを本当に必要とするのだろうか。駿河を追い詰めたのは決定的な孤独だった。私はその孤独を哀れんだ。なぜ百合さんにすがることもできなかったのか、と思った。私はどうなのか。私もまた孤独に蝕《むしば》まれ、人にすがる術《すべ》さえ失いつつあるのだろうか。そこがいまの私にはよく分からない。

病院に着いたのは午後三時ちょうどだった。昨日の日曜日は会社に出たので寄れなかったが、土曜日は瑠衣と二人で見舞いに来た。心配だった気管支への感染はさほどではなく、やはり若さだろう、香折は見違えるほどに回復していた。柳原もさすがに懲りたのか、ずっと付き添っているようだった。

今日の香折はベッドの上で体を起こしていた。ベッドのオーバーテーブルの上には色とりどりの大きな花束が花瓶におさまっている。私を見て香折が微笑む。

「元気か」

「うん」

頷いて香折は私の顔をしばらくじっと見ていた。私の方から目を逸らした。

「すごい花だな」

「さっき瑠衣さんが持ってきてくれたの」

「そうか」

「会社辞めるの」

「どうして知ってる」

「瑠衣さんが言ってた。今日辞表を出すんだって」

「ああ。さっき出してきた」

「そう」

「一からやり直すよ」

「そうだね。浩さんだったら平気だよね。それに、あんなに強い味方がついてくれてるんだから」

「まあな」

今度は私が香折の顔を見る。

「結局、私は何にも役に立ってあげることができなかった。ごめんね浩さん」

「そうでもないさ」

「少しは役に立ったかな」

私は答えなかった。

「私じゃ駄目だよね。自分のことであっぷあっぷだもんね」

「お前はお前のことだけ考えていればいいんだ。人のことを心配するのは十年早いよ」

香折が笑い、私も笑う。

「土曜日には退院できるだろうって、さっき、先生が言ってた」

「そうか。そりゃ良かった。柳原君はちゃんと来てくれてるのか」

「うん。昨日もずっといてくれたし、今日も会社が終わったら高円寺に寄って、それから来るって」

「なんで」

「着替えとか。だって浩さんが作ってくれた荷物、ただでたらめに放り込んであったから、あんまり役に立たないんだもん」

「悪かったな」

「浩さんでも焦ることあるんだなっておかしかった」

「まあひと安心だな」

「そう安心、安心。浩さんだってこれから大変なんだから、もう私のことは心配しないで。しばらくは瑠衣さんに思い切り甘えて、だらだらすればいいよ」

「土曜日は退院祝いでもするか」

「土曜日は駄目」

「どうして」

「だから、もう浩さんは私のことはいいんだって。それに土曜日は彼の誕生日だもの」

「ああ、そうか」

「そうかじゃないでしょ」

「だったら日曜日にでも柳原君と二人でお茶の水に来るといい。瑠衣と二人で退院祝いしてやるから」

「浩さん、日曜日は駄目でしょう」

「どうして」

香折は呆れたような顔になっている。

「六月七日だよ」

私には香折の言っていることが分からない。

「何かあったかな。七日の日」

「だって瑠衣さんの誕生日じゃない」

そういえばそうだった。この前四人で会ったときも、瑠衣と柳原が同年で誕生日が一日違いだと二人で話していた。

「ほんとに覚えてなかったの」

「お前と違って彼女の履歴書は見てないからな」

私は再び笑って誤魔化す。

「そういえば浩さんって、面接官だったんだよね」

香折がしみじみとした声を出した。

「まさかこんな風に浩さんと付き合うなんて、あのときは思いもしなかったな。なんだか信じられない気がする」

「こっちだってそうさ。あの晩、お前の店に顔を出さなきゃ、二度と会うこともなかった」

「ほんとに不思議だね。どうして浩さん、店に来たんだろう」

「それも、お前が駐車場で池上と揉めてなかったら、声もかけてない。何しろこっちは面接で落っことしてしまってるんだからな」

「ほんとだね。アイツにも感謝しないといけないね」

「それと竹井の糞野郎にもな」

「そうそう」

そこでまた二人で笑った。

「私、生きててよかったなあ」

笑みを残した顔で香折が言う。瞳がきらきらと輝いて見える。

「どうして」

「浩さんに会えたもん。厭なことばっかりだったけど、でも、そのおかげで浩さんに会えた」

私はベッド際の椅子から立ち上がってオーバーテーブルの上の花瓶を抱えると、応接セットの方へ行った。花瓶をテーブルの端に置き、ソファに腰掛ける。

「柳原はどうなんだ。頼りになりそうか」

香折はベッドから降り、点滴スタンドを引っぱってこっちに来る。向かいのソファに座った。

「さあ、まあまあかな」

「卓ちゃんと較べて、どう」

「柳原さんの方が優しい。私のわがまま、聞いてくれるし」

「わがまま？」

「そう。ひどいわがまま」

「何だよ、ひどいわがままって」

「内緒」

「俺にも言えないことなのか」

「まあね」

香折はほくそ笑むような顔をする。私は香折の台詞が気になったが、それ以上は訊かなかった。

「卓ちゃんからは全然連絡ないのか」

「あるわけないよ。別れたんだから」

香折は少し不機嫌な声で言った。

「そうだな」

私は腕時計をみる。三時三十分を回ったところだった。

「じゃあ、そろそろ引きあげるよ。何か欲しいものはないか」

「大丈夫」

「そうか」

「浩さん……」

「何」

香折は口ごもった。元気になったとはいえ、またずいぶん痩せてしまったと思う。

「どうした」

「ううん。なんでもない」

私は立ち上がった。

「また顔出すよ」

「うん」

香折も一緒に立ち上がる。

「下まで送ってく」

「いいよ。無理するな。もう熱もほとんどないんだから」

「平気平気。」

そう言うと香折は近づき、私の掌を取って自分の額に持っていった。

「ねっ」

額の熱はそれほどでもなさそうだが、手が熱かった。しばらく香折は私の掌を額にあてたまま手をおろさなかった。

結局、一階のロビーまで点滴スタンドを転がして香折はついてきた。別れ際、

「今日も瑠衣さんのところ」

と聞く。

「さあ。今日はいまからちょっと訪ねたいところがあるんだ。終わりの時間次第だな。また来るよ」

「うん」

玄関を出て振り返ると、もう香折の姿はどこにも見えなかった。

7

女子医大から合羽坂《かっぱざか》までぶらぶら歩いた。週末から好天がつづいている。今日も気温は二十五度を超え、三日連続の夏日だと朝の天気予報で言っていた。なるほど坂道を下っていても額

や首筋に汗が滲んでくる。交差点に出て時計を見るとちょうど四時だった。「青葉」はまだ開店の時間ではないが、千恵さんはいるだろう。彼女が再婚してのち顔を出していないから、訪ねるのは二年振りだった。今年も店の名前入りの賀状を貰ったので、たぶんやっているはずだ。日銀会館の裏手の道に入る。しばらく歩いて細い路地を右に折れれば「青葉」がある。遠山が仙台の出身だったため「青葉」としただけの変哲ない屋号である。彼が死んだ一年後に千恵さんが再婚した相手は、店の常連客で勤め人だった。だから、店は彼女と通いの女の子だけで切り盛りしている。連れ子の千佳ちゃんも高校生だ。手伝いくらいしているかもしれない。暖簾《のれん》はなかったが、引き戸の半分が開いていた。敷居を跨《また》ぐと急に暗くなって、しばらく目がなじまなかった。白木のカウンターの向こうに千恵さんがいた。

「こんにちは」

声をかけると、棚のキープボトルを並べ替えていた千恵さんが振り返る。

「お久し振りです」

「あら、どうしたの」

千恵さんは驚いた顔をしている。相変わらず痩せて、大きな目が私を見ている。私や遠山とは四つ違いだから、彼女ももう四十三歳だ。

「早かったですね」

千恵さんはカウンター越しに近づいてくる。

「ほんとうに久し振りね」

「ええ」

る。

「いや、ちょっと遠山に挨拶しておこうと思ったもんですから」

再婚と同時に彼女と千佳ちゃんは夫の家に入ったが、仏壇はいまもこの店の二階に置いてある。

「何か急用」

「そう。少しだけ待ってて」

また背を向けてボトルの並べ替えを始める。五分ほど椅子に座って彼女の背中を眺めていた。次第に目も慣れ、狭い店内を見渡す。昔のままだった。終わると千恵さんは二階に通じる店の奥から顔を出して「どうぞ」と言う。私は立つと入口で靴を脱ぎ、細く急な階段を彼女の後をついて上がった。

灯明をあげ、立ち昇る線香の煙を見つめながら、しばらく遠山の位牌《いはい》に手を合わせた。仏壇はきれいに磨かれ、新しい花も供えられていた。台所でお茶を淹れていた千恵さんがお盆を持って戻ってくる。

遠山に背を向けてあぐらになる。湯呑みと羊羹《ようかん》の載った小皿を卓袱台《ちゃぶだい》に置きながら、千恵さんが聞いてきた。

「橋田さん、転勤?」

私はお茶を一口すすった。

「いや、実は今日、会社を辞めてきたんです」

千恵さんが持っていた湯呑みを膝元で止める。

「独立でもするの」

「そんな目算があって辞めるわけじゃないんです。事情ができてしまって」

「そう」

「それで、遠山に報告しておきたかったんです。彼が生きていれば相談くらいできたんだろうけど」

千恵さんは何も言わず黙っている。

「千佳ちゃんは元気ですか。もう高校生でしょう」

「ちっとも親の言うことをきかなくて。髪なんか真っ赤に染めて、厭になっちゃう」

千恵さんが笑った。私は親子三人が暮らしていた頃の二階のたたずまいを思い出していた。この六畳間と隣の四畳半、それにキッチンだけだったが、昔は食事など馳走になり、あたたかな雰囲気が羨ましかったものだ。足立恭子と一緒に訪ねたことも幾度かあった。それが、いまはすっかり生活の匂いを失っていた。がらんと虚《うつ》ろで、かつては小さな間取りを占拠していた壁々の本棚もまるで捨て置かれた風情だ。遠山の膨大な量の数学書が埃《ほこり》をかぶっていた。

「ずいぶん無沙汰にして、すみませんでした」

千恵さんが首を振る。

「私、いまでも、橋田さんにあの晩言われたことを時々思い出すわ」

「あれはぼくも後悔しました。悪かったと思ってます」

遠山が死んで半年ほど過ぎ、私は店で千恵さんから再婚話を聞いた。たった半年で新しい男と暮らそうとしている彼女に腹が立った。死んだ遠山が侮辱されている気がした。酔っぱらってずいぶん絡んだ記憶がある。

「あれ以来、ぷっつり来てくれなくなるし、彼もきっとさみしかったと思うわ」

仏壇の方に千恵さんは目をやった。

「申し訳ありませんでした」

千恵さんは微笑んで湯呑みを口許に持っていく。しばらく二人とも黙ってお茶を啜った。

ふと、何か思い出したように千恵さんが私に顔を向けた。

「橋田さん、いま好きな人はいるの」

「さあ」

「彼がよく言ってた。『俺も橋田も根は単純なんだけど、頭の回線が絡まりすぎててなかなか他人に理解されないし、他人をうまく理解してやることができないんだ』って。恭子ちゃんと別れたときは、ほんとうに彼心配してた。『あいつ、もう誰も信用しなくなるんじゃないか』って」

千恵さんは羊羹をひときれ摘《つま》む。

「千恵さんは幸せにやってるんですか」

羊羹を口に運んで、

「そうね。平凡だけど、なんだか安心して生きてる感じがする」

「そうですか。それはよかった」

「いろんなことがあったけど、最近、こんなものなんだろうなってよく思う」

「こんなもの、ですか」

「そう、こんなもの。千佳の父親に捨てられて、それから遠山に出会って、遠山とこの店を出して、その店の客とまた結婚して。いいこともあったし、ひどいこともあった。でも、そんなものでしょ、なんだって」

「こんなものでそんなもの、ですか」

「千佳が生まれたとき、遠山と店を開いたとき、二回も素晴らしいことあったし。幸せだったし。若い頃は幸せはずっとつづくから幸せなんだって思ってたけど、ちがうんだって分かった。そうよね、ずっと幸せばっかりだったら、誰だって疲れちゃうわよ」

千恵さんがまた笑う。

「ぼくや遠山は、なかなかそういう風には思えない性格ですけどね」

「かもね。こんなこと言うから橋田さんに叱られるんだけど、でも、私はそうやって生きてきたの。遠山は私がいままで会った男の中で一番暗い人だった。向こうも私に同情したんだろうけど、私も同情したのよ、彼のこと。橋田さんもそうかもしれないけど、彼は自分が他の人間と違うということを証明するためだけに生きてたから。生まれて初めてそんな人に会って、私、可哀そうで見てられなかった。橋田さんや恭子ちゃんの前では精一杯明るく振る舞ってたけど、でも、彼はこんな居酒屋の主人におさまってちっとも幸福なんかじゃなかったと思う。あんな苦しい病気に罹《かか》ってたった三ヵ月で死んじゃったし。でもね、短い結婚だったから、私たちボロも出さないでうまくやれたんだと思う。私は思い切り彼に同情してあげられたし、彼もそうだったろうし。互いの傷を舐《な》めあって、それだけで別れることができたんだもの。私は彼にしてあげられることは全部してあげた気がするの。だから、半年経って新しい男と出会って、私はその人とまた一緒になった。後悔なんか全然してない」

「でも、遠山はあなたのことを愛していたと思いますよ」

千恵さんは首をかしげるようにして仏壇の方に再び目をやった。

「どうかな。彼は一人きりで生きていくべき人だったような気がする。それが彼にとってはきっとベストの人生だったんじゃないかな。ただ、そこまでの才能が彼にはなかったのよ」

「才能ですか」

「そう、才能。彼は才能に溺《おぼ》れ、そして最後にはその才能に負けたのよ」

「才能だけで生きていこうとしてる人間なんて、ぼくはいないと思いますけどね」

「そうかなあ。そうでもないんじゃないかな。彼よく言ってた、『自分は人間じゃない何かになりたかった』って。私もそう思う。彼は人間じゃない何かになればよかったのにって。それができないって分かったから、誰かを愛したり、誰かに愛されたりしたいと彼は努力したのよ。でも、彼にはできなかった。彼には人を愛するのは無理だったから、かわりに同情したのよ、私や千佳のことを。それが彼の限界だったんじゃないかな」

「同情ね」

「ええ。橋田さんも何があったのか知らないけど、でも気をつけなさいね。彼みたいになっちゃ駄目。人生何度でもやり直せるし、女は、別にその男に特別のものがなくたって、どうしようもなく好きになったりできるんだから。私だって、千佳の父親の方が遠山よりも、いまの旦《だん》那《な》よりもずっと好きだったもの。どうにもならない男だったけど」

私は冷めた茶を飲み干した。

「これからどうするの」

「さあ、とりあえずはのんびりするつもりです」

「そうね」

私は立ち上がった。千恵さんも一緒に立つ。

「店開けるけど、飲んでく」

「ええ」

「じゃあ、たくさん食べていくといいわ。もう少ししたら千佳も来るから。旦那も顔出すかもしれないし、紹介するわ。今夜は私のおごりよ」

「ありがとうございます」

私は軽く頭を下げた。


気づいたら隣に瑠衣がいた。車が揺れるたびに頭の芯《しん》に鈍い痛みが走る。外は暗闇でひどく静かだった。開いた窓から涼しい風が吹き込んでいた。シートに沈み込んだ姿勢を立て直し、ハンドルを握っている瑠衣の横顔を見た。頭が痛い。信号待ちになったところで瑠衣が顔を向ける。

「大丈夫？」

返事しようとするが、喉《のど》がひりついてうまく声が出ない。視界もかすんでいる。しばらく外の景色を眺めた。次第に意識がはっきりとしてくる。

「何時かな」

「もう午前三時」

「そうか。少し飲み過ぎた」

瑠衣が微笑む。信号が青に変わって、彼女は顔を正面に戻した。

「いつ来たの？　全然憶《おぼ》えてないんだけど」

「一時くらい」

「どうしてあの店が分かったの」

「千恵さんが教えてくれたのよ」

私は瑠衣の言う意味がよく理解できない。なぜ、彼女が千恵さんを知っているのだろう。乗っているのはプジョーで、瑠衣の車だった。酔っ払って、迎えに来るように彼女に電話でもしてしまったのか。そう考えているうちに掠《かす》れていた記憶が甦ってきた。そうだった。十二時を過ぎた頃から何度も携帯が鳴って、たまりかねて出ると瑠衣だった。何かひどい悪態をついたような気がする。千恵さんに電話を取り上げられて、彼女が瑠衣と話していた。それをカウンター越しに眺めているうちに酔い潰れてしまったのだ。瑠衣が店にやって来てからの記憶はない。どうやって車に乗せられたのかもまったく憶えていなかった。

8

六月二日、三日、四日と冷たい雨が降った。私は日がな一日ベッドにもぐり込んで時間をやり過ごした。十二階の瑠衣の部屋から望む神田界隈の景色は、暗い雨空の下で煤《すす》け、陰鬱な色合いを帯びていた。瑠衣が会社に行っている日中は眠ってばかりだった。夕方には瑠衣が帰ってくる。一緒に食事をして、またすぐベッドに入った。瑠衣の柔らかな体だけが現実のような気がした。朝方まで彼女を抱いてようやく眠る。目を覚ますと瑠衣はいない。ずっと瑠衣を待って過ごす。女の肌がこれほど恋しく思えたことはかつてなかった。仕事をやめた実感も解放感もなかった。といって未練や後悔も感じない。夢の中にたくさんの人間が出てきた。扇谷、佐和さんや百合さん、駿河、遠山や恭子、瑠衣も出てきた。起きて夢を反芻し、そのうち必ず行き着くのは香折のことだった。香折だけは夢に一度も出てこなかった。なぜだろうと思い、理由を考えたがよく分からなかった。

五日の金曜日。久し振りに東京に明るい日差しが戻ってきた。朝一緒に食事していると、瑠衣が週末に旅行にでも出かけないかと誘ってきた。

そういえば、七日の日曜日は彼女の誕生日だった。

「もし行くんだったら、私、来週前半はお休みとるから」

「仕事は大丈夫なの」

「ええ。今週中にはひと区切りつくし、ゴールデンウィークも前半は働いたんだから、休暇取ってもバチは当たらないわ」

「旅行か」

私は箸を止める。

「ずっと部屋の中ばかりじゃ気が滅入っちゃうし、気分転換にもなるから出かけましょうよ」

ここ数日の瑠衣はいままでに増して生き生きとして見える。失職したこんな中年男を抱え込んで不安ではないのかと思うのだが、帰宅するといそいそと食事を作り、なにくれとなく世話を焼いてくれる。毎晩ほとんど眠っていないというのに肌艶《はだつや》もよく、疲れの色はまったくなかった。私のために細々とした日用品を毎日買ってくる。いつ買い物をしているのかと訊くと、「お昼休みとか、ちょっと時間が空いた時にデパートに行くの」と嬉しそうにしている。

「ねえ、どうする」

食器を片づけながら訊いてきた。

「きみの誕生日だしね。お祝いしなくちゃ」

瑠衣が口許に笑みを浮かべる。

「旅行はぼくがプレゼントするよ」

瑠衣は食器をキッチンに持っていくと、急いで戻ってきて私の隣に座る。私の肩に凭《もた》れかかり、

「浩介さんと旅行するの初めてだね」

と言った。

日曜日の出発に決め、行き先は私が考えることになった。身支度を整えた瑠衣を玄関まで見送り、

「今日、池尻に戻るよ」

と告げた。靴を履いていた瑠衣は振り向き、ちょっと困ったような顔になった。

「どうして」

「ここに住みつくわけにもいかないしね。来週は会社にも足を運ばなくちゃいけない。いろいろ手続きもあるだろうし」

扇谷に辞表を渡した顛末《てんまつ》は瑠衣に話してあった。

「だけど……」

瑠衣は口ごもる。こわばった面持ちになって私を見つめた。

「旅行の準備だってしなきゃ」

私は笑った。

「旅行から帰ってくるまで、ずっと一緒にいてほしい」

瑠衣は真剣な目になっている。

「お願いだからそうして」

どうしてもという気配があって、私は承諾せざるを得なかった。途端に瑠衣は表情を和らげた。

「ねえ、今日は久し振りに外で食事でもしましょう。私、早めに仕事切り上げるから」

「ああ」

「だったら、六時には戻る。一緒に出ましょう」

「いいよ」

瑠衣は私の手をとってくる。「じゃあ、行ってきます」そう言って手を離し、背中を向けた。

リビングに戻ると、ベランダの窓を開ける。昨日の雨に洗われて澄んだ空気が流れ込んできた。窓際の床に尻をつけて座り、雲ひとつない空を仰いだ。全身に日の光と風とを浴びた。土曜日と言っていたから香折は明日退院するんだ、と思った。退院する前にもう一度見舞っておいた方がいい。月曜日別れるときに「また来るよ」と言い置いてきた。

しばらく日光に当たって体があたたまると私は立ち上がった。香折の顔が脳裏に膨らんでくる。会いたかった。

昼前に部屋を出て銀座に出かけた。マリオンで映画を一本観て、それから和光に向かう。瑠衣の誕生祝いを何か見つくろうつもりだった。手頃なブレスレットがあったので求め、店を出ようとしたとき、ふと出口脇のショーケースの中できらきらと光るものに目が止まった。ケースに近づいて確かめると、天井のライトを受けてダイヤのイヤリングが輝いているのだった。しばらく眺めていた。

「プレゼントでございますか」

顔を上げると若い女性店員がケースの向こうに立っている。「ええ」と答えて、

「これきれいですね」

とイヤリングを指差す。

「お幾つでいらっしゃいますか」

「二十歳くらいなんですが」

年齢を言って、いかにも不釣り合いに思えはしないか、と少し恥ずかしい気分になった。それもあって、

「ちょっと、これ、つけてみてもらえませんか」

と口にしていた。彼女はケースからイヤリングを取り出し、長い髪を分けて小さな耳たぶに留めてみせる。やはりきらきらと美しい。

「いかがですか。とてもいい石ですからフォーマルにも十分使えると思いますよ」

プライスカードを見ると、さきほど瑠衣のために買ったプラチナのブレスレットの倍程度の金額だった。

「いいですね。いただけますか」

支払いを済ませると、店員がカードを持ってきた。何か書くかと言われ、しばらく考え、

——退院おめでとう。早く、香折の一番好きなカクテルを飲ませて下さい。

と記し、名前を入れた。瑠衣の方はグリーンのリボンにしたので、香折のは赤を選ぶ。小箱を受け取りブレスレットが入った手提げ袋に一緒に入れようとして、ふとためらった。イヤリングの箱はジャケットのポケットにしまい、店を出た。

晴海《はるみ》通りは大勢の人で賑わっている。着飾った女たち、背広姿の男たちが慌ただしく行き過ぎていく。少し歩いただけで私はくたびれてしまった。ガス燈通りの方へ折れて小さな洋食屋に入った。店内は昼餉《ひるげ》時が終わって、客は数えるほどしかいない。四人掛けのテーブルに一人で座り、ビールを一本とカツレツを注文した。ビールを一口飲んでから、さきほど買った瑠衣と香折へのプレゼントの包みをテーブルの上に並べる。

退院の祝いにイヤリングではそぐわない気がする。思い返してみれば、これまで香折にプレゼントなどしたことがなかった。誕生日にもクリスマスにも何も贈ってはいない。せいぜい日を置いて美味《うま》いものを食べさせる程度で、それ以上のことは意識的に避けてきた。香折には卓次という彼氏がいたし、私は瑠衣と付き合っていた。状況はさして変わったわけではない。いまの香折には柳原がいる。私と瑠衣との関係はさらに深まってもいる。だが、こうやって二つの包みを眺めていると、香折の喜ぶ顔の方が見たい気がする。

カツレツの皿が運ばれてきて、私は急いで包みを取り上げた。病院に顔を出して香折にこれを渡そう。包みを一つずつジャケットの両方のポケットにしまった。

病院に着いたのは四時頃だった。玄関を入ってエレベーターに乗ったくらいから気持ちが急《せ》いてくる。八階の病棟に上がると病室に向かう足は小走りになっていた。ドアは開いていて、そのまま部屋に入る。

香折は一人ではなかった。香折と目が合った瞬間、ベッドの脇に立っていた女性が振り返る。

「あら」

瑠衣が驚いた顔をしている。

「来てたのか」

私は軽く手を上げてみせた。ベッドを起こし中腰になっていた香折が、私と瑠衣を見比べるようにしている。

「待ち合わせだったんだ」

香折が微笑む。

「いや、そんなんじゃない」

瑠衣の側まで歩きながら少し強い口調になった。

「予定通り、明日退院なのか」

瑠衣にすすめられてパイプ椅子に座り、香折に目を近づける。顔の色艶も良く、すっかり元気になったようだ。

「うん」

声にも張りが戻っていた。

「柳原君はちゃんと来てくれてるのか」

「うん。毎日お見舞いに来てくれるよ」

「そうか」

「瑠衣さんも毎日来てくれたんだよ」

私は曖昧に頷き、背後に立っている瑠衣を見上げた。瑠衣はにこにこ笑っている。

「明日は何時なんだ」

「午前中。慎太郎さんが車で迎えに来てくれることになってる」

「手伝わなくていいのか」

「大丈夫だよ。荷物もそんなにないし」

「そうか」

「それに明日は柳原さんの誕生日だもんね。香折ちゃんも二人きりがいいよね」

瑠衣が口を挟んでくる。

「そうそう。橋田さんも日曜日から旅行なんでしょ。どうせ仕事辞めてぼうっとしてるんだろうから、先のことでもゆっくり考えてきたら。瑠衣さんだって、橋田さんがいつまでも浪人してたら愛想尽きちゃうよ。女はなんだかんだ言っても働いている男が好きなんだから」

「でも、浩介さんは仕事中毒だったから、少しゆっくりしたほうがいいのよ」

「瑠衣さん、いまから甘やかしちゃ駄目ですよ。橋田さんは仕事しか取り柄ないんですから」

私は黙ってしばらく二人のやり取りを聞いていた。まるで仲の良い姉妹のようにも映る。今日の香折は大人びて見えた。普段の頼りなげな雰囲気は消えて、しっかりと落ち着いた趣《おもむき》がある。一週間の入院で安定剤や睡眠剤の服用が途切れているせいかもしれなかった。会社を休んでいるからかもしれない。不思議な透明感がある。瑠衣のもとに行った私に自分なりに距離を置こうとしているのだろう。もう今までのように依存はできない、と心を決めた気配があって、その分、表情にも目の色にもどこかよそよそしさが漂ってはいた。

瑠衣が時計を見て、

「じゃあ、そろそろ私は行くわね」

と言った。

「ありがとうございました」

香折は丁寧にお辞儀する。瑠衣はハンドバッグから封筒を取り出した。香折に差し出す。

「これ、ほんの気持ち。明日柳原さんと何か美味《おい》しいものでも食べてね」

退院祝いと表書きがしてある。

「とんでもないです。こんなことまでしていただくわけにはいきません」

香折が慌てて封筒を返そうとする。

「大して入ってないんだから、気にしないで」

瑠衣はやんわりと押し戻す。香折は私の方を見た。

「貰っておけよ」

口にすると、香折の視線がふいに尖《とが》った。が、すぐに諦めたように封筒を膝元に置いて、

「瑠衣さん、ほんとうにありがとうございます」

と再び頭を下げる。

「柳原さんによろしくね。来週は前半は東京にいないけど、週末にでもまた一緒に遊びに来て。四人で退院のお祝いをしましょう。待ってるから」

「はい」

「浩介さんは来たばかりだから、もう少しいるでしょう」

「そうだな」

「だったら、六時半に青山のいつものところで待ち合わせにしない」

「ああ」

瑠衣は手を振って、病室を出ていった。

私は立ち上がり応接セットの方へ移り、ソファに腰を下ろした。香折もやってくる。

「もう点滴はしなくていいんだ」

「うん」

それからしばらく二人とも黙っていた。

「悪かったな」

私が言うと香折が怪訝《けげん》な顔になる。

「さっきのお金」

「ううん」

「彼女も悪気はないんだ」

「分かってるよ、そんなこと。ほんとに感謝してる」

私はポケットから包みを取り出した。小さな箱に赤く太いリボンがかかっている。すんなり渡しかねてリボンをいじっていると、向かいに座った香折が身を乗り出してきた。

「それなあに」

私は香折の鼻先に包みを突き出す。

「やるよ。お前の退院祝い」

束の間きょとんとした顔になって香折は小箱を見つめている。それからゆっくりと両手で箱を受け取った。

「何を買っていいか分からなかったから、変なものになったけど」

香折は手元の包みをじっと眺め、嬉しそうな表情でもない。まるで困ったように口許をゆがめている。

「迷惑だったら返してくれてもいいぞ」

そこで顔を上げた。

「開けてみていい」

私は頷いた。リボンをほどき、包み紙をきれいにはがしてケースの蓋を開けた。イヤリングは取り出さず、すぐに蓋を閉じると、カードを広げて文字を読んでいる。何度も繰り返し読んでいるようだった。妙な気詰まりを覚えて、私は香折から目を逸らした。

「浩さん」

呼ばれて視線を戻す。

「ありがとう。ほんとうに嬉しい」

「悪いな、気のきいたもんじゃなくて」

「そんなことない。一生大切にする」

「オーバーなこと言うなよ。イヤリングなんてすぐ失くすものなんだから」

香折は小箱を握りしめ、

「大丈夫。使わないで大事にしまっておくから」

私は笑った。

「相変わらず、お前馬鹿だなあ」

「まあね」

香折も笑う。

「だから心配になっちまうんだ」

「じゃあ、浩さん、一生私の心配しなくちゃいけないね」

「どうして」

「だって馬鹿は治らないもん」

「そうか」

「そうだよ」

「だったら、一生心配してやるよ」

そこですうっと香折の顔から笑みが消えていった。

「嘘じゃない。俺はずっとずっとお前のことが心配なんだ」

言いながら、香折の十年後、二十年後、そしてそのはるか先までを私は想像していた。香折がたとえ誰かと一緒になり、子供を産んで親となり、生活を重ね歳老いて、一日一日、一年一年、その一瞬たりとも私のことを思い出さなくなったとしても、私はどこか遠く知らない場所で生きている香折のことを、一日一日、一年一年、気にかけてこれから生きていくだろうと思った。そうやって生きていくことができるだろうと思った。

遠山は人間ではない何かになりたかったのだ、と千恵さんは言った。それができなくて、誰かを愛したり、誰かに愛されたいと考え、それも叶《かな》わずに、彼は千恵さんや千佳ちゃんに同情したのだと。しかし千恵さんの言葉を聞きながら、私はそうではないと思っていた。自分が他の人間と違うことを証明するために遠山が生きたことは事実だろう。だが、彼は、だからこそ他の人間とまったく違う形で千恵さんを愛したのではないか。どんなに才能があったとしても、またその才能が報われたとしても、それでも人は一人きりで生きたくはない。人間ではない何かになりたかった遠山は、自分が人間でしかないことを誰よりも強く知っていたにすぎない。人間でしかない自分が一人で生きられないことを、誰よりも深く身に沁みていたにちがいない。ただ、彼は他人に対して安易な救いを求めなかっただけだ。そこにおいてのみ、彼の自らの才能への信仰があった。才能とは結局その程度のものであり、また逆に、それだけの誇りを人間に付与し得るのだ。

あの若さで癌に冒《おか》され形容できぬ痛みに苛《さいな》まれても、遠山は弱音ひとつ吐くことはなかった。死を受け入れはしなかったろうが、襲いかかる死に恐怖を感じてはいなかった。千恵さんは彼が才能に負けたと言った。そんなことはない。才能とは不屈な魂の一現象なのだ。遠山の精神は最後の一瞬まで何物にも負けはしなかった。そのことを私は知っている。たった一人の友だったあの男の誇りと名誉にかけて、私は知っている。

私がしばらく黙り込んでいると、香折が「浩さん」と呼びかけてきた。

「ん？」

「そうだよね」

「何が」

「浩さんは、そういう人だよね」

香折の顔に笑みが戻っていた。

9

その日の夜遅く、眠っていると、神坂良造の秘書の菊田から携帯に電話が入った。寝室を出て電話に出る。

「橋田さん、辞表出したんだって」

女子医大を紹介してくれた先日の礼などを述べ、ひとしきり話したところで菊田が切り出してきた。電話の目的は察することができたので、私は多少身構える。

「ええ」

「どうしたの。会社で何かあったんじゃないの」

菊田は率直に聞いてくる。彼のそういう性格が私は好きだった。

「菊田さん、何か聞いてるんですか」

「いや、そうじゃないけどね。駿河さんもあんなことになって、扇谷さんも急に退いたでしょ。橋田さんが辞めたのも、その辺と関係があるんじゃないかと思って」

神坂は駿河の通夜には自ら足を運んできた。一時間近く通夜の席に座っていてくれた。

「会長が代議士に泣きついてきたんでしょう」

私もはっきりと言う。菊田は黙る。

「菊田さん、水臭いじゃないですか。正直にいきましょうよ」

電話の向こうで苦笑する声が聞こえた。

「そうだね。俺と橋田さんの仲だもんな」

「そうですよ」

「いやね、さっきまで代議士と扇谷さんで飲んでたらしくてね。宿舎からいま電話があって、来週にでも一度代議士が橋田さんに会いたいって言ってるんだよ。どうかな、時間つくってくれないかな」

私は返事をしない。菊田はつけ加えてきた。

「あらましは代議士から聞いたよ。橋田さんの気持ちも十分すぎるくらい分かるけど、一度俺の顔を立てるつもりで来てくれないかな。今後のこともいろいろ力になりたいって、代議士も言ってるんだ。扇谷会長も相当参ってるらしいよ」

なるほどと私は思っていた。それにしても扇谷はだらしなくなったものだ。歳をとるとはこういうことなのか。保身に汲々《きゅうきゅう》とする余り、かつての鋭さも気迫も失っている。私があゝいう行為に出て、彼は恐ろしくなったのだ。闇献金の事実をマスコミにでも流すのではないかと気が気でないのだろう。そこで神坂を使って黙らせようと考えた。うんざりするほど姑息《こそく》な話である。

「菊田さん、先生にはご迷惑かけて申し訳ないって伝えておいてください。会長の言ったことは気にしないでほしいって。別にぼくは、これ以上のことは考えてないですから」

神坂に会えば、まず金だろう。口封じにそこそこの額を提示してくる。受け取らなければ面倒なことになりかねない。神坂と台湾マフィアの緊密な関係は政界では聞こえていた。政治の世界でのトラブルに死人はつきものだ。用心するに越したことはなかった。

「でも、橋田さんはこれからどうするのさ」

菊田は確証を得たいらしい。

「さあ、しばらくはのんびりするつもりです。退職金も入りますし、貯金もそこそこありますから、当分は海外にでも出かけて骨休めしますよ。先のことはそれから考えるつもりです」

私は菊田にメッセージを伝える。「退職金」と「海外」。この二つの言葉で彼は了解したはずだ。ある程度の妥協は、この際やむを得なかった。

「そう。それがいいかもしれないね。うちで力になれることがあったらいつでも相談に来てよ。どんなことでもする。約束するよ」

「はい。とにかく代議士にはよろしくお伝えください。いままで本当にお世話になりました。落ち着いたら必ず御挨拶に伺いますから」

「分かった。じゃあ橋田さんも元気で」

「ありがとうございます」

用件は片づき、電話は菊田の方から切れた。これで、海外で二、三年暮らせる程度の「退職金」が私の口座に振り込まれることになる。本当ならば退職金などビタ一文受け取る筋合いではない。しかし、政治の世界では、金のやり取りは生命のやり取りと等しい。一定の金を受領した段階で、初めて私の身の安全は保証されることになる。

寝室に戻ると瑠衣は寝息を立てていた。ぐっすりと眠って身じろぎひとつしない。そっと隣に体をすべり込ませ寝顔を見つめた。この一週間、彼女は彼女なりに様々な葛藤《かっとう》を抱えて過ごしただろう。そう思うといじらしさが募ってくる。誰よりもこの人は私のことを考え、思ってくれている。彼女の気持ちに疑う余地はない。

私は背を向けている瑠衣の体に腕を回し引き寄せる。あたたかな体が自然に懐におさまってくる。腕に力を込めると寝返りを打って顔を私の胸にすりつけてきた。目覚めた気配はない。静かな吐息を裸の胸に感じる。上掛けを引いて肩先までくるんでやった。まるで繭の中で一つになったような安心を覚える。

体を結ばなければ分かり合えないことがある、と思った。

たとえどんなにすれ違っていても、男と女が一緒にいられるのは、結局は肉体のつながりとその記憶を持てるからだ。この数日の間、なぜ瑠衣と共にいるのだろうとしばしば自問してきた。理由は分からない。分からないが、たぶん瑠衣が側にいてくれるからだろう。側にいることで、私にとっての彼女は現実だった。人は現実に抗《あらが》うことはできない。いかなる人間でも、もし現実を打ち払うことができるとすれば、その現実が現実と感じられなくなったときだけだ。

だが、瑠衣はくっきりとした現実だった。他人が他人に対して現実でありつづけるために欠くことのできない優しさや労《いたわ》りを溢れさせていた。肉体の交わりによって瑠衣は他の誰よりも私に近づいている。香折とのあいだには決してない確かな親密さを育《はぐく》んでいる。

瑠衣は香折に言ったという。

ほんとうに愛し合っていれば、セックスは一瞬一瞬があたかも小さな死なのだと。まるで心中したような気持ちになって、嫌なことは消え失《う》せ、自分さえも忘れることができるのだと。そして世界は美しく姿を変え、この世のありとあらゆるものすべてを愛することが可能になるのだと——。

いまこうして瑠衣を抱きながら、彼女の紡ぐ小さな死の連続に引きつけられている自分を感ずる。次の瞬間が死であるからこそ、いまこの一瞬を失ってはならないと私は生きてきた。しかし、瑠衣は愛によって一瞬一瞬を小さな死として受容できるのだ。

それは男には獲得できない感覚だ。男はどうあがいてみても一度きりの生をただ遮二無二駆け抜けるしかない。だが、女は自らの生を瞬間瞬間で再生していく。香折に「瑠衣さんとそんなセックスしてる？」と訊《き》かれたとき、私は返事をしなかった。愛と性によって新しい生命を生み出していく女に、何を答えることができるだろう。男にはたった一つの愛で世界のすべてを愛するなどということはありえない。ただ、そんな女の愛に捉《とら》えられれば、男は身動きがとれなくなる。私が瑠衣と離れられないのもそのせいかもしれない。それは抗することの困難な、余りにも原始的で明快な現実だからだ。

明け方、私たちは目を覚ました。瑠衣はぼんやりした顔で時計を見た。午前六時を回ったところだった。瑠衣の汗や吐息、昨夜の交わりの残り香でベッドの中は満ちている。

「何か飲む」

私に軽く口づけして瑠衣が言う。

「ビール」

起き出して瑠衣は洗面所に行き、それからビールを二缶持って戻ってきた。白いキャミソールにショートパンツ姿になっている。ベッドサイドに腰掛け、一缶渡してくれる。ヘッドボードに背をあずけ、私も体を起こした。ビールを飲んでいる瑠衣の腰を持ち上げ、あぐらをかいた私の膝に乗せる。ビールが少しこぼれて瑠衣が小さな声をあげた。キャミソールの上から豊かな胸を掴み、パンツはホックを外して脱がせてしまった。ショーツも新しいものに替えてきている。私はビールを飲み干し、両手で体をいじり始める。中指と薬指でショーツの上から股間を撫で、キャミソールの肩越しに左手を入れて人差し指と中指で左の乳首を摘み、ゆっくりと乳房全体を揉みしだく。瑠衣はビールを啜りながらされるままにしている。ショーツが湿り気を帯び、そのうちため息がこぼれだす。

「さっさと飲みなよ」

瑠衣は頷く。

「お返事は」

「うん」

「うん、じゃないだろ」

「はい」

ビール缶を口に寄せたところで右手の指をショーツの下にもぐらせ、中指を瑠衣の中にざっくりと入れる。

「あー」

切ない声になって、瑠衣はビール缶を口から離す。

「一気に飲んじまえよ」

「駄目、そんなことされてたら飲めない」

すっかり潤んだ内部を指でかきまわす。

「いいから早く」

瑠衣は両手で缶を握りしめて首をのけぞらせ喘《あえ》ぎ始めている。

「お返事は」

「はい」

「こぼしたらお仕置きだぞ」

「そんなあ。だって浩介さんきっといじわるするもん」

「口答えするのか」

指をもう一本挿入する。瑠衣がうめく。

「口答えしただろう」

「してません」

両手のビール缶ががたがた揺れていた。

「したよ」

「してません」

指に勢いをつけると瑠衣は大声になった。

「口答えしたよな」

「はい、しました」

「だったら謝れよ」

「ごめんなさい」

「ごめんなさいじゃないだろ」

「申し訳ありません。お願いですから許してください」

「こぼすんじゃないぞ。こぼしたらお仕置きだからな」

瑠衣は喘ぐばかりだ。

「お返事は」

「はい」

「こぼしたらどうするんだよ」

「お仕置きです」

「もっとちゃんと言うんだよ」

「こぼしたらお仕置きしてください」

「お願いしますだろ」

「こぼしたらお仕置きしてください、お願いします」

「じゃあ、早く飲んじまえよ」

瑠衣はおそるおそるビール缶を口許に持っていく。少し含んだところで、私は摘んだ左の乳首を思い切り捩《ね》じった。

「いたーい」

瑠衣は体を震わせ、含んだビールを口からこぼしてしまう。

「何こぼしてんだよ」

叱りつける。ビール缶を取り上げ残りを口に溜めると、顔だけこっちに向けさせ、口移しに飲ませる。ビールが瑠衣の小さな唇から流れ、キャミソールを濡らしていく。

「何やってんだよ。これじゃあお仕置きだな」

「ごめんなさい、ごめんなさい」

「謝っても駄目だ。約束しただろ」

瑠衣は泣きそうな顔を向ける。

「ちがうのか」

「約束しました」

「じゃあ、お願いしろよ」

瑠衣は黙っている。

「ほら、やれよ」

「お仕置きしてください」

「お願いします、はどうしたんだよ」

「お願いします、お仕置きしてください」

「脱げよ」

瑠衣は俯いてキャミソールに手をかける。

「何やってんだよ。そっちはいいんだよ」

手を止め彼女はもう一度私の顔を見て、ショーツをゆっくりと脱ぐ。

「足を開いてちゃんと見せるんだよ、ほら」

瑠衣は静かに仰向《あおむ》けになる。

「お返事は」

「はい」

「ちゃんと自分の両足を持って思い切り開くんだ。早くしろよ」

瑠衣はふとももを抱いて私の前にすべてをさらけ出す。その光景をしげしげと眺め、私は眠る前に考えていたことを思いだす。小さな死、そしてこの奇妙な肉塊の奥には再生する生命の源がある。私には永久に届かない愛の本質が宿っている。


瑠衣が再び眠ったのを確かめ、私はそっとベッドから下りた。シャワーを浴び着替えをすませると外に出た。人けのない休日の神田界隈を散歩する。こんな早朝に街中をぶらつくのは何年ぶりだろうか。古いビルの並んだ通りにはカラスが群れてゴミを漁《あさ》っていた。近づくと、大きな羽音を立てて舞い上がっていく。空は澄みわたり、今日も暑くなりそうだ。二十分ほども歩いたところで、昔残業の折などにたまに通っていた終日営業の食料品店の看板を見つけた。

ゆっくりとその店を目指しながら、あそこで適当な材料を見つくろって、瑠衣のために何か朝食を作ってやろう、と思いついていた。

10

夕方、ちらし寿司を作るという瑠衣を手伝って桶《おけ》の酢飯を団扇《うちわ》であおいでいると、寝室に置いてある携帯が鳴った。部屋に行って電話機を取り、通話ボタンを押す。柳原からだった。

「橋田さんですか」

外からのようだ。周囲の喧騒《けんそう》が響いてくる。

「ああ」

「いろいろありがとうございました。予定が少し遅れて、二時頃退院してきました。なんだか瑠衣さんに退院祝いまでいただいてしまって、申し訳ありません」

「そんなことはいいよ。それより香折は元気なの」

「ええ。体の方はぜんぜん大丈夫です。担当の先生ももう何も心配要らないっておっしゃっていました」

「そう。それはよかった」

柳原の声はどことなく普段と違った。何か緊張したようなぎこちなさが感じられる。

「今日はどうするの」

「これから食事でもして、ぼくの部屋に一緒に帰ります」

柳原の誕生日だ。二人でそうすることに決めたのだろう。

「ちょっと彼女にかわりますね」

一瞬、間があった。

「浩さん」

香折の声だ。弾んだ調子だった。

「よかったな。無事退院できて」

「うん。ほんとにお世話になっちゃって、ありがとう」

「いいよ。それより体は大丈夫なのか」

「大丈夫、大丈夫。浩さん、いまどこなの」

「お茶の水だよ」

「そうなんだ」

「ああ。明日から旅行に出るけど、何かあったら必ず携帯に電話してくるんだぞ」

「しないよー。せっかく瑠衣さんと水入らずなんでしょ。いくら私でもそんな野暮なことはしませんよ」

香折がくすくす笑う。

「だけど、病院出たあとこんな時間まで何してたんだよ」

「何でもないよ。ちょっと寄り道」

「そうか」

「それより、浩さんは今晩も瑠衣さんちなんだね」

「いや、今夜は池尻に一度戻る。支度もあるし、車も持って来ないといけないからな」

「ふーん」

「どうして」

「ううん、なんでもない。じゃあ、またねー」

「ああ。とにかくあんまり無理するんじゃないぞ。病み上がりなんだからな」

「分かってるって。瑠衣さんにくれぐれもよろしく。じゃあね」

「じゃあな」

電話は切れた。

瑠衣が寝室の入口に立っていた。

「誰から」

「柳原君と香折」

「なんだって」

「いや、退院の報告。今夜は柳原君のところに泊まるそうだ。きみにくれぐれもよろしくって香折が言ってた」

「そう」

私は電話機を戻して、瑠衣の方へ行った。

「だけど……」

ひとりごちる。

「どうしたの」

瑠衣が訊いてくる。

「いや、香折はどうして自分の部屋に帰らないんだろうと思ってね」

「なぜ」

私は口ごもる。香折は他人の部屋では眠れない。人が側にいるだけでも緊張してしまう彼女が、まして他の人間の家で安心できるはずがなかった。たとえ相手が恋人でも同じだ。例外は私の部屋だけで、そのことをよく香折は言っていた。それが入院を終えて疲れているこんな日に、なぜ柳原の部屋になど行くのだろうか。

「さあ、なんとなくそんな気がしただけだよ」

「柳原さん、誕生日だし、それに一晩くらいは様子を見てあげたいんじゃないの」

「そうだな」

私は瑠衣の肩を抱いて居間に戻る。

「浩介さん、今夜は池尻に帰るの」

さきほどのやり取りを聞いていたのだろう。

「ああ。準備もあるし、車も取ってこなきゃ」

彼女には旅の行き先も教えていなかった。

「車で行くんだ。ねえ、どこに連れていってくれるの」

「それは、明日まで秘密だよ」

「だったら、明日の朝一緒に池尻に寄って、それから行かない」

瑠衣は顔を向け、

「ねえ、そうしましょうよ」

言葉を重ねてくる。私もさっきまではそのつもりだった。だが、香折から「今晩も瑠衣さんちなんだね」と念を押されて、なぜか部屋に戻ると答えてしまったのだった。

「うん。でも食事が終わったら一度帰るよ。いろいろここで暮らすのに必要な荷物も取ってきたいから。明日の朝八時には迎えに来る」

荷物の話は思いつきだった。不安そうにしていた瑠衣の気持ちがほどけていくのが分かる。

「そうね」

「きみもたまにはゆっくり体を休めたいだろう」

「いやだ」

瑠衣が頰を赤くした。


午後九時頃にお茶の水を出て、十時には池尻に着いた。部屋中の窓を開け澱《よど》んだ空気を追い出し、簡単に掃除をした。ソファに座り窓の外を眺め、煙草を吸った。何も感じなかったし考えられなかった。旅行の準備をしようと思うのだが、その気にならない。自分はほんとうはどこにも出かけたくないのだ、と思った。

ぼんやりと形にならない想いが胸にある。幾重にも重なった磨り硝子《すガラス》の向こうに、うずくまる小さな人影がある。目を凝らし見極めれば、それが誰だか分かる。いや、すでに分かっていた。閉じ込め、締めつけ、押さえつけ、なお消し去ることのできなかった私自身の姿だ。

立ち上がり、窓を一枚残らず閉じていった。

寝室に入ってベッドに横たわり、目をつぶった。歯をくいしばり爪先と両拳に力を込める。ゆっくり力を抜く。それを何度か繰り返す。気持ちが次第に落ち着いてくる。

静かだった。眠気がさしてくる。支度は朝にしてこのまま眠ってしまおうか、と思っているうちに意識が薄れていった。

インターホンのチャイムが鳴った途端に目を覚ました。寝過ごした気がして慌てて時計を見る。午前二時だった。跳ね起きて寝室を出た。もう一度チャイムが鳴った。受話器をとる。

「はい、橋田です」

「もしもし、浩さん」

「どうしたんだ、こんな時間に」

香折の声だ。

「ごめんね。寝てた」

「いや」

「開けてくれないかな」

「ああ」

受話器を置いて玄関に急いだ。

ドアを開けると小さなトートバッグと紙袋を持った、白いワンピース姿の香折が現れた。

「どうしたんだ」

「ちょっと抜け出してきちゃった」

香折は悪戯《いたずら》っぽい笑みを浮かべている。

「柳原は」

「酔っ払ってグウグウ眠ってる」

「そうか」

「すぐ帰るから、入れて」

「ああ」

居間のソファに向かい合って座った。香折はキョロキョロと部屋を見回している。

一年前の今頃、いきなりこの部屋を訪ねてきたときの彼女を彷彿《ほうふつ》とさせる。同じノースリーブのワンピースで、あの晩は雨が降っていて、香折はびしょ濡れだった。右手の包帯に薄く血が沁み出していた。シャワーを使わせ、私のトレーナーに着替えさせた。袖も裾もだぶだぶで、思わず吹き出してしまった。頬をふくらませ怒ったような顔になった香折は、小さく、頼りなく、そして愛らしかった……。

「体、平気なのか。退院したばかりなのに」

「大丈夫だよ。それより浩さんの方こそ元気なの。落ち込んでない」

「俺は何とかやってる。心配しなくていいよ」

「だったらいいんだけど」

そして香折は再び、部屋の中をぐるりと眺め回した。

「何か飲むか」

言うと、視線をこちらに戻し意味ありげな目つきで私を見る。持っていた紙袋をテーブルに置き、袋から中身を取り出した。

「じゃーん」

ワインのフルボトルだった。国産の一番安手の赤ワインだ。そのボトルと香折の顔を交互に眺めていると、彼女はなおさら思わせぶりな様子になって、袋の中からもう一つ取り出した。今度は小さな硝子瓶だ。黄色のラベルが貼ってあり、飴色《あめいろ》の液体が詰まっている。

「何だ、それ」

「ハ・チ・ミ・ツ」

にこにこ笑っている。ほんとうに楽しそうな表情で、彼女のこんなおおらかな笑顔は初めて見たような気がした。

「浩さん、お湯沸かして」

いそいそとした調子で言った。

「どうしたんだよ」

「いいから早くお湯沸かしてよ。早く早く」

私がキッチンに立つと、「グラス二つとスプーンもね」と背中に声をかけてくる。やかんを火にかけ、グラスとスプーンを取ってソファに戻る。香折はワインの蓋を開けていた。コルクではなくキャップだった。置いたグラスに三分の一ほどワインを注ぐ。キャップを締めて、二つのグラスを見つめている。

「大丈夫だったのか」

「何が」

「柳原だよ」

「えへへ」

香折がほくそ笑む。

「なんだよ、不気味な顔して」

「薬飲ませてきちゃった」

「えっ」

「ビールにね、睡眠薬まぜて彼に飲ませたの」

親指を立てて香折はしめしめという表情になる。

「だから、死んだみたいに爆睡してるよ、彼」

私は呆れて声も出ない。湯の沸く音がした。香折は立ち上がりキッチンに駆けてゆく。やかんを持って戻ってくる。グラスに湯を注ぎ、蜂蜜《はちみつ》の瓶を持つと蓋を取る。

「浩さん、スプーンとって」

スプーンを渡してやる。たっぷりと蜂蜜をすくい、両方のグラスに垂らして香折は丁寧にかきまぜた。私は黙って眺めている。

「さあ、できた」

グラスの一つを持って「熱いから気をつけてね」と言いながら私の前に置く。一体どういうことなのか分からなかった。突然こんな時間に訪ねてきて、妙な物を作って飲ませようとしている。何を考えているのだろう。

「どうぞ。浩さん飲んで」

私はグラスの中を覗く。薄まった赤色が蜂蜜で濁っている。ワインの酸っぱい匂いが鼻につ
いてくる。香折はグラスを慎重に持ち上げる。私も熱くなったそれを両掌で取り上げた。

「じゃあ、乾杯」

私は手を止めて、愉快そうな香折を見る。

「どうしたの」

怪訝な顔になる。

「いや、不思議なもの作るなあと思って」

香折がまた頬笑む。

「浩さん、分からないの」

「何が」

「だって、浩さんが早く飲ませて欲しいって書いてたから、こうやってわざわざ来てあげたん
だからね」

「じゃあ……」

私はグラスをかざし、もう一度赤い液体を見た。

「そうだよ」

香折が頷く。

「ワインのお湯割り。私が一番好きなカクテル。といってもこんなカクテルあるわけないけ
ど」

私はグラスを口に寄せて一口すする。

「どう」

「美味しくない？」

「ああ」

不安そうな顔になっている。

「美味いよ。体があったまってくるみたいだ」

「よかったあ」

香折もふーふー言いながら飲んだ。一口ごとに私を見て嬉しそうに顔をほころばせる。半分くらいになったところで香折はグラスをテーブルに戻した。

「短大のとき、私、毎晩泣いてばかりいたでしょう」

ちょっと考える素振りを見せて、それからゆっくりと話し始めた。

「あんまり泣くと、体が鉛みたいに重くなって、でも目は冴えてぜんぜん眠れなくなるの。家にいた頃は、隣の兄の部屋から夜になると唸り声とか私を呪う呪文とか聴こえてきて、音ってどんなに耳を塞《ふさ》いでも消えないんだよ。ベッドでお布団かぶって枕で両耳を押さえつけても、伝わってくるの。音って震動なんだよ。震動だから絶対消えないの。だから、私いつも目覚まし時計を耳に当てて、針の音で兄の声を誤魔化して眠ってた。でも一人暮らしをするようになっても、その記憶はずっと残って、兄や母に殴られたり罵られたりしたことを思い出すと、怖くて怖くて泣きつづけて、眠れなくて。それで、どうしても眠れないとき、これを作って飲んでた。お酒も弱かったし貧乏だったから、一番安いこのワインを買ってきて、こうしてお湯で割って蜂蜜を入れて飲みやすくして、ぐーって呷《あお》ってベッドに入るの。そしたら酔っ払って少しだけ眠れた。このワインのお湯割りのおかげで、私はほんとうに助かったの。だから、私にとっては、これが最高のカクテル」

飲みさしのグラスをまるで慈《いつく》しむように香折は再び手に取った。

「いつか、これを誰かと一緒に幸せな気持ちで飲める日がくればいいなあ、ってずっと思ってた。それまでは絶対負けないで生きなきゃって。挫《くじ》けそうになってばかりだったけど」

私は黙って自分の手の中にあるグラスを見つめる。

「浩さん」

残りを飲み干していると、香折が呼んだ。

「ん」

私は香折を見た。すっかり頰を赤くしている。

「瑠衣さんと幸せになるんだよ」

嚙んで含めるような言い方だった。

「思い切り甘えるんだよ。瑠衣さんは誰よりも浩さんのこと大切にしてくれる人なんだから」

私はそれには答えず、空のグラスを明かりに透かした。

「いいのか」

曇ったグラスの向こうに小さな自分が見える。何か叫んでいるが、私には聞こえない。

「何が」

「だって、お前に一番いいことがあった時に飲ませてくれる約束だったろう」

香折は一瞬、戸惑いの色を表情にあらわした。

「一番いいことあったもの」

はっきりと言った。

「そうか」

「うん」

香折も自分のグラスを空けた。そして、不意に妙なことを口にした。

「浩さんはね、強い人すぎるよ」

思わずその口許を見る。

「いつでも自分のこと後回しにして、他人のことばかり考えて、ちょっと恰好つけすぎなんだよ」

「おいおい。お前、俺に因縁《いんねん》つけにきたのか」

苦笑すると、香折は赤い顔で唇を尖らせて睨みつけるようにした。

「そうじゃないけど、こんな私だって、ときどきは浩さんのこと考えたりするんだよ」

「へえ」

「ほんとだよ。浩さんみたいにちゃんとはできないけど、心配したりもするんだから」

「よく分かってるよ」

そこで香折はため息をついてみせた。

「だったら……」

グラスを握りしめる香折の手に力がこもる。

「だったら、自分のことをほんとうに心配してる人のことを大切にしてあげなきゃ駄目だよ。

頼ってあげなきゃ駄目だよ。瑠衣さんだってきっとそうしてほしいんだと思う。瑠衣さんと毎日会って、私思ったよ。瑠衣さん、浩さんのことが心配でたまらないんだよ。好きで好きでどうしようもないんだよ。あんなにきれいであんなに優しい人にそんなに愛されて、浩さん、それがどんなにすごいことかほんとに分かってるの。人を大切にすることも大事だけど、大切にされることだってとても大事なんだからね。大切にされるってことは、自分を大切にするってことなんだからね」

大切にされることは、自分を大切にすること——香折の言葉が胸に響くのを感じた。私はこれまで香折にずっと言ってきた。自分を愛さない限り、人を愛することなどできやしないと。だが、そう言いながら、果たして私は私自身を愛しているのだろうか、と自問しつづけてきた。

「人から大切にされることが、ほんとうに自分を大切にすることになるのか」

もしそうならば、瑠衣は私にとって何ものにもかえがたい存在にちがいない。

香折が訝《いぶか》しげな顔を作った。

「だって、浩さん、いつも私に自分をもっと大切にしろって言うじゃない。大切にしてもらうときは、遠慮せずに大切にしてもらえって」

「そうだったな」

「そうだよ」

私は何か香折に言わねばならないことがあるような気がした。だが、自分でもそれが何なのかよく分からない。

「さあて、っと」

テーブルの端に置いたバッグを取り上げ、香折が立ち上がった。

「じゃあ、私、帰るね。彼、目を覚ますと心配するから」

私は香折を見上げる。

「帰るね」

「ああ」

私も立ち上がった。香折が一歩あとずさる。

「下まで送っていくよ」

「浩さん、明日何時」

「七時くらいかな」

「じゃあ、もうあんまり眠れないね」

「まあな」

「車でしょ」

「うん」

「居眠り運転しないでね」

「平気だよ」

私は寝室に行ってキイ・ホルダーを取って来る。香折は玄関で靴を履いていた。ドアを閉め鍵を掛けた。

一緒にエレベーターに乗り、鍵束を握っていると香折がホルダーに視線を向けた。

「まだ使ってくれてるんだ」

「当たり前だろ」

エレベーターの扉が開く。腕時計の針は午前三時を指していた。

「車で送っていってやるよ。西早稲田だろ」

「いい、ここで。通りでタクシー拾うから」

「いいよ。送るよ」

「いいの、自分一人で帰る。そうしたいの」

刻むような口調で香折は言い、さっさと硝子扉をくぐって玄関の外に出る。その後を追って私も外に出た。

「じゃあね、浩さん」

「じゃあな。水曜日には戻ってるから。連絡するよ」

「うん。ありがとう」

「お前も気をつけろよ。体がしんどかったら会社なんて休んでいいからな」

「またぁ。自分が会社辞めたと思って無責任なこと言うんだから。大切なお給料貰ってるんだから、ちゃんと行かなくちゃいけないの」

「それでも無理はするな」

「浩さんは、これからどうするつもりなの。ぜんぜん考えてないの」

「さあな。高飛びでもするかな、二、三年」

香折が吹き出す。

「何それ。まるで警察にでも追われてるみたいじゃない」

「まあ、似たようなもんだからな」

「浩さんってほんとヘンな人だね」

香折の笑顔が小さく歪《ゆが》んだような気がした。暗いのではっきりとは見えない。

「じゃあね」

「ああ」

「浩さん、いろいろありがとう。頑張ってね。会社なんか辞めたって、浩さんだったら絶対大丈夫。きっとうまくいくから」

「分かった。お前もな」

「うん」

香折は手を振ると、背中を向けて歩き始めた。その後ろ姿を私は見送る。五十メートルほど行ったところで、香折が振り返った。

手を振っている。私も振り返す。しばらく二人でそのまま向き合っていた。香折が顔を横にしてマンションの中に入れと合図してくる。それでも動かずにいると、

「早く入んなよー。私、帰りが遅くなっちゃうよー」

私は頷いて玄関の内側に入った。三十秒ほど間をおいてもう一度表に出る。香折はこっちを向いたままだった。

「もう」

今度は両手を腰に当てて怒った仕種を作った。

「じゃあなー」

仕方なく声をかけて中に入った。そっと覗くとようやく香折は歩き出していた。体を玄関から出して小さくなっていく彼女を見つめる。こうやっていつも見送ってきた、と思った。これまで一度も振り返らなかった香折がいま初めて振り返った、と思った。

百メートル以上も離れたところで、再び香折は振り返った。

立ち止まり、私を認めて、大きく両手を振った。何度も何度も振った。そしてくるりと背を向けると、夜の闇の中へと走り去っていった。

第四部

1

八時ちょうどに瑠衣のマンションに着いた。瑠衣はすっかり支度を整えて待っていた。今日は濃いベージュの七分袖のニットに白のパンツをはき、足元は茶色のサンダルだった。旅行鞄を提げている左腕には鼈甲《べっこう》調のバングルをさりげなく巻いていた。こうやって身繕《みづくろ》いした姿を見ると、慣れた目にも眩《まぶ》しさを覚える。

「コーヒーでも飲んでから出かける」

「いや、このまま出発しよう。道も混み始めるだろうし」

「うん」

そう言うと瑠衣は部屋に戻っていった。風呂敷でくるんだ大きな包みを持ってきた。

「なに、これ」

「私たちの今日のお昼御飯」

バッグと風呂敷包みを持って駐車場まで下りた。二人、車の席に乗り込むと、

「浩介さん、ちゃんと眠れた」

瑠衣が言う。

「三時間くらいかな。どうして」

「うん、ちょっと眠そうな顔してるから」

「そうかな。きみは」

「私もそれぐらい」

「弁当なんてよかったのに。途中どこかで食べればいいんだから」

「いいの。なんだか私、興奮して眠れなくって。だから作ったの」

「子供の遠足じゃあるまいし、なに馬鹿言ってるんだよ」

私が笑うと、瑠衣は体を凭せかけてくる。私の腕を取って胸に抱き、

「ほんとはすごく淋《さび》しかったの。ずっと一緒にいたからかな。もう浩介さんがいないと眠れないかもしれないと思った」

そんな瑠衣を見つめながら、こんなに美しい人がどうして自分のような男に執着するのかと不思議な気がする。

「じゃあ行こうか」

私はシートベルトを引く。瑠衣も体を起こした。


「伊豆なんだ」

瑠衣は少しがっかりしたような声になった。

「稲取は何度か行って、とてもいい温泉だった。近場でのんびりしたかったんだ」

「そう」

「伊豆なんて飽きてるか」

「ううん」

それから瑠衣は一人笑いをしながら、「でも、案外そういうものなのよね。こういうときというのは」とぶつぶつ言った。

「どうしたんだよ、ひとりで笑って」

車は東名高速を小田原方向へ走っていた。空は晴れ渡り、夏とも思える燦《きらめ》きのまじった光が車窓にふりそそいでくる。私はサングラスを出してかけた。

「浩介さん、意外に似合うんだね」

瑠衣と香折を引き合わせた晩にこのサングラスをかけて、若いのをひとり叩きのめしてしまったことを思い出す。私は外して、サングラスをしまった。瑠衣は何も言わずに黙っていた。

小田原西のインターチェンジを通って国道135号線に入った。それまで順調に走行していたが、ようやく前を走る車の数が増え始めた。

「真鶴《まなづる》道路からビーチラインに入ろうと思うんだけど、それでいい」

瑠衣は頷いた。時計はまだ九時を回ったところだ。

「昼飯どうしようか」

「なんだか道も空いてるし、小室山あたりまで行って、そこでお弁当食べましょう」

「小室山って何」

「えっ、浩介さん知らないの」

「ああ」

グローブボックスから赤い表紙の伊豆のガイドブックを取り出して瑠衣に渡した。瑠衣がページをめくっている。

「伊東からバスで二十分くらいって書いてあるよ。ここ、山に登るとつつじがすごいの。私、一度だけ学生のときに友達三人で行ったことあって、とてもよかったの。まだ咲いてるかもしれない」

「なんだ、きみの方が詳しいじゃない」

「そんなことない。私の家、昔、修善寺《しゆぜんじ》に別荘持ってたけど、私だけは一度も行かなかったもの」

「どうして」

「小さい頃から伊豆は苦手だったの」

「だけど、一回も行かなかったんだろう」

「うん。でも駄目だったの。大学のときだってみんなが行こうって言うから、仕方なしに付いていったんだからね」

ガイドブックに見入っている彼女に目を向けると、「ほらほらあった」とページを指差して解説を読み上げる。

「『小室山公園――標高321メートルの小室山を中心とした自然公園。リフトで3分の山頂からは、360度の視界が開け、富士山や、天城《あまぎ》連山、相模《さがみ》湾に浮かぶ大島を眺望できる。公園入口の「椿園」では、1000種、約4000本の椿が12月から5月まで咲き続ける。また、約10万本のツツジが開花する4月下旬には、山裾《やますそ》が赤く染まり、見事』だって。そうなのよ、つつじの群生がほんとうにきれいだったの。ねえ、だからあそこでお弁当にしない」

「だけど伊東の先だったらまだ当分かかるよ。昼を過ぎるかもしれない」

「浩介さん、おなかすいてる」

「いや」

「だったら少し遅めでもいいじゃない。ここでゆっくり食べましょう。腕によりをかけてこしらえてきたんだから」

「瑠衣の料理の腕って、やっぱりお母さん仕込みなのかい」

「それがちがうの。うちの母はお料理はからっきしなの。お裁縫とお茶は玄人はだしなんだけど。お料理はいつもお手伝いさんまかせで、私たち滅多に母の手料理って食べなかった。その分、私は絶対料理は上手くなろうって思ったもの。だって、結婚したら旦那様にも子供にも、自分の作った美味しいもの食べさせてあげたいでしょう」

「へえ」

感心しながら、一度瑠衣にも訊かれたことがあるが、そういえば香折の手料理なんて食べたこともないな、と私は思っていた。

「クリスマスは卓ちゃんと必ず私の部屋で特製のシチューと、私が焼いたパンを食べることにしてるの。シチューはね、丸一日煮込んで作るからほんとうに美味しいんだから」

香折から料理の話を聞いたのはこれきりだ。

「どうしたの」

瑠衣に言われ、自分がしばらく黙り込んでいたらしいと気づく。

「いや、伊東までどのくらいかかるか計算してた」

「そう」

瑠衣は窓に顔を向け、外の景色を見やった。結婚という言葉を口にして、私の反応の鈍さに少し傷ついたのかもしれない。何か話しかけようと思う。

「だけど、瑠衣はどうしてそんなに伊豆が嫌いだったの」

だって、と拗《す》ねたような声を出す。

「伊豆って地震が多いじゃない。私、地震だけは駄目なの。だから小さい頃から父や母が修善寺に行こうって言っても、絶対に行かなかった。それで結局、家族みんな行けなくなって、蓼《たて》科《しな》に別荘を買い替えたんだから」

今年も伊豆東方沖で群発地震が続いている。とはいえ、そんな他愛ない理由なのかと私はおかしくなる。

「それだけ」

「うん」

「しかし、それもなかなかすごいね」

瑠衣がふくれっ面になる。

「みんなすぐそう言うんだから」

私は思わず笑ってしまう。

「笑わないで。ほんとに私、地震だけはどうしようもないの」

「じゃあ、早く一緒に地震に遭ってみたいな」

「私、しがみついて離れないから」

「それって、地震じゃなくても毎晩そうなんじゃないの」

「ひどーい」

瑠衣も笑う。

小室山のつつじは咲き終わりの頃だったがなかなか見事だった。だが、それより見事だったのが瑠衣の作った弁当だった。だし巻きひとつにしても、鱈《たら》のすり身を練り入れて料理屋でも滅多に口にできないようなまろやかさに仕上がっている。サーモンのマリネ、鴨肉のつくね、海老《えび》しんじょうの湯葉包み揚げ、ブロッコリーと三枚肉の牡蠣《かき》油炒め、京芋の蒸しものなどが惣菜《そうざい》で、山菜のおこわを炊いてきていた。巨峰の葡萄汁でつくったデザートの寒天も、種を除いた巨峰の舌触りが格別で、これだけのものを昨夜、私が部屋を出たあと一人でこしらえたかと思うと感服してしまう。

お腹もいっぱいになって、私は草地に寝そべり煙草を吸った。地面の熱気が背中にしみてくるが、午後になって風が出始めて、空気は少し涼しくなっていた。空は相変わらず晴れ渡っている。十数年、こんなにのんびりとした休日を過ごしたことはなかった。

自分にとってひとつの人生が終わったのかもしれない、と思う。その区切りの小さな谷間にいま自分はいるのかもしれない、そんな気がした。

煙草が短くなると、瑠衣が水の入った紙コップを差し出してくる。そこに吸い差しを捨てる。ジュッと音立てて火が消える。

新しい人生がどうなっていくのか皆目見当もつかないが、この人と一緒に歩いていくのだろうか。

「煙草御飯とかけっこうあったよ。兄が私の御飯とかおかずに煙草ふりかけてるの」

かつて香折はそう言って笑った。

「高校に入ってすぐの頃、お弁当のウィンナーが真っ黒に焦げてて、そのことを言ったら母はヒステリー起こして、『あんたみたいなわがままな娘はいない。私はこんなことをするために生まれてきたんじゃない！』とか怒り出して、それ以来一人暮らしを始めるまで二年近く、一度もお弁当作ってくれなかったんだよ」

そんな話をしてくれたこともある。香折の箸の持ち方が変で、「ちゃんと親に教えてもらわなかったのか」と知り合ってすぐに訊いたことがあった。そのときは何も返事をしなかったが、後から、

「だって、私の家じゃ、お箸は飛んでくるものだったから」

香折は言った。食事中に母親の機嫌が悪くなると、きまって幼い香折は箸を投げつけられた。

「あれ、先が尖ってるから案外危ないんだよ。何度か血が出るくらいの怪我したもん」

香折の黒焦げのウィンナーと瑠衣の作った弁当とのあいだには遠い距離がある。瑠衣はきっといい母親になるだろう。毎日、美味しくて見栄えのする弁当を子供たちに持たせて学校にやる。友達に羨ましがられ、子供たちは鼻を高くする。

幼児期に虐待を受けた女の子は、子供を産んでも育て方が分からず、育児を誤る例が多い。虐待する親の中には、自身が虐待の被害者である場合がかなりある。香折も子を産めばそんな母親になるのだろうか。

草いきれを嗅《か》ぎながら目を閉じた。昨夜、走り去っていった香折の小さな背中が浮かんでく

る。私から遠く離れ、時が過ぎ、香折は香折の幸福を手に入れる。静かで平和な家庭、やさしい夫と子供たち。香折が消えていったあの夜の闇の先にはきっとそれがある。心からくつろぐ香折がいる。私は懸命にそんな香折の姿を思い描こうとした。まっすぐの並木道を二人で歩く香折、純白のウェディングドレスに身を包んだ香折、夫と二人楽しそうに買い物をしている香折、台所に立ち包丁の手を休めて夕暮れの光に目を細める香折、小さな公園で子供を抱いて日向《ひなた》ぼっこをしている香折——その仕種や表情、姿を映し出そうと意識を集中させる。相手の男には柳原の顔をあてがってもみる。だが、いくら想像しても香折の像はぼんやりとして焦点を結ばない。ぼやけたまま陽炎《かげろう》のように揺れ、その向こう側にくっきりと小さな香折が現れてくる。手を振っている。両手を大きく振って私を見ている。遠ざかっているのは香折ではなく私の方だった。動かない香折を置き去りにして私は後方へと吸い寄せられていく。香折がどんどん見えなくなっていく。

そこで目を開けた。横に座っていた瑠衣が私を見ていた。

「そろそろ行きましょうか」

と瑠衣が言った。

2

六月七日の夕方、稲取の温泉旅館に着いた。部屋ごとに別棟になっていて、海に面した外庭には小さな露天の岩風呂が設《しつら》えてあった。総檜造《ひのきづく》りの室内は贅《ぜい》を尽くしたもので、棟をつなぐ渡り廊下もすべて上質の檜材が使われている。瑠衣もさすがに感嘆の声を上げる。

「浩介さん、どうしてこんなところ知ってるの」

広い室内を巡り、窓を開けて湯煙を立てる露天風呂を眺め、瑠衣は座敷のテーブルに戻ってくると言った。私は茶を淹《い》れて瑠衣に振舞う。

「何度か、外人の接待で使ったことがあるんだ」

「へえ」

「といっても、ぼくも二年振りくらいだけど。最後は、マクドネル・ダグラスの社長夫妻が来たときだったかな。きみの叔父さんや駿河さんも一緒だった」

私はバッグを引き寄せ、一昨日買ったブレスレットの包みを出した。

「これ、大したもんじゃないけど」

差し出すと瑠衣はびっくりした顔をしている。

「誕生日おめでとう」

瑠衣は包みを開く。

「ありがとう」

ブレスレットを取り上げ、バングルを巻いた左手に一緒につけた。

そのとき電話が鳴った。瑠衣は立ち上がり受話器を取る。

「ねえ、食事にしますか、それともお風呂に入ってからにしますかって」

「ひと風呂浴びてからにしようか」

「うん」

私も立ち上がり、浴衣《ゆかた》に着替え始める。電話を切って瑠衣も浴衣を持って隣室に行った。私が脱いだ服を片づけていると、着替えを終えた瑠衣が慌てて駆け寄ってくる。

「いいよ、これくらい自分でやるよ」

「駄目」

そう言って、横取りした服をハンガーにかけている。浴衣がよく似合っている。後ろ姿をじろじろ眺めていると、振り返る。

「どうしたの」

「いや、なんでもない」

二人分の手拭《てぬぐ》いを持って瑠衣が腕を取ってくる。

「行きましょう」

「ああ」

「あとで、一緒に露天風呂にも入ろうね」

あんなに伊豆は嫌いだと言っていたくせに、すっかりはしゃいでいた。

寝床が変わったこと、鉱泉で体が芯まであたたまりほぐれたことで、瑠衣の官能は倍加したようだった。声の大きさに、離れの部屋でよかったと内心ほっとする。反応の面白さに私も熱中してしまった。こちらが極まって体を抜こうとすると、強烈な力で押さえつけられて面食らった。危なく膣内に射精してしまうところだった。瑠衣は我を忘れているのだから意図的とは見えなかったが、彼女の精神と連動した肉体の反射に、私への強い執着を感じた。立てつづけに達し、最後は幼児さながらだった。終わっても一時間近く、ほとんど口もきけないような有り様で、私は缶ビールを三本飲み煙草を五本も吸った。

瑠衣と私の体の相性はかねてから悪くないと思っていたが、今夜はそれ以上の手応《てごた》えを覚えた。

半睡状態に入っている瑠衣を置いて、露天風呂に浸《つ》かった。湯温が低めだったが、疲れた体がほどけていくような快感がある。空は澄んで星が瞬いている。東京では見ることのできない明るい月が浮かんでいた。

香折はいまごろ何をしているだろうと思った。明日は出勤だから今夜は自分の部屋に戻っているはずだ。

ちゃんと食事はとっているだろうか。ずいぶん痩せてしまったが、体重を元に戻すのにまた時間がかかる。薬を飲んで今頃は眠っているだろう。

悪夢を恐れる香折は、レム睡眠を阻害しないベンゾジアゼピン系睡眠薬だけでは眠れない。非ベンゾジアゼピン系のアモバンを服用しているので、彼女の眠りは自然な目覚めをもたらさない。その上、最近は長時間型睡眠薬のベノジールも処方されていたから、少なくとも午前中は眠気やふらつきが残ってしまう。仕事をするにはかなりの忍耐が求められる。それがまたストレスとなって不眠を助長してしまう。目覚まし時計を五個も置いて彼女は漆黒の眠りを眠っている。

背中で庭に降りるドアが開く音がした。全裸の瑠衣が湯に体を沈め、私の隣に寄ってくる。引き寄せて膝の上に抱きとった。なめらかな肌が密着してくる。乳房を揉みながらしばらくじっとしていた。

瑠衣は長い髪をバレッタで留めている。白いうなじが艶《つや》やかだった。

「気持ちいい」

吐息を洩らす。

私は湯の中で軽くなった彼女の体を自在に動かしてこちらを向かせ口を塞《ふさ》いだ。ねっとりとした舌が私の口中をはいまわる。しがみついてきた。右手を瑠衣の股間にあて十分に潤んだ内部を中指でかきまわす。また痙攣したように瑠衣は震える。

ペニスに手を添えて無理やり瑠衣の中に入った。「あーん」と声が出て瑠衣は私の首に腕を回す。何度か揺すっただけであっけなく達した。

「まるでおもちゃだね」

「うん」

甘えた声で言う。

「私、浩介さんのおもちゃだもん」

「馬鹿だな」

「うん」

背中を向かせて後ろから挿入し、腰を動かす。水の中なので抵抗がある。ちゃぷちゃぷと湯面が波立つ。縁のごつごつした岩に白く細い腕をかけて瑠衣は喘ぎつづける。月の光に照らされて、その白い腕はまるで別の生き物のようになまめいている。

湯からあげると、へなへなの瑠衣を抱いて部屋に戻った。籐《とう》の椅子に座らせきれいに拭《ふ》いて
「大丈夫か」

やり、浴衣を着せて寝室まで運んでやる。一緒に布団に入り少し冷えてしまった体を懐に抱いてあたためてやった。

「瑠衣」

名前を呼ぶ。胸に埋めていた顔を上げて私を見る。

「なあに」

「俺なんかと一緒にいて楽しいか」

瑠衣が不思議そうな表情になる。

「どうしたの、浩介さん」

「いや、俺みたいに面白味のない男も、そうはいないからさ。この十数年、仕事しかなかったし、それも失くしてしまった。どうして瑠衣がこんな俺と付き合うのか、よく理由が分からないよ」

瑠衣は私の顔を真っ直ぐに見つめている。私の髪を撫で、鼻筋を人差し指でゆっくりなぞっていく。

「私ね、昔から父に一つだけずっと言われてきたことがあるんだ」

父親のことを口にしたので、瑠衣は私の反応を窺うようにした。

「それで」

先を促す。

「うん。父はよく言ってたわ。『瑠衣、何にでもベストを尽くせ。女だろうと男だろうとそんなことは関係ない。全力でどんなことにでもぶつかっていくんだ。周囲の眼なんて気にするな。

自分を信じて、自分を大切にしつづけろ』って」

そこで、瑠衣は少しためらうように言葉を区切った。

「でもね、父はそのあと決まってこう言うの。『瑠衣、ただ一つだけ忘れるなよ。お前がこれから遠くまで走って、そして最後に座る椅子を見つけたとき、もし隣を男が並んで走っていたら、その時はその男に椅子を譲れ。それが女の役目だ』ってね」

瑠衣は私の腕に頭を載せて上を向いた。その横顔の端整さに見とれてしまう。

「私、最近になって、この父の言葉はほんとうだなって思うの。大学を卒業して仕事を始めて、しばらくして実感したの。最後は女は男に勝てないし、競《きそ》っちゃいけないの。たとえば結婚して、どうしても旦那《だんな》様がやりたいことがあったとしたら、そのときは自分の夢を捨てて旦那様を支えてあげるのが女のつとめなの。

むかしは私ももっと突っ張ってた。でも、ほんとうは男の人たちを見て、いつも大変だなあって思ってた。男の人には生きる証《あかし》がないでしょう。女は子供を産むことができる。世界で一番好きな人を自分の力で再生させられる。

私だって、もっと若かった頃は、それだけじゃつまらないって思ってた。でもね、やっぱり女は人間である前に女なのよ。好きな人と結ばれて、その人の子供を産んで、その人のお世話をしてあげながら子供を育てていくの。それが女の仕事なのよ。

私ね、小さな頃から案外友達に嫌われる人だったの。『藤山さんの笑ってる顔見たらすごいムカツク』とか急に一番の仲良しに言われたり。よく女の子たちに陰口されてた。男の子たちは、いつも私のことを持ち上げるばっかりで、毎日毎日、口をきいたこともないような男の子がやってきて告白されちゃうの。どんどんそんな自分が嫌になって、どうしてだろうって悩んでた。こんな容姿だからかなとか思って、自分の顔も大嫌いだった。だから私、ずっと一人ぼっちだったの。

瀬田の家の私の部屋って二階だったんだけど、毎晩、窓を開けて星を眺めながら、私は誰も好きにならないし、誰からも好きになってもらえないんだから、その分、何か生きた爪痕《つめあと》をこの地上に残さなくてどうするんだ、って思ってた。そうじゃなきゃ生まれた意味も生きている意味もないじゃないか、って

でも、いまはちょっとちがうの。

去年ロンドンに行ったとき、たまたま知り合った一つ歳下の女の子がいてね、日本に帰ってからもよく会ってるんだけど、彼女、お能をやっている人なの。ああいう芸事の世界って因習だらけの世界でしょ。昔からの様式を守って、伝統を後代に引き継いでいくことがすべてじゃない。彼女も始めたときは、その古臭さが厭でしょうがなかったんだって。でも続けているうちに、こうやってずっと何かを守り伝えていくことが一番大切なことなんじゃないか、って思うようになったんだって。何か新しいことができるのは天才だけで、あとの人間はただひたすら今を未来につなぐ役割を懸命に果たしていけばいい、って。人生も同じだよ、って彼女は言うの。その話を聞いたとき、ほんとにそうだなあって私も思った。

私、最近思うの。人生ってさ、きっとそうやって何かを運んでいくことなんだよ。私たちは一人一人が何かを運んでいるの。次に生まれてくる人たちのために。だけど、それでも二人になるんだったら、必死で一生懸命運んでいる人と一緒に生きていきたいじゃない。私には、浩

介さんが何を運んでいるのかまだ分からないけど、でも浩介さんはそういう人でしょう。真面目で面白味がないって言うけど、そんなことない。女はね、やっぱり何か一つのことに打ち込める男が好きなの。素朴でも信念をもって一筋に生きてる男がいいの。別に構ってくれたり面白がらせてくれなくたっていいのよ。そういう男のひたむきさや不器用さを構ってあげるのが女の楽しみなんだから」

私は瑠衣の長い話を黙って聞き終えると、

「何かを運んでいる、か」

と小さく口にしてみた。

瑠衣の言うように、私にも自分が何を運んでいるのか、運ぼうとしているのか分からない気がした。

「ごめんね、何だか変てこな話しちゃって」

「いや」

私は瑠衣を懐に抱きとった。

「瑠衣は次に生まれてくる人のために何を運んでいるんだろう」

「分からないなあ」

私の胸に頬ずりしながら、瑠衣は静かな口調で言った。

「分からないけど、きっと大切なものを運んでいるんだと思う。でもね、それは大変だけど、全然大変じゃなくて、とても気持ちのいいことなの」

「大変だけど、大変じゃない?」

瑠衣は体を離して、私の目をまっすぐに見た。

「そう。誰かに期待されたり、励まされたりしてじゃなくて、自分が、ありのままの自分だからこそ、立派にやり遂げられることなの。だから、ほんとに頑張らなきゃいけないことなの。頑張ればきっと報われるの。頑張りがいがあることなの」

何もかもを溶かしてしまうような甘さに満ちた瑠衣の眼差しを見て、私は香折が昨夜言っていたことを思い出した。

――自分のことをほんとうに心配している人を大切にしてあげなきゃ駄目だよ。瑠衣さん、浩さんのことが心配でたまらないんだよ。頼ってあげなきゃ駄目だよ。好きで好きでどうしようもないんだよ。

「だからね」

瑠衣の瞳が揺れて、涙が表面に滲んできた。

「だから、どんな辛《つら》いことでも、ちっとも辛くなんかないの……」

私は胸を塞がれるようで、大きく息をついた。

3

体が小刻みに揺れていた。目を開け、あたりを見回す。妙な夢を見ていた気がする。そのせいだろうか。しかし意識が次第にはっきりしてきても、まだ畳の床が小さく揺れていた。地震のようだ。瑠衣は静かな寝息をたてて眠っている。あんなに地震が苦手だと言っていたはずなのに。苦笑しながら寝顔を見る。安らかで美しかった。

しばらくすると揺れはおさまった。

ふと寒気を感じて裸の体を撫でてみる。びっしょりと汗をかいていた。ぬめっとした嫌な汗だった。夜が明けたのだろう。障子を通してうっすらとした明るさが沁み込んできていた。枕元の腕時計で時間を見る。午前五時二十一分。

「五時二十一分か」

声に出して呟く。記憶の襞《ひだ》が小さくふるえ、立ち戻ってくるものがある。五時二十一分。香折の部屋で夜を明かし、駿河の死を知らされた時刻だった。そう思ったとたん、さきほどまで見ていた夢の断片がまざまざと浮かび上がってきた。

香折が泣いていた。そこがどこで私自身どの場所から眺めているのかもさだかではなかった。香折はあの布団に身をくるんで、がたがた震えながら静かに泣いていた。ただそれだけが記憶に残っていた。

私は起き上がり、寝室を出て窓際に置いてある籐椅子に座った。海の向こうでオレンジ色の太陽が輝いている。陽光を受けて海面は銀粉でも撒《ま》いたようにきらめいていた。鮮やかな夜明けだと思う。

煙草に火をつけた。ここに泊まって二度目の朝だった。昨日も散歩に出た程度で、温泉につかり瑠衣と睦《むつ》みあってばかりいた。濃密の度を加えていく瑠衣の官能にまるで逆行するように私の感覚は薄まり先細り冷めていっていた。昨日は香折のことがしきりに思い出されて、振り払うのに苦労した。その分瑠衣との交わりが多くなり、それが却ってまた香折の輪郭をくっきりさせてしまうのだった。

どうして香折は泣いていたのか。しかも「あの布団」にくるまって。

「あの布団」は、香折が高校時代に一人暮らしを始めてから短大時代までずっと使っていた薄い掛け布団だった。押入れの奥から出して私にも見せてくれたことがある。最初見たときは、紫の絞り染めの柄なのかと思った。裏地は茶色に変色し、年代物にも見えた。だが、その布団はもともとは赤い色をしていたのだった。真ん中あたりにかすかに昔の生地色が見出《みいだ》された。あとはすべて変色してしまったのだ。変色のひどいところがまだらのように散って丸い模様状になっていた。ことに四隅は脱色して、痣《あざ》のような染みが扇形に大きく広がっていた。

すべて香折の涙の跡だった。

高校時代から短大時代と、ずっと彼女はこの布団にくるまって泣きながら眠った。涙は止まることなく流れ、一晩で何度も布団の方向を変えなければならなかった。三日や四日雨晒《あまざら》しにしてもかくやという有り様で、これほどにするには彼女が四年間で一体どのくらいの量の涙を注いだのか想像さえつかなかった。私は目の当たりにして言葉を失った。まず最初に感じたのは小さな苛立《いらだ》ちだった。どうしてこうなるまで放っておくのか。なぜ捨ててしまわないのか。

香折はしばらく布団を広げると、大事そうに押入れにしまいこんだ。

「そんなもの、燃やしてしまえばいいじゃないか」

声をかけたとき、振り向いた香折が言った言葉は忘れられない。

「浩さんは私の過去を返してくれるの。もっと幸せな思い出に作り替えてくれるの」

香折が「あの布団」を捨てられないのは、親に対する彼女の感情の複雑さを物語っている。

母親から手紙や荷物が届くたびに香折は錯乱状態になった。そのくせ彼女の部屋の冷蔵庫にはマグネットで留めた葉書が貼ってある。それは短大時代に母親が旅先のニューヨークから送ってきた絵葉書だった。短い文面で、ニューヨークの街の様子が綴《つづ》られただけのものだが、あれほど親からの接触を忌避しながら、一面ではそんな絵葉書を身近に置いている。彼女のそうしたこみいった心模様は、きっと本人でもうまく説明のつかないものだろう。

香折にはすべての人間に認められたい、という渇望があった。誰からも好かれたいと強く願っている。それが反対に、彼女を真実の愛から遠ざけている。しかし香折がほんとうに認めてほしい相手はただ一人だった。幼児期から罵られ殴られつづけてきたその相手。それでも自分をこの世界に送り出した人。香折は母親から認められたいと心底願っているのだ。

「あの布団」はたとえどんなに辛い思い出が塗り込められていようとも、彼女の青春の証《あかし》だった。愛してほしいのに愛してもらえず、愛そうとしても愛せなくなった自分の母への香折の無言の叫びのしるしなのだ。だからこそ香折はあれを捨てることができない。私は「あの布団」を捨てるとき、初めて中平香折は自らの根源的恐怖から解放され、自分の人生を歩み始めることができると考えていた。

まるで涙の化石のようだ——私は染みだらけの布団を見たときに感じた。化石になるまで長く長く凍りついた涙。香折の過去を取り戻し、豊かに変えることは何人たりともできない。

「過去を作り替えろ」と言われてしまえば、無理やり布団を取り上げて捨てるわけにもいかなかった。

だがそのとき、香折はこうも言った。

「あの頃の短大時代の自分に、こんな人がいるんだってことを教えてあげたい。誰も助けてくれる人がいなくて、ひとりぼっちで、どうしたらいいのか分からなくて、毎日毎日泣いてばかりいた自分に、こんな人も世の中にはいるんだよって、こんなに話を聞いてくれたり、慰めてくれる人がいるんだよって、あの頃の自分に教えてあげたい」

その言葉がこれまでの私を支えてきた。

香折は睡眠薬と安定剤は使っているが、抗鬱剤は飲みたがらない。医者からは口を酸っぱく処方通りに服用するよう求められているが言うことをきかない。一つには副作用を恐れていた。だが、もっと大きな理由は、

「小さい頃から母親に、あんたはきちがいだって言われつづけてきたから、抗鬱剤を飲んだら、ほんとうに自分は変なんだって認めてしまうことになる」

というものだった。

陽はみるみる高くなり、海の色が青さを増してきた。寝室に戻ると瑠衣は死んだように眠りつづけている。もう一日滞在する予定だったが、今日中に出発しようと思った。早く一人きりになりたかった。

朝食を済ませ、温泉に入ったあと、化粧をしている瑠衣の背中に、

「そろそろ東京に戻ろうか」

と告げた。

「どうして」

「木曜日からきみも仕事だろう。明日一日くらいは部屋でゆっくりした方がいいよ」

「浩介さん、飽きちゃったの」

「いやそうでもないけど。なんだかあんまり暢気《のんき》にしてると、後ろめたい気がする。そろそろ先のことも真剣に考えないとね」

「そんなことない。半年や一年くらいのんびりと休めばいいの。そうじゃないといい考えも浮かばないよ」

「そうもいかないだろう。いつまでもきみに甘えているわけにもいかない。ぼくには責任がある」

「責任？」

「ああ」

「いまの浩介さんに責任なんてないと思う」

「そんなことないさ。きみがいる」

「だけど……」

「男と女はちがうからね」

瑠衣は黙ってしまったが、表情には明るみが兆《きざ》している。

「弓ヶ浜あたりまで足を延ばしてみないか。夜には東京に戻れるだろう」

「うん」

昼近くになって私たちは旅館をあとにした。二つの岬に挟まれた弓ヶ浜の海岸は広い砂浜で、平日ということもあって人はまばらだった。さざえの専門店で遅い昼食をとり、三時頃には東京に向かっていた。お茶の水には午後九時過ぎに着いた。

途中、サービスエリアで瑠衣が車を離れているあいだに香折の携帯を鳴らした。応答がなかった。留守録に簡単なメッセージを吹き込み、電話を切った。

マンションの駐車場で車を降りた瑠衣は、当然のように私が車から出てくるのを待っていた。私はしばしハンドルを握ったまま動かないでいた。が、エンジンを切りドアを開けた。

十二階の部屋の窓から見える東京の夜景は意外なほど目に新しかった。ベランダに出て夜の風を体に受け、目を閉じて耳をすます。まだかすかに海の音が残っている。瑠衣は着替えを済ませると、キッチンに立って夜食を作っていた。

呼ばれて部屋に戻る。ダイニングテーブルには、弓ケ浜で買ったかますの干物、椎茸としめじのてんぷら、湯葉と筍《たけのこ》と山菜の炊き寄せ、胡麻《ごま》豆腐、フキノトウの佃煮、それにつみれ汁が並んでいる。

「お茶漬けか何かの方がよかったかな」

レンジで解凍した御飯を置きながら瑠衣が言う。

「いや、うまそうだ」

箸を取ると、空腹だったことに気づく。干物をつつく。ぱりっと香ばしく焼けているが、天日干しの肉は柔らかだった。炊き寄せもつみれの汁もあっさりしていて、だが出汁《だし》は十分にきいている。長時間の運転で疲れた体が、食べているうちにしゃきっとしてくるのが分かる。瑠衣の料理の腕は生半可ではない気がする。

すっかり平らげてソファに座っていると、熱いほうじ茶と水羊羹《みずようかん》が出てきた。洗い物を終え

た瑠衣はエプロンをとり、

「先にシャワー浴びてくるね」

と言って居間を出ていった。ほうじ茶をすすりながら、いつの間にか寛《くつろ》いでいる自分を感じる。瑠衣と一緒に部屋に上がったときの淡い憂鬱がきれいに溶けてしまっていた。

ひどく静かだった。まるで誰もいない世界に一人取り残されたような錯覚に陥る。カーテンが開いたままのベランダの窓に自分の姿が映っていた。

こんなものかな、とふと思った。

「こんなものでそんなもの」

口にすると、千恵さんのどこか疲れたような顔が浮かんだ。

そして、窓の向こうの夜に目を凝らす。一瞬、闇の中を遠くに駆けていく白く小さな背中がはっきりと見えた。

私は立ち上がった。

寝室に行ってクロゼットを開き、ジャケットを取った。ポケットの携帯を出して香折の部屋の番号を押す。コール音が鳴っている。腕時計で時間を確かめる。十時半を回ったところだった。電話はつながらない。香折の携帯の番号を押す。

「はい中平です。いま電話に出ることができません」

さきほどと同じ録音テープの声が流れてくる。

電話を切って、携帯を握りしめたまま居間に戻った。

胸の中でずっと小さく振れていた振り子が激しく揺れ始めていた。今朝、地震で夢から醒《さ》めたときにどうしてすぐに戻ろうとしなかったのか。香折は私の帰りを待っていたというのに。ひとりぼっちで震え、泣きながら私を呼んでいたというのに。強い後悔の念が湧き起こり、不安の渦が喉元まで突き上げてくる。

我ながらこの切迫感は行きすぎだという気がした。だが一方で、これほどの胸騒ぎは容易ならざる事態を暗示しているとしか思えない。

どうしようか、と口にしていた。

自分の声を耳にして思考に冷静さが加わった。

もう一度携帯のダイヤルを押す。やはり留守録のままだった。自宅にもかける。こちらはコール音がつづき、留守録にも切り替わらなかった。なぜ香折は録音装置をセットせずに部屋を出たのだろうか。嫌な予感がした。電話線を抜いているのかもしれない。家族から連絡が入ったのか。しかしそうならば携帯は必ずオンにしているはずだった。

また息が詰まるような不安感が押し寄せてくる。

たかが夢を見たくらいでこんなにも動揺して、まったくどうかしている、と自分に言い聞かせる。香折は一人きりではないのだ。柳原が側にいる。仮に彼女の身に何事か起きたとしても対処は可能だろう。手に余ればきっと私に連絡してくる。香折は大丈夫だ。心配には及ばない……。

考えを巡らせているうちに気持ちは落ち着いてきた。だが、意識にねっとりと張りついた不安の膜はやすやすとは溶けない。ちりちりと震え、気味の悪い旋律を奏でつづけている。

とにかく香折の部屋に行こう。無事であることを確かめよう。それだけ見届けてここに戻ってくればいいのだ。きちんと説明すればそのくらいのことは瑠衣も分かってくれるだろう。

バスルームのドアが開く音がした。足音が近づき、居間の扉の硝子越しにグレーのバスローブを羽織った姿が見えた。

部屋に入ってきた瑠衣は、私の顔をちらと見たあと、視線を私の手元に落とした。彼女の目はしばしそこに釘付《くぎづ》けになっていた。私は携帯を左手に持ちかえ瑠衣に声をかけようとしたが言葉が出てこない。

「浩介さん……」

瑠衣が呟くように言い、私を見つめる。その瞳にはすがるような光が宿っていた。無言でその顔を見つめ返す。

瑠衣は目を閉じ、一度小さく首を振った。そして笑顔になった。

「電話終わった？」

視線を逸らし、曖昧に頷く。

「だったら浩介さんもシャワー早く浴びてくるといい。着替え用意しておくから」

私は俯いて自分の足先をぼんやり見る。

大切にされることは、自分を大切にすること——香折の言葉が甦ってくる。あのとき香折に言おうとして言えなかったことが、急速に形になっていくのを感じた。

私はあのとき、ほんとうは言いたかったのだ。

俺はお前を大切にしたいのだ、と。俺にとってはお前を大切にすることが、何よりも自分を大切にすることなのだ、と。

自分を愛さない限り、人を愛することはできない。しかし、誰かを自分以上に愛したとき、人は初めて、ほんとうに自分を愛することができるようになるのだ、と。

俺は俺を捨てて、お前の中に本当の俺を実現したかったのだ、と。

「浩介さん」

瑠衣が静かに近づいてくる。私は顔を上げる。いまにも泣きだしそうな物哀しい表情が胸を突いた。ごく自然に私は手を広げる。

だが、あの夜、遠くへ駆け去っていったのは香折ではなく、私だった。そうなのだ。振り向いた香折を置き去りにして、最後まで振り返ることを知らなかったのは私の方だったのだ。

瑠衣のあったかい体が懐におさまる。これがようやく手に入れることのできた唯一の現実なのだ、と感じた。瑠衣の腰に腕を回しきつく抱きしめる。せめてこの現実を失わず、これ以上傷つけずに生きていこう、と思った。

どれほど遠く離れても、たとえ二度と会えなくても、私は香折の幸福を望み、祈り、そして感謝しよう。それ以外のことはできないし、最初から私と香折とはそのようでしかあり得なかったのだ。

瑠衣と接した部分から徐々に体が温《ぬく》もってくる気がする。同時に奥深い場所から瑠衣に対する柔らかな感情が湧き出してきていた。

濡《ぬ》れた髪を撫《な》で、私は両肩に手をかけ瑠衣の体を離した。

「シャワー浴びてくるよ」

「うん」

左掌に握っていた携帯電話の電源ボタンを押した。押した瞬間、息が詰まった。小さな電子音が鳴って電源は切れた。分からないように一つ息をついて、瑠衣に渡そうと電話機を差し出す。

「美味しい野菜ジュース作っておくね」

瑠衣は気づかないのか、笑顔で言って、その場から離れていってしまった。

私は手の中の電話機を握り直し、寝室に入った。背中に冷蔵庫のドアが開く音が聞こえ、キッチンで水の出る音が聞こえた。それらの音が泡立った気分を平らかにしていく。

セミダブルのベッドの上にさきほどクロゼットから取り出したジャケットが放ってある。ベッドの縁に腰掛けてそれを取り上げながら、今夜は瑠衣を抱かずに二人でゆっくりと眠ろう、と思う。そうやって瑠衣とのあいだの一つ一つを新しくし、確かめ合っていこう。表示のなくなったディスプレイを束《つか》の間《ま》眺め、電話機をジャケットの胸ポケットに差し込んだ。

立ち上がろうとしたが、不意に足元から力が抜けてきて、私はそのままベッドの上に背中から倒れ込んだ。意識がぼんやりとしてくる。

愛してくれる人がいて、その人を愛することもできる。一人きりではないし、こうして安らぐ場所もある――思考が霞《かす》み心が緩んでいく。

どのくらいうとうとしていたのだろう。空気が動く気配がした。はっと我に返って私は上体を起こした。誰かが側にいるような気がした。開いた寝室の入口から光が射し込み、キッチンからは瑠衣の使う包丁の小刻みな音が届く。

その瞬間、グラッとベッドが揺れた。

つづいて床から突き上げるような大きな震動。

激しい地震だった。

瑠衣の悲鳴が響き、私は立ち上がった。が、揺れは予想以上に大きく、とても立っていられない。ベッドに手をつく。ジャケットからキイ・ホルダーが飛び出していた。カチャカチャと鳴っている。

私はホルダーを掌に握り込む。

「何やってるんだ、俺は」

冷たい水を浴びたように、意識が鮮明になった。一瞬にして指先まで新しい気力が充塡《じゅうてん》されるのを感じた。

鍵をズボンのポケットに押し込み、上着を取る。よろけながら壁際まで歩き、壁を伝って寝室を飛び出した。

キッチンで瑠衣がしゃがみ込んでいるのが見えた。テーブルや戸棚ががたがたと音を立てている。

瑠衣は両耳を覆い震えていた。その顔は恐怖に歪《ゆが》んでいる。私の目と瑠衣の目が合う。目を背けるしかなかった。

4

インターホンを何度押しても応答がない。私は他の部屋の番号をやみくもに押した。出た相手にドアを開けてくれと頼む。「彼女が死ぬって電話してきたんです。どうか開けてください」と叫ぶ。三軒目の住人がようやくオートロックを解除してくれた。

香折の部屋のドアの前に立って、背筋が凍りつくのを実感した。

なぜ香折が退院した土曜日、ここに戻らなかったのかが分かった。退院の報告をしてきたとき「ちょっと寄り道」と言っていた言葉の意味も知った。

隆則はどうやって香折の住所を摑んだのだろうか。まあ、実の兄だと告げれば会社も住所くらい簡単に教えるだろう。少なくとも母親は香折の居所を知っていた。それを突き止めたのかもしれない。

玄関のドアは無残だった。全面に太い釘か何かで引っ掻《か》いたらしい傷が縦横に走り、意味不明の言葉がラッカーで扉全体に塗りたくるように書きつけられていた。真っ赤な文字で真ん中に「呪」とある。それを大小とりまぜ五十個以上の「死」という黒い文字が取り囲んでいる。その隙間には黄色のラッカーで何語とも知れぬアルファベットが書き連ねてあった。「Ｓａｔａｎ」、「Ｌｕｃｉｆｅｒ」という判読できる文字もあった。血痕《けっこん》らしきものも飛び散っている。塗料の乾き具合、荒れ具合から見て、随分前に書きつけられたものだ。香折は先週入院していたのだから、発見したのは荷物を取りに来た柳原だったろう。柳原から知らされて香折はどれほど怯《おび》えたことか。最初に見舞いに行ったとき、香折は別れ際に私の名前を呼び、口ごもった。「どうした」と訊《き》くと「なんでもない」と答えた。あの香折の表情をつぶさに思い返すと、すでにこの事態を知っていたのではないか。退院のときに寄り道したというのは、柳原と二人で、当面暮らせるだけの荷物をこの部屋から持ち出したのだ。土曜日の夕方の柳原の電話の声が緊張していたのもそのせいだったにちがいない。

私は隣の部屋のチャイムを鳴らした。住人に聞けば、いつこんな有り様になったのか正確な日時が分かる。だが応答がない。向かいの部屋も同様だった。諦《あきら》めて香折の携帯に電話を入れる。つながらない。

柳原の西早稲田の住所を知らなかった。彼の携帯の番号も知らない。現在の香折の所在を摑む術がなかった。

香折はいまどこで何をしているのか。サービスエリアで電話したとき、携帯にメッセージを残している。「今夜は池尻に戻るから電話をくれ」と吹き込んでおいたのだ。なのにこの時間になっても返電が来ない。やはり昨日、今日のうちに何事かが香折の身辺で起きたのではないか。隆則が香折の所在を知った以上、物陰から香折の部屋を監視していれば、やって来た柳原を尾行することくらいはたやすい。香折と柳原の行動が隆則に逐一捕捉《ほそく》されていた可能性もある。

チャイムを鳴らしドアをいくら叩《たた》いても応答はない。あんな他愛のない理由で、香折に部屋の鍵を返すべきではなかった。

無理だろうと思ったが、番号案内に電話をつなぐ。オペレーターに早稲田に住む柳原慎太郎の電話番号を照会してみた。予想に反して柳原は番号を登録していた。

すぐさま柳原の部屋に電話を掛ける。しかし、留守録になっている。とりあえず「これを聞きつけたら即座に携帯に連絡を寄越すように。それまではずっと香折の部屋の前で待っている」というメッセージを残した。

まだ何かが起きたと決まったわけではない。柳原と共に今夜も外出し、そのうち彼の部屋に二人して戻ってくるのかもしれない。ただ、香折がこの部屋に帰ることはまずあるまい。それでも、ここで待っている以外に私には手がなかった。

ドアの前に座り込み、外階段の向こうの空を眺めて夜を送った。午前五時を過ぎ、暗い空は白々と明け始めた。その間も香折の携帯に電話する。五分おきにかけた。

何度か小さな余震があった。情報はないが、最初の揺れはかなりのものだったはずだ。何も言わずに飛び出してきたが、瑠衣はいまごろどうしているのだろうか、とふと思った。

六時を過ぎた頃、私の携帯が鳴った。

柳原からだった。

「いまどこにいるんだ。香折は一緒なのか」

「病院にいます」

柳原の声が怯えたように響く。

「病院？　どういうことだ」

「香折さんが大怪我をしたんです」

体の血が引いていくのが分かった。

「いつ」

「昨日の朝です」

「容体は」

「意識不明です」

「どこの病院だ」

「戸山総合病院です。救急車で運びました。ぼくのアパートを一緒に出たところで、お兄さんに殴りつけられたんです」

「なんですぐ連絡してこない」

「申し訳ありません」

「謝ってすむことと思ってるのか」

「救急車の中ではまだ意識があって、香折さんがどうしても橋田さんには連絡するなって何度も繰り返し言っていたもので」

最悪の事態だった。私は怒りで心が砕け散るのを感じた。

「馬鹿野郎！」

怒鳴りつけていた。

「いまからすぐ行く」

私は電話をつないだまま階段を駆け降り、駐車場まで走った。戸山総合病院なら車だと三十分程度の距離だ。

意識不明の重体だと言う。取り返しのつかないことをしてしまった。

「で、手術はうまくいったのか」

車に乗り込みエンジンをかける。

「とりあえず一命はとりとめました。ですが今後のことは分かりません」

深いため息が出る。

「もうお前はいいよ。あとは俺がやる。一応の説明が聞きたいから、俺が着くまでそこにいろ。いいか分かったな」

柳原は何も答えなかった。


生ぬるい薬液に両手を浸し、エアタオルで乾かす。音もなくドアが開いて、私はゆっくりと真昼のような明るさの集中治療室の中に入った。ベッドごとに間仕切りがあって、白いシーツに覆われた患者たちが横たわっている。突き当たりのガラス張りのナースセンターには二人の看護婦の姿が見えた。

口に当てたマスクのせいで息がこもった。ブルーのエプロンがごわごわして、まるで宇宙服でも着せられたような違和感がある。

ナースセンターの隣にクリーム色の扉があった。あの扉の向こうで香折は眠っている。

香折が襲われたのは昨日の午前八時半頃で、柳原と一緒にアパートを出たところを、近づいてきた若い男にスパナで頭部を一撃されたという。男はその場から立ち去り、柳原はすぐに救急と警察に通報した。救急車とパトカーがほぼ同時に到着し、この病院に担送されたのが午前九時過ぎ。救急車の中で、男が香折の兄であることを柳原は香折の口から聞いている。血だらけのスパナをぶらさげ、シャツを赤く染めた隆則が緊急配備を敷いた警察に逮捕されたのは、犯行から一時間足らずのことだった。

香折の両親は夕方、病院に駆けつけてきたという。

「さっきまでお母さんは残ってたんですが、一度帰ると言って引きあげられました」

病院の玄関で待っていた柳原は、ICUのあるこの三階のフロアまで私を案内するあいだに状況のあらましを説明してくれた。さすがに憔悴《しょうすい》しきっていて、いまはICUの入口に置いてある長椅子に寝そべっている。

クリーム色の重い扉を引き、後ろ手で閉じた。一メートルほど先のベッドが目に入った。近づこうとして、ふと冷たい空気を肩先に感じた。見上げると天井に組み込まれた大きなエアコンが微かな唸りを立てて風を吹き出していた。トットットッと規則的な音がする。幾本ものチューブがベッドとその奥のスペースに並んだ機器類をつなぎ、音はそこから聞こえてくるのだった。

私は一度深呼吸して、ベッドサイドへと歩いた。「ICU」という文字の入ったグリーンのスリッパがぺたぺたと床に響く。

香折は酸素吸入器をくわえ、両腕に点滴を打たれて眠っていた。首筋に肌色のジョイントの嵌《は》まったドレーンが差し込まれ、濁った血液が排泄《はいせつ》されている。手首と胸からは細いコードが延びて計器類につながっていた。頭部はすっぽりと白い布で覆われている。

隆則の振り下ろしたスパナは香折の左側頭部を直撃し、頭蓋骨《ずがいこつ》陥没骨折による脳挫傷《のうざしょう》はかなりの範囲に及んでいた。十二時間を超える開頭手術が行なわれたが、執刀医が柳原へ説明したところでは、一命は取りとめたものの脳の損傷の影響は予測しがたいということだった。「意識は戻るんですか」と訊《たず》ねても、「今は何とも言えない」と答えただけだったという。

香折の顔は蒼ざめ、すっかり血の気を失っていた。むくんでいるというより全体が腫《は》れ上がっている。閉じた瞳も鼻も唇も縮んでしまったようで、まるで別人だった。薄いシーツ状の布を掛けられた全身も粘土で作られた人形さながらで、生命の温もりは微塵《みじん》も感じられなかった。

私は香折の顔を覗き込み、ただ立ち尽くしていた。にわかに胸が苦しくなり、同時に激しい頭痛に襲われた。吐き気がこみ上げてくる。スライドのフレームがずれたときのように視界が傾き、周縁に真っ黒な暈《かさ》が現れていた。しばらく指一本動かせなかった。

ようやく頰に人差し指と中指の甲をそっと当ててみる。冷たい感触が指を通して体に伝わり、全身の皮膚に罅《ひび》の入ったような痛みを覚えた。様々な言葉が入れ替わりで浮かんでは消えていく。どの言葉も意識の奥まで届かない気がした。

頽《くずお》れるようにして長椅子で眠っている柳原の肩を揺さぶる。うっすらと髭の伸びた顔がびくっと震えて持ち上がった。

「ちょっと、下に行こうか」

一度首を回して、柳原は立ち上がる。

やって来たときに横目に通り過ぎた外来受付脇の休憩所に入った。鉢植えで囲われ、茶色の事務机と折り畳み椅子が四脚。一階外来は、黙々と清掃する数人の作業員のほかに誰の姿もない。閑散としていた。紙コップで給茶器からお茶を汲《く》み、柳原の前に一つ置いて私は向かい側に腰掛けた。香りのしない薄いお茶を一口すする。柳原は両腕をだらりと垂らして床に目を落としていた。まだ眠たそうだ。さきほど見た香折の顔を頭の中から振り払い、柳原に聞くべきを聞かねば、と気持ちを立て直す。

「電話で怒鳴ったりして悪かったね」

柳原は無言で首を振る。

「香折のお兄さんのこと、いつ頃から気づいていたの」

下を向いたまま柳原は低い声で答える。

「先週の日曜日に彼女のアパートに一度寄って、もうそのときには……」

「じゃあ、あんな風にドアが目茶苦茶にされてたわけだ」

「いえ、日曜日は郵便受けに妙なものが投げ込まれていたんです」

「妙なものって」

「たぶん、猫の足だと思います。血だらけの足が四本そのまま突っ込んであって。部屋に入ったらすごい臭いで、それで気づいたんです」

「そのことを香折には話したの」

「ええ。ぼくにはよく意味が分からなかったですから」

「香折は何て言ってた」

「お兄さんに見つかってしまったから、もうあの部屋には帰れないって」

「他には」

「ぼくが誰かに尾行されなかったかってすごく気にしていました」

ようやく柳原が顔を上げた。思い出したようにつけ加える。

「そのときも、絶対に橋田さんには知らせちゃ駄目だって念を押されたんです」

柳原は私に連絡しなかったことを後悔しているようだった。この十日間、自分でも不安だったのだろう。あげくこれほどの事態に立ち至って、嫌気がさしている気配もある。どうしていいか分からないといった風情だ。若さが透けて見えてくる。

「翌日の月曜日にも香折の部屋に行ったよね」

「はい。着替えの他にも彼女からどうしても取ってきてほしいものがあるって言われたので」

「そのときは、もうドアはあの状態になってたの」

「そうです。愕然《がくぜん》としました。香折さんが言っていたのは本当だなと実感しました」

「ほんとうって」

そこで柳原は少し口ごもった。目で促すと、彼は一度唇を引き締めて呟《つぶや》くように言う。

「今度こそ殺されるかもしれないって」

頭を抱える仕種をして、柳原は顔を歪めてみせる。そしてぶつぶつこぼした。

「だけど、どうしてぼくのアパートがお兄さんに見つかったんだろう。退院の日も急いで荷物を車に積んで、何度も道をかえて絶対尾行されないように西早稲田まで戻ったのに」

そんなことはとっくに摑まれていたのさ、と私は内心で独りごちた。柳原はどこかの段階で隆則に徹底的にマークされ、自宅も突き止められてしまっていたのだ。その程度のことも予測しないで自分のアパートにのこのこ香折を連れて戻るなど、迂闊《うかつ》というより余りに愚かである。

私は目の前の男の存在を忘れ、香折のことを思った。

隆則の突然の出現で香折の恐怖は想像を絶するものだったろう。中村医師と彼女の両親とが話し合いを持った今年一月の時点では隆則は入院中のはずだった。それがいつの間にか自由の身となり、しかも親の監視の目を逃れて接近してきたとすれば、香折には防御の手立てがなかった。大袈裟ではなく殺されるかもしれないと内心は恐慌状態だったにちがいない。

なのになぜ、そんな肝心なことを彼女は私に打ち明けなかったのか。私ならば即座に香折の両親と連絡をとり、隆則の所在を確認していただろう。むろん警察にも通報したはずだ。みすみす隆則につけいる隙など与えはしなかった。柳原のように、怯えている香折を引きずって逃げ隠れするような馬鹿な真似は金輪際しなかった。隆則の出現は、むしろ彼を排除するいいチャンスでもあったのだ。一気に片づける絶好の機会ともいえたのだ。

意気阻喪の態でうなだれている柳原に再び目を向けた。

それをこの男は……そう思うと怒りの感情が改めて身の内にこみ上げてくる。

「香折はいつまで意識があったの」

香折の顔が浮かんでくる。錐《きり》で突かれたような鋭い痛みが背筋を走る。

「手術室に入るまでは、割としっかりしてたんですが」

「何か言ってなかった」

「何も。病院に着く頃にはすごい出血で、泣きじゃくるばかりでほとんど口がきけなかったです。ただ、車の中ではとにかく橋田さんには知らせるなって、そればっかりでした」

「そう」

柳原は、疲れた目で私を凝視する。

「やっぱり、ぼくじゃ無理だったんだと思います。こんなことになって身に沁《し》みて痛感させられました」

「無理ってなにがさ」

「香折さんのことです」

「無責任なこと言うんじゃないよ。香折をこんな目にあわせた張本人はきみだろう」

「そのことは謝ります」

柳原が頭を下げる。

「謝って済む話でもないだろ。香折は意識不明の重体なんだ」

そこで柳原の目にかすかな憎悪の光のようなものが灯《とも》るのを私は感じ取った。

「でも……、ぼくが無責任だとおっしゃるなら、橋田さんもご自分のことを少し考えられてはどうですか」

「どういうことだよ」

「だから」

うんざりしたような顔つきで柳原が私を見る。

「結局、香折さんは橋田さんを一番信用してたんです。彼女に必要だったのはぼくじゃない。そのくらいのことは橋田さんにだって分かってたんじゃないですか」

余りに子供じみた台詞に私は呆気にとられてしまう。

「それでも、きみが香折を引き受けたわけだろう。香折だってきみについていこうと決めたんだ。ただ、きみがちゃんとやれなかっただけの話だ」

「香折さんは、ぼくに決めたわけじゃないですよ。ただ、橋田さんの将来のことを考えて身を引いただけです。ほんとうに好きだったのはぼくじゃない」

「じゃあ、きみはそれが分かっていて、なぜ香折と付き合った」

「可哀そうだったからですよ」

「可哀そう？」

　意外な答えに私は思わず聞き返した。

「そうです。橋田さんのことが好きで仕方がないのに、一生懸命我慢している彼女がいじらしかった。見ていられなかった。おまけに橋田さんはあんなにきれいな人と付き合って、これみよがしに彼女に見せつける。それでいていつも一段高いところから、まるで施しでも与えるみたいに中途半端な愛情を注ぎつづける。ぼくは、正直いってムカつきましたよ。香折さんが早く目を覚まして、橋田さんから精神的に独立してほしいと思っていた。時間がたてばきっと彼女も気づいてくれるだろうと信じていました」

　柳原は紙コップに口をつけ一息に冷めたお茶を飲み干した。

「ぼくだけがちゃんとやれなかったわけじゃない。橋田さんだってちゃんとやれなかった。たしかに、こんな取り返しのつかない事態になってしまったのはぼくの責任です。その点でぼくには彼女を守る資格がなかった。だけど、じゃあ橋田さんはどうなんですか。あなただって香折さんを守ってやれなかった。いくらぼくを責めてみても、その事実は消せやしない。自分の臆病《おくびょう》さに負けて最後の最後に彼女を見放した人に、ぼくを怒鳴る権利なんてあるんですか」

　私は柳原の言葉を聞きながら、かつて足立恭子が言った「どんな人間的感情も、計算からは絶対に生まれない」という言葉をなぜか思い出していた。

「きみに香折の何が分かるっていうんだ」

言いながら自分が少なからず混乱しているのを感じた。

「たしかに、橋田さんはぼくよりずっと彼女のことを理解していたかもしれない。彼女の辛い過去のことも誰よりも知っていただろうし、その傷を癒そうと誰よりも努力したかもしれない。でも、橋田さんは肝心なことを見落としていたんです。いま、この現在を生きている彼女にとって一番大切で重要なことに見て見ぬふりをしていた。兄妹だとか親代わりだとか適当なことを言って、彼女の気持ちだけではなく、自分の気持ちまで騙《だま》しつづけてきた。彼女にほんとうの安心を与えるためにどうしても必要なことが何であるか、あなたは知っていながら何もしてやろうとはしなかった」

「少なくとも」柳原は刻み込むような口調でつづけた。

「ぼくはこの三ヵ月で、彼女のほんとうの気持ちを橋田さんよりはるかに知った気がします」

私は黙って聞いていた。

「でもね、人間の気持ちは必ず変わる。ぼくはそう信じていた。彼女の気持ちが変わることに賭《か》けてみたかったんです」

柳原が言っていることも分からないことはない。しかし、それは短絡的で香折の本質を芯《しん》の部分で理解しない浅い捉《とら》え方にすぎないという気がした。

「だけどね、きみのそういう気持ちは十分に香折にも伝わっていたとぼくは思う。だからこそ彼女はきみを選んだんだろう」

柳原が苛立《いらだ》った表情になった。

「だから、そうじゃないんですよ。それでも彼女はあなたを選びたかったんだ。選べなかっただけなんですよ」

ひとつため息をついて柳原は言葉を重ねた。

「退院した夜、ぼくは彼女に結婚を申し込みました」

私はなるほどと思った。あの晩、香折は私の部屋を訪れ、彼女の一番好きなカクテルを作ってくれた。「一番いいことがあった」という香折の言葉は、柳原からのプロポーズを指していたということか。

「で、彼女はオーケーしたの」

「ええ」

「だったら、何も問題はなかったじゃないか」

私が苦笑すると、柳原はいかにも皮肉な笑みを頰に浮かべる。

「橋田さん、ほんとにそう思いますか」

柳原は立ち上がり、ポケットから折り畳んだ封筒を取り出した。黙って私の方へ差し出してくる。封筒には池尻の住所と私の名前が記されている。切手も貼ってあった。

「昨日の朝、彼女が提げていたバッグに入っていたんです。入院の手続きなんかでバッグを開けなくてはならなかったものですから。中身はむろん読んでいません。ただ、先週の月曜日に彼女がどうしても取ってきてほしいってぼくに頼んだものが入っているのは分かりました。手紙も添えてあると思いますからあとで読んでみてください」

封筒の中には何か金属のようなものが入っているのが分かった。

「じゃあ、ぼくはそろそろ退場します。こんなことになって、ほんとうに申し訳ありませんでした」

柳原は一礼すると背を向けた。

私は座ったまま黙って見送る。すると彼は振り返り、さりげない調子で思いがけないことを口にした。

「彼女、逃げようと思えば逃げられたような気がします」

私は、柳原を見返す。

「お兄さん、ゆっくり近づいてきたんです。ぼくは彼女の後ろにいて、最初はどういうことか分からなかったんですが、彼女にははっきり相手が見えたはずなんです。なのに、そのまま真っ直ぐお兄さんの方に向かって歩いて、殴られた瞬間も全然避けたりしなかったんです」

柳原は唇を嚙んで、炯々《けいけい》とした眸《ひとみ》で私を睨みつけた。

「それから……」

思い余ったような表情で、一度言葉を止める。

「一昨日の夜、ぼくは初めて彼女を抱きました」

一瞬、その全身が大きくふくれあがった気がして、私は目を見張った。

「じゃあ、失礼します」

一礼し、彼は足早に直線の廊下を遠ざかっていった。

柳原の背中が見えなくなって、私は目の前のテーブルに突っ伏した。彼が最後に言った言葉が胸の中で反響しつづけている。こみ上げてくる苦い思いを受け止め、目頭が熱くなってくる。香折とのこの一年間の様々な情景が頭の中を駆けめぐっていた。

どのくらいそうしていただろう。ふと顔を上げ、時計を見た。午前八時を回ったところだった。病院内は人々の行き交う喧騒で満ちはじめていた。この一角だけが取り残されたように静まっている。私は椅子から立ち上がって、突き当たりの窓に歩み寄り、ブラインドを引いた。明るい朝の光が一気に射し込んできた。全身に光を浴び、わずかに生気が戻ってくるのを感じた。

まだ終わったわけではない、と思った。

香折は言っていた。私は「どんなときでも諦めない」のだと。

椅子に戻り、テーブルの上に置いた手紙を取り上げた。封を千切って封筒を逆さに向ける。掌にぽとんと小さなものが落ちてきた。鍵だった。香折の部屋の鍵だろうか。私はその鍵をしばらく眺め、それから分厚く折り畳まれた便箋《びんせん》を封筒から引っ張りだした。

5

橋田浩介 様

浩さん。今ごろ何をしていますか。東京を離れて少しは疲れがとれましたか。きっとぐっすり眠っているのでしょうね。

今、朝の五時です。わたしは眠れずにいろいろ考えごとをしています。毎日毎日ずっと泣きながら夜を明かしてきたから、何かを考える余裕なんてなかったけれど、いまは頭が冴《さ》えています。なんだか不思議な感じ。

目の前に、浩さんがくれたイヤリングを置いています。とってもきれいだよ。浩さん、こんなに素敵な退院祝いをどうもありがとう。すごく嬉しかった。ほんとうに一生、大切にします。

退院の日の夜、浩さんの部屋で会ってから、ずいぶん経ったような気がします。

わたしのいちばん好きなカクテル、おいしいって言ってくれてうれしかった。わたしには飲みなれたものなのに、浩さんと一緒だったあの晩、初めて飲んだような感じがしました。今までは眠るために無理に飲んでいたワインが、ほっとする味に思えたんです。

そうしたらなんだか胸がいっぱいになって、話をしたら泣いてしまいそうでした。

だから、こうして手紙を書いています。

この一年近く、わたしは何から何まで浩さんに頼ってきました。そして、浩さんはどんな時も、きっと自分が疲れはてている時でも、そんなわたしを受け止めて、ちゃんと応《こた》えてくれた。浩さんは当たり前のことをしているだけだって言ってたけど、そんなことない。驚くようなことばかりでした。

実はわたしは、今まで付き合った人たちにも家のことを話していました。浩さんに話すのが初めてだなんて、うそをついてごめんなさい。一人でいるのがつらすぎて、誰かの関心を引きたいという気持ちがいつも離れなくて、それには家のことを話すしか思いつかなかったんです。

みんな心配してくれたから。

浩さんに対しても、はじめはそういう気持ちでした。

でも、浩さんはほかの誰とも違った。ほんとうに最後まで、わたしの心の底まで付き合ってくれた、たった一人の人です。わたしはそんな人に出会ったのは、生まれて初めてでした。

それなのに、わたしはいつも自分のことで頭がいっぱいで、浩さんには迷惑をかけるだけ。やっと、浩さんの力になりたいと考えられるようになっても、もう遅すぎるよね。

何も助けてあげられなくて、ほんとうにごめんなさい。浩さんは仕事のことでいつも大変だったのに。決して弱音を吐かない浩さんが、このところとっても苦しそうで、だからせめてこんな時くらい、わたしが支えてあげるべきだったのに……でも、わたしは入院なんかしてしまって、やっぱり逆に迷惑をかけるだけで、何にもできなかった。

浩さん、大丈夫ですか？　これからどうするの。ずっと人のために働いてきたんだから、東京に帰ってきたら、もっと自分のために時間をつかってください。浩さんには人を大切にすることじゃなくて、浩さんは何でも一人でやってしまって、誰にも頼らなさすぎです。浩さんには人を大切にすることじゃなくて、人に大切にされることの方が必要なんです。大切にしてもらうことが、自分を大切にすること、なんです。

だから、浩さんが会社を辞めて瑠衣さんと暮らしはじめた時、わたしはもうこれ以上、浩さんの好意に甘えてはだめだって、ほんとに強く思いました。

わたしがいたら浩さんは安心できないし、浩さんと離れて一人でちゃんと生きていこうって決心したんです。

あの日、柳原さんがわたしにプロポーズしてくれました。こんなわたしに、「結婚しよう」って言ってくれたんです。浩さんとは違うけれど、柳原さんはとてもいい人です。わがままもずいぶん聞いてもらいました。だから、わたしは今、彼との結婚を考えられるようになったんです。新しい家族を自分の手でつくっていこう、って思えたんです。

新しい家族なんて、自分でもびっくりしているんだ。浩さん、信じられる？名前も変わる、お墓も柳原さんのお墓に入れる。中平の戸籍からも離れられる。考えてみたら、わたしにとってはまるで夢のようなことばかり。

でも、それ以上に、大好きな浩さんの邪魔をしないで、迷惑をかけないで生きていけることが、わたしにはいちばんいいことなんです。

浩さんと出会えたこと、それがわたしの宝物です。それだけで、わたしは生まれてきたかいがあったような気がします。

いままでのひどい生活でさえわたしにとってはやっぱり思い出で、ずっととらわれていたけれど、もう過去なんて全部なくなってしまってもいいと思っています。浩さんと初めて出会った去年の七月にわたしは生まれて、今やっと、一人で歩くということを知りました。一人で歩くのはさみしいけれど、それでも諦めないで、がんばらなきゃいけないんだよね。

でも、もしもう一度生まれ変わることができたら、浩さんと一緒に歩いていけるような人にわたしはなりたいな。

その時は、わたし絶対に浩さんを見つけてみせる。

浩さんとめぐり合えてわたしは幸せでした。

浩さんの会社の面接を受けてほんとによかったな。

いつも、誰よりもやさしかった浩さん、今までほんとうにありがとう。

どんなに遠く離れても、もう会えなくても、わたしは浩さんの幸せをずっと祈っています。

もうそばにいられないけど、ずっとずっと祈っています。

さようなら、浩さん。

さようなら。

香折

6

病室の窓から涼しい風が吹きつけてくる。

昨日一日中降り続いた雨も、朝にはすっかり上がっていた。

私はベッドを囲む薄いカーテン越しに、看護婦さんのシルエットが動くのをじっと見つめている。ここに泊まり込むようになって十日が過ぎた。折り畳み式の簡易ベッドを持ち込んでずっと香折に付き添っている。六月十日の深夜、香折の父親との話を終えて池尻に戻ったきりで、あとは一度も部屋には帰っていない。香折が集中治療室を出るまでの半月のあいだは、この病院から歩いて五分ほどのビジネスホテルに泊まっていた。いつ何があっても駆けつけられる場所にいたかったし、瑠衣と顔を合わせたくないという事情もあった。彼女には一度連絡を入れたきりだ。「浩介さんのやりたいようにやればいい。私も少し時間が欲しいから」と瑠衣は妙に醒《さ》めた口調で言って自分から電話を切った。着替えや日用品は十日の夜に取ってきていた。足りないものは売店で買えるし、食事や洗濯も院内ですませている。

カーテンが開いて、傷のガーゼの交換と清拭《せいしき》を終えた看護婦さんが顔を出した。手には丸めた古い寝巻を持っている。

「とてもお似合いですよ」

いつも香折を担当してくれている近藤という看護婦さんだ。歳は香折とさほどかわらない。

「傷の方はどうですか」

「だいぶきれいになってきましたよ。順調だと思います」

たしかに傷の治りは早かった。脳の腫《は》れと脳圧の昂進《こうしん》を抑えるために開けていた側頭部の穴も入院から一週間で塞がれたし、以降は脳の状態に特段の変化はない。心配された感染症や多臓器不全も起こらなかった。香折の二十歳の肉体は、急速な回復力を示している。

今週に入ってからはガーゼの交換も一日に二度に減った。清拭は朝、昼、晩の三回だ。いまのところ汗疹《あせも》も褥瘡《じょくそう》もできていない。

「ありがとうございます」

「じゃあ、今日は午後から検査ですから、お昼すぎにお迎えにあがります」

「お待ちしています」

近藤看護婦は銀色のワゴンを押して部屋から出ていった。

私はドアを閉め、香折の枕元に立った。

香折は安らかな寝息を立てて眠っている。顔色もすっかり良くなった。頬の赤みが透き通るような肌から滲み出て、その顔は神々しさを湛《たた》えてさえいるかのようだ。胸部に差し込まれた中心静脈栄養のカテーテルがなければ、朝を待って眠っているだけのようにしか見えない。

「ほんとだ。香折、すごくよく似合うよ」

襟がすこし乱れていたので整えてやる。

「赤い帯も買ってきたんだけど、もう少ししたら締めてやるからな。そしたらもっともっとよく似合うよ」

昨日、久しぶりに外出した。新宿で預金を引き出し、それからデパートに寄った。ずっと病院支給の寝巻を着せられていた香折のために、新しい浴衣を五枚ばかり誂《あつら》えてきた。先程、近藤さんに一枚渡して頼んでみると、快く使用を認めてくれた。

花菖蒲《はなしょうぶ》の柄のライトブルーの浴衣が首筋や胸元の白い肌を引き立て、香折は見違えるように清々《すがすが》しい。ヘアブラシを取り出して残っている髪を梳《す》いてやる。髪の毛も日一日と艶《つや》を増しているのが分かる。櫛《くし》の通りがなめらかになっている。人間の体が体調によって幾つもの小さな変化を日々積み重ねていることを、こうやって香折の看護をしてみて私は初めて知った。額に沿って櫛を当てると、香折が幽かに閉じた瞼《まぶた》を震わせるようにする。こんな反応も三日前まではなかったことだ。

売店で買ってきたパンと牛乳で朝食をとった。それから香折の爪を切り、いろいろ話しかけながら全身をくまなくさすっていく。

香折の容体は安定している。入院当初の深刻な状態からすれば、十分奇蹟《きせき》的と言える回復ぶりだった。一昨日の脳波検査では、それまでほとんど消えていたアルファ波がかなりはっきりと蘇《よみがえ》っていた。アルファ波は静かに瞑想《めいそう》したり、うとうとしたときによく出る脳波だ。生命中枢である脳幹部の状態をみる聴性脳幹反応の波形も、ほぼ正常にまで戻ってきていた。だが、すでに一ヵ月近くが経過したいまも、香折が目を覚ます兆候はまったくない。

治療チームの説明は次第に歯切れの悪いものになってきている。術後管理に追われていた最初の一週間は、香折の生命維持に全力を上げていたが、脳の損傷部位が固着し小康を得るようになると、彼女の意識レベルをどう判断すべきかでチームの意見は割れたようだった。集中治療室からこの病室に移った際、主治医はこのまま植物状態に移行する可能性が高いことを示唆した。だが、その一方で別の医師は、意識回復の可能性が皆無でないことを伝えてくれた。とはいっても現在の医療技術では、香折に施すべき処置は残されてはいなかった。後は経過観察をつづけながら、ひたすら彼女が眠りから目覚めるのを待つだけだった。

植物状態という言葉が主治医の口から洩れたときは絶望的な気分になってしまった。その日は病棟の洗濯室で汚れ物を洗いながら、涙があふれてきて止まらなかった。こんなに泣けるのかと我ながら啞然とするほどだったが、ちょうどその場に入ってきたのが大村さんだった。リネン類の入った大きな籠《かご》を抱えて洗濯室にやってきた彼女は、隅《すみ》の業務用の洗濯機を回しながら、横目で椅子に座っている私の方をうかがっていたが、しばらくして話しかけてきた。私は足元を見つめながら涙が頰を伝うにまかせていた。

「奥さんかい」

面を上げるとグリーンの上っぱりを着た六十年配の女性が真ん前に立っていた。陽に灼けた皺だらけのその顔を見た瞬間、私はどういうわけかひどく懐かしいものに出会ったような、心が温む感覚を味わったのだった。首を振ると、大村さんは隣に腰掛け、じっと私から視線を逸らさない。その眼差しが頬のあたりにこそばゆかった。

香折の病状を説明すると、大村さんは熱心に耳を傾けてくれた。それから、たとえ植物状態になっても、様々な治療やリハビリをやっているうちに手足を動かせるようになったりすること、場合によっては三ヵ月、半年植物状態でも不意に意識を取り戻す例があることを教えてくれたのだった。

「とにかく、毎日、側にいて話しかけたり、体をマッサージしてあげるんだよ。私もこの仕事に就いていろんな患者さんを見てきたけど、本人にしても介護する人にしても希望を捨てずに、諦めずに、明るく朗らかにやっている人の方が、そうじゃない人より何倍も良くなるんだから」

大村さんは、看護助手として病院の雑役の仕事を始めてもう十五年になるという。この病院に勤める前は埼玉の救命救急センターで働いていたが、そこでは重症患者ばかりを見てきた。

「みんなDOA状態って言ってね、半死半生で担ぎ込まれてくるんだけど、それこそ、交通事故で頭が半分吹っ飛んじゃったような人が蘇生《そせい》して、元気に歩いて退院していくんだよ。ほんとうに人間の生命力は凄いよ。その病院でも、ずっと意識不明だった娘さんの体をお母さんが毎日毎日何時間もさすってあげて、三ヵ月目に目を覚ましたなんてことがあったもの。だから、気を落とさないであんたも頑張んなきゃ駄目だよ。きっと良くなるから」

私は大村さんのその言葉に励まされた。以来、彼女とは顔を合わせるといろいろな話をする。若い頃に夫と死別し、女手一つで育てた一人息子を十八年前に水の事故で失った身の上話は、三度目に会ったときに聞いた。息子さんはまだ二十歳だった。「あんたの彼女と同い年だよ。生きてればちょうどあんたくらいだね」と大村さんは言った。

朝も昼も夜も、起きているあいだは、始終、香折に話しかけたり、体をさすってやったりしている。最初の一週間は何の反応もなかったが、続けているうちに少しずつ彼女が回復している様が、手先を通して伝わってくるようになった。皮膚の温度や色、弾力、そして掌に幽《かす》かに感じる不思議な波動のようなもの。そんな小さな手応えが何よりの喜びに思える。香折の側にいてやれるだけで十分だった。いまの私には他に望むことは何もない。

一昨日の夕方、休憩所で患者さんたちにまじってテレビニュースを見ていると、F3のテスト機に新たに重大な欠陥が発見されたというニュースが流れた。対艦ミサイルを搭載しての高速飛行中に両主翼に異常振動が発生するという致命的なものだった。F3は、社が社運をかけて開発を続けてきた日米共同開発の支援戦闘機だ。仮に社に残っていれば、私はこの問題の処理で一睡もできぬ状況に立ち至っていたことだろう。だが、そのニュースに接しても一片の感慨さえ胸に浮かばなかった。開発の初期段階から関わり、完全国産化を猛烈に主張して扇谷や駿河たちと再々の議論を行なった数年前の自分が、まるで他人のようにしか思えなかった。

香折に音楽を聴かせることも昨日から始めている。香折の書いた履歴書には特技として「バイオリン」とあった。それを思い出し、プレイヤーとCDを新宿で買ってきた。バッハとチャイコフスキーのバイオリン協奏曲を昨夜は聴かせてみた。今朝は、マッサージをつづけながら香折の好きな歌をかけている。槇原敬之《まきはらのりゆき》の「どんなときも」だった。雨に濡れた香折が世田谷公園でブランコを揺すりながら口ずさんでいた曲だ。

こうやって二人きりの時間を持ってみると、私は案外に香折のことを知らないのだった。一度瑠衣と柳原と四人で食事をした折、香折は、

「そういえば私、浩さんのこと全然知らないんだ」

と言っていたが、私も似たようなものだ。幼児期からの辛い体験を聞かされ理解した気になっていただけで、実は、香折の二十年の人生のほとんどを私は何も知らない。楽しかったこと、頑張ったこと、感動したこと、そんな話を聞いておきたかったといまになって思う。私の中の香折は哀しすぎた。ほんの少しでも彼女の生を祝福するような思い出に触れていれば、よほど慰めになったろうに、という気がする。

廊下から昼食の配膳《はいぜん》の音が聞こえてきて、手を休めた。もう十一時半だ。今日は午後から検査が入っているから、その前に食事を済ませておかなければ。

「ちょっと、メシ食ってくるからな」

私は香折に告げて病室を出た。

食堂は小児科と産婦人科の病棟になっている新館の一階にあった。昼時だったのでひどく混み合っていた。六百円のランチを注文し、トマトジュースをお茶代わりに箸をつける。お茶やコーヒーはここに来てからは飲まないようにしていた。馬鹿げた験《げん》かつぎだが、香折のために私がしてやれることは少ない。

食べ終わって、食器の載ったトレイを戻すために厨房《ちゅうぼう》の前の行列につこうとして、ふと外を

眺めた。この食堂は窓が全面硝子張りになっていて、本館の前庭が見通せた。広い前庭は玄関の手前に小さな噴水があるだけで、あとは駐車スペースになっている。いまもたくさんの車でほぼ満杯だった。久し振りの晴天に、さまざまな色の車体が陽光をはじき返してきらきらと輝いている。昨日の雨が嘘のようにアスファルトの地面は乾ききっていた。病院正門の遮断機のあたりに目をやったとき、私はトレイを両手に抱えたまま立ち止まってしまった。

背の高い女性が、ちょうど正門を通って本館正面につづく真っ直ぐの歩道をこちらへ近づいてくるところだった。薄いベージュのノースリーブのパーカーにペパーミントグリーンのスカートをはいている。右手には大きな紙袋を提げていた。正門に向かっていた何人かの男たちがすれ違いざまに振り返っていく。彼女は気にする風でもなくゆっくり歩いていた。

瑠衣は私の視線に気づかぬまま、正面玄関の方へと消えていった。

7

総合案内のカウンターで案内係の看護婦さんと話していた瑠衣の背中に声をかけると、彼女は振り向いてびっくりした顔になった。外来の診療受付は午前中で締め切られるが、支払いや薬を待っている患者たちで一階のフロアはごった返している。私は瑠衣を誘って外に出た。凹型の本館は真ん中に広い中庭があって、そこにはベンチも幾つか散らばっている。二人でその中庭に向かった。

外は蒸し暑く、涼しかった風も夏めいた熱気をはらんでいた。空には積乱雲らしき雲が浮いている。今年は雨が多かったが、あと半月もすれば梅雨も明けるのだろう。歩きながら、瑠衣はちらちら私の方を見る。目が合うと薄く笑みを浮かべた。

中庭には大きな藤棚があった。いまは花も終わり、繁った青葉が日差しを遮って斑《まだら》な淡い影を地面に落としている。端のベンチが空いていたので、私たちはそこに並んで腰掛けた。

黙ってしばらく庭の景色を眺めていた。瑠衣も何も言わない。

腰をずらして、彼女の方へ体を向ける。

「さっききみが歩いているところを新館の方から見てたんだ。すごい美人が来るから、誰だろうって思った」

瑠衣は私の顔を見つめている。

「初めてね」

「何が」

私から視線を外し、彼女はつんと澄ました表情で蔓《つる》のからまった藤棚を見上げた。眩《まぶ》しそうに目を細める。

「私のこと美人だって言ったの」

「そうだっけ」

「うん」

瑠衣は立ち上がった。二、三歩前に進んで振り返る。

「浩介さん、痩せたね」

たしかにこの一ヵ月で体重は五キロほど落ちていた。

「ずっと泊まり込んでるから。でも体調はいいんだ」

「池尻の部屋には帰ってないの」

「ああ」

小首を傾げるような仕種で、瑠衣は私の背後に目をやる。瞼を閉じて息を吸い込むようにした。その耳から顎にかけてのラインの美しさは芸術的と言ってもいい。

「いい匂い」

ゆるい風にスカートの裾が揺れていた。そういえばさっきからほのかな芳香が周囲に漂っている。首をねじって瑠衣の目線の方に顔を向けた。灌木《かんぼく》の茂みがあって、白い花がたくさん咲いていた。

「何の花だか知ってる」

「さあ何だろう」

「クチナシの花」

瑠衣はくすっと笑って再び私の隣に戻ってきた。

「浩介さんって変わってるわ」

「どうして」

聞き返しながら、初めて関係を持った夜も彼女は同じようなことを言った、と思う。

「だって、一見すごくまともな人に見えるのに、やることは変だし、人の言うことは全然聞かないし、それに、何でも知ってるようでいてびっくりするようなこと知らなかったりするし」

「そうかな」

「そう」

瑠衣はベンチに両手をついて足をぶらぶらさせている。

「あの日、夢を見たんだ」

私は言った。

「伊豆に行って三日目の早朝だった。香折が一人ぼっちで泣いてた」

瑠衣の揺れていた足が止まった。

「香折ちゃんが襲われた日？」

「兄貴に殴られる三時間くらい前だと思う」

「だから、あの日、東京に帰ろうって言ったんだ」

「ああ。だけど、間に合わなかった」

瑠衣はしばらく黙っていた。それから、長い髪をかきあげ、

「私のせいね」

と言った。

「いや、そうじゃない。ぼくが間違ってただけだ」

私はひとつ息をつく。

「退院した晩に香折はぼくのところにやって来た。柳原の話だと、その日、彼は香折にプロポーズしたそうだ。なのに香折は何にも言わなかった。少しだけ部屋にいて、柳原のところに帰っていった。あのときどうして香折を帰してしまったのか、いまになってみると分からない。連れ戻していればこんなことにはならなかった。ほんとにどうかしてたんだ」

「そうだったの……」

瑠衣は淡々としていた。親しい人の相談にでも乗っているような、そんな柔らかな雰囲気を保っている。私は時間が気になった。そろそろ近藤看護婦が香折を迎えに来る頃合いだろう。

「香折ちゃんの容体は」

「まだ意識が戻らない」

「柳原さんは」

「彼は関係ないよ」

「そう」

そこで瑠衣は目を伏せ、何か考えるような表情になった。

「香折ちゃんの意識が戻るまで、ずっと付き添ってあげるつもりなの」

「そうだね」

瑠衣は私の言葉に頷く。また下を向いて黙り込んだ。しばらくして顔を上げる。

「じゃあ、意識が戻ったら」

いつもはぼうっとかすんでいる二つの瞳が、いまは微動だにせず私を見つめていた。柔らかな表情は消え、食い入るような視線だった。瑠衣がこのひと月のあいだどんな気持ちで過ごしてきたかは容易に想像できる。そして何のためにこうして私を訪ねてきたかも。私は自分の意志を伝えなければならない。

「ぼくは、もう二度と香折の側を離れるつもりはない」

瑠衣の瞳が小さく揺れたのが分かった。

「でも……」

瑠衣は少し口ごもるようにした。言葉を止め、気持ちを固め直すように一度まばたきをした。

「もしこのまま香折ちゃんの意識が戻らなかったら」

はっきりとした口調だった。

私も瑠衣の目を見据える。

「香折が目を覚ますまで、何年でも待つ」

ゆっくりと瑠衣の顔に微笑が浮かんだ。私のことを痩せたと言ったが、すっかり痩せてしまったのは彼女の方だった。

「そっか」

瑠衣は素早く立ち上がった。

「じゃあ、そろそろ行くね」

「ああ」

私も一緒に腰を上げる。

藤棚を出たところで瑠衣は立ち止まった。空を見上げている。

「来週からニューヨークなの。向こうはすっかり夏らしいわ」

私も空を眺める。太陽はますます明るく輝いていた。ニューヨークか、と思った。あの太陽よりもまだ遠い街のような気がする。その瞬間だった、あたりの景色がすうっと収縮していくのを感じた。深い井戸に背中から落ちていくように、中庭の木々の緑、取り巻く古い石造りの建物、そして雲の散る青空がみるみる縮まって小さくなっていく。私は目をつむり深呼吸をして、目を開けた。幻覚は消えていた。最近、たまにこういった幻覚に見舞われる。

「これ」

瑠衣の声に我に返った。提げていた紙袋が目の前にあった。

「お弁当作ってきたの。着替えも少し入ってるから」

私は黙って一歩体を引く。

「大丈夫。毒なんて入ってないから」

瑠衣は笑って、私の胸に袋を押しつけてきた。

「そうだな」

私も笑って、袋を受け取った。

「もう、浩介さんにお料理作ってあげられないんだね」

袋を提げた私の腕に目をやりながら瑠衣がぽつんと言った。

「ああ」

私は答える。

「私、浩介さんを幸せにする自信あったよ」

視線を上げ、強い視線で瑠衣は私を見つめる。

「すごく、あったんだからね」

その顔が頬笑みながら歪《ゆが》んでくる。

きっとそうだろう、と私は思う。瑠衣と共に歩けば長く静かな幸福が手にできただろう。互いに慰め、安らぐあたたかな家庭があったのだろう。だが、香折とのあいだには一瞬一瞬のかけがえのなさがあった。たとえ香折が私にとって安らぎでなかったとしても、私の人生に豊かさを与えなかったとしても、香折と共にいるその瞬間瞬間に、私は生の実感を摑むことができる。

　時計を見た。一時になっている。早く病室に戻らないと検査が始まってしまう。

「じゃあ、ここで。香折が待ってるから。これから検査なんだ」

　瑠衣が頷く。

　私はゆっくりと後ずさり、一メートルほど離れたところで、持っていた紙袋に視線を落とした。少し考えてから、もう一度瑠衣に近づいていった。

「やっぱり返すよ」

　袋を差し出すと、瑠衣が潤んだ目で私を見る。

「毒なんて入ってないよ」

　と、もう一度言う。

「だから、受け取れないんだ」

　瑠衣は目を伏せて私から離れた。私は差し向けた手を下ろす。

「頑張りがいがなかったなあ」

　そして、下を向いたまま、瑠衣はまたぽつんと言った。

「香折ちゃん、ずるいなあ」

　伏せた睫毛《まつげ》の陰から大粒の涙がこぼれ、急いで両方の人差し指で頰を拭った。

　瑠衣はもう何も言わなかった。腕を組んでこんどは空を仰ぎ、じっとそのままにしていた。

私は紙袋を足元にそっと置き、瑠衣に背を向ける。心の中で「さようなら、瑠衣」と呟く。中庭の出口の暗がりが底無しの穴のように見える。

香折はもう二度と目を覚ますことはない、そうはっきりと感じた。

8

少ないと思っていた香折の荷物も、部屋におさめてみると意外に場所をとった。わずか二十年の人生でも人はさまざまなものを抱え込んでしまうものなのだ、と思う。同時に、こうやって香折の一切合切を自分のマンションに運んで来て、彼女をこれから引き受けていくことの重みを実感する気がした。

引っ越し屋を帰して、居間のソファに放っておいた香折の布団を取り上げ、丸めて大きな紙袋に詰めた。時計を見ると午前十一時を回ったところだ。飲みさしのコーヒーを捨て、カップを洗うと、私は部屋を出た。

車に乗り込み、助手席に紙袋を置く。フロントガラスに注ぐ陽光は、すっかり夏のものだ。ハンドルに渡した両腕が妙に生白く頼りなかった。体重は十キロ近く落ちてしまった。病室に閉じ籠《こ》もりきりでは長続きしまい、と考えを切り換えて、一週間前から二日に一度は池尻に戻るようにした。香折の状態は安定している。相変わらず安らかな寝顔で眠っていた。

私は次第に、いまの状況に馴《な》染《じ》み始めている。幼い時分より一日たりとも平穏に眠ることのなかった香折が、いまようやく、何の恐怖も感ずることなしに眠っている。眠るだけ眠らせてやりたいと思うようになっていた。

九段のクリニックに通い始めて最初に中村医師から教わったのは、腹式呼吸による安眠法だった。ベッドに横になって大きな深呼吸をゆっくりと繰り返す。まず手先、それから両腕、爪先から両足、そして体全体の力をだんだんに抜いていく。

「『きみ、なかなかうまいね』って褒められちゃった」

習った晩にさっそく自分の部屋のベッドで試しながら、香折は言った。だが、見ている私からすれば、彼女の体はどこかぎこちなく強張《こわば》ったままだった。見かねて狭いベッドの隣に横になり、お手本を見せてやったが、香折は肩や肘、膝の筋肉を完全にゆるめることができなかった。がっかりした風に起き上がり、

「やっぱり駄目なのかなあ。どうしても不意に殴られないようにって身構えちゃう。癖になってるんだよね」

と、ぶつぶつこぼしたものだ。

八月の光の中に車を出す。香折が入院して今日でちょうど二ヵ月が過ぎた。

都心に入ってから渋滞に巻き込まれ、日本橋に着いたときは約束の時間より十五分ほど遅れていた。三越の駐車場に車を入れ、暑気でむせ返る中央通りを横切って、煉瓦《れんが》作りの古めかしい玄関をくぐる。受付で名乗り、訪問先を告げると、

「お待ち申し上げておりました」

受付台の脇に立っていたベージュの制服姿の若い女の子が声をかけてきた。案内されて奥にある専用エレベーターで六階の役員フロアに上がる。そこで今度は紺の制服の秘書に導かれて

長い廊下をしばらく歩いた。「中平常務室」というプレートがかかった部屋の前で立ち止まる。秘書がノックして静かにドアを開けた。

足を踏み入れると、正面のデスク越しに座っていた中平隆一が立ち上がった。

「少し遅れてしまいました」

私は軽く頭を下げた。中平は、応接セットの方へ行って手招きをする。顔を合わせるのはこれで三度目だったが、前二度、病院で会ったときと異なり、その姿には精彩がある。髪はかなり白く、がっしりとした体軀《たいく》で、理知的な顔立ちは引き締まっている。初めて見たときから、香折はこの父親の容貌《ようぼう》を受け継いだのだと思った。母親の美沙子はかつて香折に見せられた写真そのままだったが、小さく写っていた父親の方は写真とは相当に異なっていた。

向かい合って座る。

「香折はどうですか」

中平が、両掌を組んで前に突き出すようにしながら言った。

「まだ意識は戻っていませんが、元気にしています」

「そうですか」

中平が香折と最後に会ったのは一週間ほど前だった。美沙子の方は、入院の翌日訪ねてきた折にひと目見たきりだ。彼女はもう二度と病院には来ない。

「彼はどうしていますか」

私は隆則の様子を訊く。

「この前、お話しした通りです。正式に診断が下りまして、先週、川崎の病院に送致になりました」

「当分は出てきませんね」

「はい。検事さんや医者の話では、少なくとも二年は措置入院がとられるだろうということです」

私は、二度目に会った時に中平に持ってこさせた幾葉かの写真を思い浮かべる。写真の中の隆則は、母親によく似た生真面目でおとなしそうな感じの男だった。

「勝手に病院を抜け出したりは絶対にありませんね」

「私たちも一緒に行って確認してきました。閉鎖病棟で、厳重な監視が行なわれています」

表情を変えることもなく中平は淡々と話す。写真を受け取った日に、長い時間彼と話した。香折に対する母親美沙子の虐待について、「薄々勘づいてはいましたが、中村先生から詳細を聞くまでは、正直そこまでとはまったく想像していませんでした」と彼は言った。「私も妻もこの十年、隆則のことで途方に暮れる日々でしたから」と言い訳にもならぬことを口にもした。ただ、半ば狂乱の態だった母親の美沙子にしろこの中平隆一にしろ、心の深い部分に相当の痛手を負っているらしいことはその気配から察せられた。こうした事態に立ち至る前に二人に会うべきだった、と私はいま悔いている。

「美沙子さんの方はいかがですか」

「彼女もおとなしくしております。もうご迷惑をおかけすることはないと思います」

「大丈夫ですね」

「ええ」

取り乱した美沙子を病室から叩き出した当日の夜、中平は病院にやって来た。そこで、金輪際、彼女を香折の側に近づけぬよう強く念を押しておいた。いまのところ中平はその約束を忠実に守ってくれているようだ。中平の話では美沙子は今年の一月から、中村医師の紹介した横浜のクリニックに通い、薬とカウンセリングの治療を受けているということだった。

「橋田さん」

中平がひとつ息をついた。

「あれも可哀そうな女なんです。いまは心の底から自分のしたことを後悔しているはずです。それは私も同じですが」

「そうかもしれませんね」

私は言う。

「中平さん、ぼくにあなたたち夫婦のことをとやかく言う気はありません。ただ、香折をこちらに渡してもらう、それだけ了解してくれればいいのです。もしそれができないというのならば、そのときはぼくはあなたたちと対決します。分かりますね」

中平が頷いて目を伏せる。

「書類は?」

先週、彼を呼び出したときに頼んでおいたものだ。中平が背広の内ポケットから茶封筒を取り出す。受け取って中身を抜いて広げる。たしかに香折の戸籍謄本にまちがいなかった。

「じゃあ、これはいただきます。今週中には手続きを済ませるつもりです」

「そうですか……」

中平は親指と人差し指で、高い鼻筋の脇を揉んだ。眉間に歳相応の皺が寄る。顔色はあまりすぐれない。私は謄本を畳み封筒にしまう。

「これで、香折は中平家とは完全に無関係の人間になります。今後はこちらから連絡するまで、一切の交渉を絶ってもらいます。香折が退院しても、約束の通り、ぼくたちの所在は知らせません。よろしいですね」

「承知しています」

「美沙子さんも分かってくれていますね」

「私が責任を持ちます」

私は立ち上がった。中平はそのまま座り込んでいる。わずかな間があって中平が顔を上げた。

「橋田さん」

そう言うとポケットから新しい封筒を出した。彼も立ち上がり、その封筒を差し出してくる。

「受け取ってください。香折にではなく、あなたに渡すために用意しました」

私はじっと中平の顔を見た。中身はそれなりの金額の小切手だろう。私の視線に中平の瞳が弱々しく揺れる。男として、父親として何と哀れな顔だ、と思う。

「中平さん」

しかし、私はその瞳を見据えた。

「あなたには、もうできることは何ひとつないんですよ」

封筒を突き出した右手がゆっくりと下りていった。

「じゃあ、これで失礼します」

「あの……」

痺《しび》れたような彼の顔の中で口だけが別の生き物のように緩慢に開く。

「香折は……」

絞り出すような掠れた声だった。

「香折は、いつか、私たちを許してくれるでしょうか」

私はそこで中平から視線を逸らした。執務机の向こうに眩しい光で満ちた大きな窓がある。窓の外は真夏の熱気と喧騒であふれている。それに比べてこの部屋は余りにも静かだった。わずかに心が動くのを感じた。抑えてきた感情がじわりと滲み出してくる。だが、目の前の男は白い光のなかで小さく萎《しぼ》んでいた。軋《きし》みかけた気持ちはすぐに鎮《しず》まった。

「たぶん……」

苦痛に耐えてでもいるようなその顔を見つめ直し、私はほんの少し首を縦に振ってみせた。

ドアのノブを回そうとしたとき、背中に声がかかった。振り返る。中平が直立不動の姿勢で立っていた。

「橋田さん、どうか香折のことをくれぐれもよろしくお願い致します」

深々と腰を折るその姿を一瞥《いちべつ》して、私は部屋を後にした。

9

一時間近くベッド際に腰掛けて香折の寝顔を眺めていた。笹飾りの図柄の浴衣《ゆかた》がよく似合っている。七夕の日にこの浴衣を初めて着せた。その夜は一晩中、香折の目が開くのを待った。いつの間にか窓の外は白み始め、私は諦めて寝台に横になり、これからもこういう夜が幾たびも訪れ、そして明けていくのだろうと思った。

さすがに香折も少し痩せてしまった。頰のあたりがげっそりしている。目覚めたら、美味しいものをたくさん食べさせてやりたい。手をとって握ってみると、やはり以前より大分細くなった気がする。室内は決して暑くないのに、掌はわずかに湿っていた。

「香折、明日は何の日か知ってるか」

私は香折の手をベッドの薄い掛け布団の上に戻して話しかけた。

「八月十一日、俺の誕生日なんだ。もう三十九歳だよ。早いもんだな。自分でも信じられないよ。

明日、朝一番で区役所に行ってくるよ。お前の名前を変えてくる。もうお前は中平の家とは縁もゆかりもない人間になるんだ。過去は作りかえることができなくたって、現在を新しくすることはできるだろう。

意識が戻ったら、お前の一番行きたいところに一緒に旅行に出よう。ほんとうに二人でほっと息のつける場所を探そう。俺のことやお前のことを誰も知らない、誰にも邪魔されない場所を探そう。

いっそ、海外で二、三年暮らすのもいいぞ。俺は英語もフランス語も喋れるから、不自由はさせないよ。ヨーロッパはどうだい。南仏かスペインにでも行って、海の側に家を借りて、花でも育てながらゆっくり養生しよう。料理も洗濯も買い物もぜんぶ俺がやってやるからな。大丈夫。金の心配はいらないんだ。池尻のマンションもあるし、退職金も入った。この間、口座をたしかめてびっくりしたよ。向こうで暮らすなら五年や六年、十分に賄《まかな》えそうだ。そのうち、俺も仕事を探すよ。一緒にやっていける仕事を二人で考えよう。お前には言ってなかったけど、俺、昔からちっちゃなジャズバーをやりたいと思っていたんだ。どっか田舎にそんな店を持ってもいい。俺がマスターで、お前はバーテンダーだ。お前は嫌がるかもしれないけどな。

とにかく、これからはずっと二人で、絶対、離れ離れにならずに生きていこう。愉快なときも苦しいときも、いつも必ず二人でいよう」

私はそれから長いこと香折の顔を見つめていた。何も応えない香折に疲れると、もう一度その手を取り、甲にそっと頬を寄せた。甲は骨張っていて冷たかった。

「だけど、知らないうちに俺の嫁さんになんかなって、お前、びっくりするんだろうなあ。早く、お前がおどろく顔が見たいよ」

私は冷たいままの手をベッドに戻し、腕時計を見て立ち上がった。すでに三時半だった。足元の紙袋を手に持つ。

「じゃあ、ちょっと行ってくる。すぐ戻るから」

そう言って、病室を出た。

ナースステーションの前を通ると、看護婦さんたちが声をかけてくる。ふた月で彼女たちともすっかり顔なじみになった。最初は雑駁《ざっぱく》に映った看護体制も、私のような泊まり込みの付き添いをする人間にとっては、かえって好都合だった。皆、親しげで気持ちの柔らかい人たちだった。

この病院で一つだけ困ったのは、終戦直後に開院した古い病院であるのに全館禁煙になっていることだ。喫煙コーナーすらなかった。晴れた日は、屋上に上がって、洗濯物を干したり取り込んだりのついでに一服する。だが雨がつづくとそうもいかず、その度に玄関を出て駐車場の隅で煙草を吹かした。屋上には医者や患者たちの溜まり場が片隅にあって、そこに脚のついた灰皿が二つばかり置かれていた。

三日ぶりの屋上は白一色だった。

布団カバーやシーツが、爽《さわ》やかな風を孕《はら》んで一斉に翻《ひるがえ》っていた。私は足を止め、しばし風にたなびく一面の白を眺める。見上げた空はどこまでも真っ青に広がっていた。視界は白と青だけで満たされ、吹きわたる風の音以外には何も聞こえはしない。目を閉じ、ゆっくりと開ける。眩しかった。降り注ぐ光を顔に受け、自分を取り巻く光景がふくらみ、生き生きと輝きに満ちていく一瞬を感じた。この光こそが時間であり、この瞬間こそが光なのかもしれない。目を細めてさらに中天を仰ぎ見る。強い光に眩暈《めまい》を感じながら、香折はもう二度と目をさますことはないのだろうと言いきかせる。それでも構わないと思った。ずっとこのままでいい。香折も私もきっと幸福なのだ。私たちはこういう形でしか一つになれなかったが、だからこそ、一つになり得たのかもしれない。

洗濯物の下をくぐって、いつもの喫煙場所へ行った。いまは誰もいなかった。シャツのポケットから煙草を取って一本抜いて火をつけた。二、三服して足元に置いた紙袋から中身を引き出した。

屋上の隅に一段高い給水塔があった。その横に小さな焼却炉がある。吸い差しを灰皿に捨てると、布団を小脇に抱えてその焼却炉の方へと歩いていった。

緑衣の女性が一人、血で汚れた包帯や使用済みの脱脂綿などをゴム手袋をはめた手で炉に次々と放り込んでいた。

「大村さん」

声をかけると、

「ああ、あんたかい」

作業をつづけながら、大村さんが顔を向けた。

「今日は、いい天気になりましたね」

「ほんとだねえ」

炉の炎は赤々と燃え、見上げると小さな煙突から白い煙が青空にゆっくりと立ちのぼっている。

「彼女、まだ目をさまさないのかい」

「ええ」

「そうかい。早く目をさますといいね」

「はい」

「こんなにいいお天気なんだもん、眠ってたらもったいないよ」

「そうですね」

私は小脇の布団を、笑顔の彼女に差し向けた。

「大村さん。これもついでに燃やしてくれませんか」

「はいよ」

大村さんはあっさり受け取ると、ぎゅうっと丸めて炉口に布団を押し込んだ。あっという間のことだった。

目線を上げ煙突の先を見つめる。真っ白な煙がもうもうと湧きあがった。その煙が風に流され、徐々に空に溶け込んでいく。私は礼を言ってその場から離れ、屋上の端まで歩いた。金網に背中をあずけて、焼却炉の煙突をじっと眺めていた。大村さんが首に巻いたタオルで時折額の汗を拭っている。

そのうち吹き出していた煙も薄れ、じきに細い一筋になった。

あの布団もとうとう真っ白な灰になるのだな、と思った。

どうしてもっと早く、香折にこの光景を見せてやれなかったのか、という気がした。

一日中、薄暗い病室に横たわっている香折に、せめてこのあたたかで清らかな天上の光を浴びさせてやりたい。ほんのわずかの時間でもいい、いつか香折を抱いて外に出よう。私はそのときの情景を想像した。目の前が滲みぼやけてくる。このままでもいい、これできっと幸福なのだと思ったばかりなのに、それでも形容しようのない感情が胸の隙間から込み上げてくる。目元を拭うと指先を涙がかすかに濡らした。

ポケットから香折の手紙を取り出した。折り皺が深くなって、数枚の便箋はどれも千切れてしまいそうだ。数えきれぬほど読んだ手紙の文字を、ゆっくりとなぞっていく。

便箋を封筒にしまい、かわりに鍵を取り出した。最初はてっきり香折の部屋の鍵だと思ったが、たしかめてみると私の部屋の鍵だった。香折は、返してきた鍵とは別にもう一つ予備をこしらえておいたのだ。

つまんで太陽にかざしてみる。銀色の鍵は陽を受けて鈍く光った。心なし午後の日差しも弱まってきているようだ。その分、風が強くなってきていた。向こうで洗濯物がはためく音がはっきりと届く。ぱたぱたと軽やかな音で、風は真夏の乾いた風だ。

しばらく、その風に身をさらしていた。これまで自分を包み込んできた様々な時間が次第にほどけ分解されて、一片一片の薄紙のように体から剝《は》がれていく気がした。

香折は言っていた。〈もう過去なんて全部なくなってしまってもいい〉と。〈もしもう一度生まれ変わることができたら〉絶対にこの私を見つけてみせる、と。

この世界には、ほんとうは過去も未来もそして現在さえもないのかもしれない。そうであるならば、この瞬間にも香折はきっと生まれ変わっているのだ。

香折と最後に会った夜、闇の中へ駆け去っていったその白い後ろ姿が思い浮かんでくる。あのとき、私は初めて香折の姿をこの目でとらえることができたのかもしれない。私はあのとき初めて香折と出会うことができたのかもしれない。

私と出会う、ただそのためだけに香折は長く苦しい年月を渡ってやって来た。そして香折は私を見つけ出してくれたのだ。

今度は私の番だった。あの夜、走り去っていった香折の白い背中をどこまでも追いかけ、私は香折をもう一度しっかりと見つけ出してやろう。たとえ何があっても諦めずに私はきっとやり遂げてみせよう。

それは誰のためでもなかった。なぜなら、香折の中にのみ、この私はあるからだ。その私の中にのみ、香折はあるからだった。

私は鍵を封筒にしまうと、金網から身を起こした。

焼却炉の前に大村さんの姿はなく、広い屋上には私一人きりだった。ゆっくりと視線を持ち上げ、煙突の先を見やる。

煙はいまや糸のように細く、途切れ途切れになっていた。やがて吐き出されたその最後の一筋も、見るまに風に掻き消されていった。

煙のなくなった青い空の彼方に、かすかに香折の後ろ姿が見えるような気がした。


（完）

本作品はフィクションです。実在の個人・団体などとは一切関係がありません。（編集部）

この作品は二〇〇〇年一月に小社から単行本として刊行したものを文庫化したものです。

一《いつ》瞬《しゆん》の光《ひかり》

白石一文《しらいしかずふみ》

角川文庫 13046

平成十五年八月二十五日 初版発行
平成二十二年三月二十五日 二十六版発行

発行者—井上伸一郎
発行所—株式会社角川書店
東京都千代田区富士見二—十三—三
電話・編集 (〇三)三二三八—八五五五
〒一〇二—八〇七八
発売元—株式会社角川グループパブリッシング
東京都千代田区富士見二—十三—三
電話・営業 (〇三)三二三八—八五二一
〒一〇二—八一七七
http://www.kadokawa.co.jp
印刷所—旭印刷 製本所—本間製本
装幀者—杉浦康平

本書の無断複写・複製・転載を禁じます。
落丁・乱丁本は角川グループ受注センター読者係にお送りください。送料は小社負担でお取り替えいたします。

定価はカバーに明記してあります。

©Kazufumi SHIRAISHI 2000 Printed in Japan

し 32-1 ISBN978-4-04-372001-9 C0193

角川文庫発刊に際して

角　川　源　義

第二次世界大戦の敗北は、軍事力の敗北であった以上に、私たちの若い文化力の敗退であった。私たちの文化が戦争に対して如何に無力であり、単なるあだ花に過ぎなかったかを、私たちは身を以て体験し痛感した。西洋近代文化の摂取にとって、明治以後八十年の歳月は決して短かすぎたとは言えない。にもかかわらず、近代文化の伝統を確立し、自由な批判と柔軟な良識に富む文化層として自らを形成することに私たちは失敗して来た。そしてこれは、各層への文化の普及滲透を任務とする出版人の責任でもあった。

一九四五年以来、私たちは再び振出しに戻り、第一歩から踏み出すことを余儀なくされた。これは大きな不幸ではあるが、反面、これまでの混沌・未熟・歪曲の中にあった我が国の文化に秩序と確たる基礎を齎らすためには絶好の機会でもある。角川書店は、このような祖国の文化的危機にあたり、微力をも顧みず再建の礎石たるべき抱負と決意とをもって出発したが、ここに創立以来の念願を果すべく角川文庫を発刊する。これまで刊行されたあらゆる全集叢書文庫類の長所と短所とを検討し、古今東西の不朽の典籍を、良心的編集のもとに、廉価に、そして書架にふさわしい美本として、多くのひとびとに提供しようとする。しかし私たちは徒らに百科全書的な知識のジレッタントを作ることを目的とせず、あくまで祖国の文化に秩序と再建への道を示し、この文庫を角川書店の栄ある事業として、今後永久に継続発展せしめ、学芸と教養との殿堂として大成せんことを期したい。多くの読書子の愛情ある忠言と支持とによって、この希望と抱負とを完遂せしめられんことを願う。

一九四九年五月三日